6840405946 1 542

छबीला रंगबाज़ का शहर

प्रवीण कुमार

₹ 225
ISBN : 9789386534156

प्रथम संस्करण : 2017
CHHABILA RANGBAAZ KA SHAHAR (Stories)
by Pravin Kumar

मुद्रक : जी.एच. प्रिंट्स प्रा.लि., नयी दिल्ली

राजपाल एण्ड सन्ज़
1590, मदरसा रोड, कश्मीरी गेट, दिल्ली-110006
फोन : 011-23869812, 23865483, फैक्स : 011-23867791
e-mail : sales@rajpalpublishing.com
www.rajpalpublishing.com
www.facebook.com/rajpalandsons

क्रम

छबीला रंगबाज़ का शहर

इस शहर में दर्शन-फर्सन

बतकूच्चि : *'ईश्वर की अवधारणा के बिना इस ब्रह्माण्ड के रहस्य को सुलझाना और पूर्णतः प्राप्त कर लेना सम्भव है। साथ ही किसी भी मनुष्य के लिए सम्भव है कि वह परमज्ञान को प्राप्त कर ले।'*

शहर जग चुका था। इसका मतलब था कि रोज़ की तरह वह सूर्योदय से एक घंटा आगे था। सुबह उठने के बाद जैसे प्रत्येक मनुष्य के 'फ्रेश' होने को हम नैसर्गिक क्रिया के नाम से जानते हैं, ठीक उसी प्रक्रिया से शहर भी गुज़र रहा था, शान्त और मंथर गति से। कूड़े हटाए जा रहे थे, सड़कों-फुटपाथों की सफ़ाई हो रही थी, दातुन बेचनेवाले और मोची लोग अपनी बोरी बिछाकर दुकान फैलाने से पहले फुटपाथ पर हो रही सफ़ाई को उसी उम्मीद से देख रहे थे जैसे कि आजकल 'सिविल सोसाइटी' संसद को देखना चाहती है।

बिजईया...माफ़ करें...विजय प्रसाद चायवाला दूध और चाय को सड़क से उठती धूल से बचाने की भरसक कोशिश कर रहा था। कल विजय ने मोछुआ को फ्री में चाय नहीं दी थी। प्रतिक्रिया में मोछुआ आज चाय की दुकान पर कुछ ज़्यादा ही धूल उड़ा रहा था। एकदम लापरवाह। यहाँ एक गुप्त संघर्ष चल रहा था। न्यूटन के तीसरे नियम के अनुरूप ही दोनों की आँखें चार हो चुकी थीं, दोनाली दोनों ओर से तन चुकी थी, विस्फोट कभी भी हो सकता था। मतलब शहर अपनी 'ड्यूटी' के लिए सचमुच में जग चुका था।

तो स्टेशन के पास यह सब हो रहा था और उधर पूरब का आकाश सूरज से गुत्थमगुत्थी करके लाल होता जा रहा था। विजय, मोछुआ, सूरज और

आकाश मिलकर आज का कुछ 'क्लाईमेक्स' बनाते इससे पहले ही स्टेशन पर ट्रेन आकर खड़ी हो गयी। जब से कोयला इंजन खत्म हुआ है तब से स्टेशन पर और दूर पटरियों पर मरने-कटने वालों की संख्या बढ़ गयी है। साला पता ही नहीं चलता कि ट्रेन कब आयी-गयी? बशर्ते वह हॉर्न न बजाये। हालाँकि हॉर्न कभी-कभी बज भी जाता है तो कभी-कभी लोगों की जान भी बच जाती है। तो स्टेशन पर ट्रेन आकर शान्त हाथी की तरह खड़ी हो गयी।

प्लेटफ़ार्म नम्बर दो रतजगा करके अभी-अभी ऊँघ रहा था। ट्रेन कब आयी इसका भान नहीं हुआ। चाय लेकर दौड़ने वाले छोकरों में उत्साह नहीं था, वे भी ऊँघ रहे थे। इसका मतलब था कि यह एक्सप्रेस गाड़ी है जो बेमेल समय में आयी है, इस हाथी का कोई स्वागतकार नहीं। सोलह डब्बों वाली इस ट्रेन ने अपने अनुपात से बहुत ही कम केवल एक यात्री को बाहर उगला।

स्टेशन पर सोये हुए लोगों की फ़ौज उस यात्री को किसी मुर्दाघर का आभास करा रही थी। ट्रेन से उतरने वाला यह यात्री असमंजस में था—थोड़ी देर तक। फिर सकुचाते हुए वह सोये मुर्दों को एक-एक कर लाँघता गया। एक-दो-दस-बीस-पच्चीस, हर देह को लाँघते हुए झिझक या शर्म जैसी कोई चीज़ उसे लगातार परेशान कर रही थी। पूरा वातावरण शान्त और निर्लिप्त था पर यात्री के पैर काँप रहे थे। प्लेटफ़ार्म पर उस भद्र व्यक्ति के सिवाय कोई भी चीज़ हरकत में न थी। स्टेशन मास्टर के केबिन के सामने सोई हुई अपेक्षाकृत लम्बी लाश को लाँघने के लिए जैसे ही यात्री ने अपने पैर बढ़ाये तभी अचानक जाती हुई ट्रेन ने भयानक आवाज़ मार दी 'बोंओंओंऽऽऽह।' आवाज़ सन्न करके राहगीर के कलेजे में घुस गयी, खोहों में छुपे हुए सैकड़ों परिंदे अचानक फड़फड़ाकर उड़ गये और वह लम्बी लाश झटका खाकर उठ बैठी—'भाऽऽऽग स्साला।' एक के बाद यह दूसरी चीख भी इतनी दर्दनाक थी कि राहगीर की छाती में वह घुसती चली गयी और आतंक के मारे उसकी धमनियाँ रुक गयीं, वह लड़खड़ा गया। उसने देखा एक काली चट्टान, जिसकी काली जटाएँ खुलकर ज़मीन तक पसरी थीं, तारकोल से सने हुए चेहरे पर केवल दो बड़ी आँखें थीं जिन्होंने मानो ख़ून पी रखी हों। उसके माथे पर त्रिपुंड की धारियाँ थीं। त्रिपुंड और आँखें दोनों का रंग लाल था—बेहद लाल। लम्बी

दाढ़ी चट्टान की चौड़ी छाती को ढके हुए थी। भुजाओं की जगह हाथी के दो सूँड़ थे—महाकाल! भय के मारे वह भद्र पुरुष चट्टान के चेहरे पर धँसता चला गया। वह इतना पास झुक चुका था कि उस जोगी के चेहरे पर फैली जटाओं को गिन सकता था। सुन्न देह, लड़खड़ाहट और चीख तीनों ने उसे क्षण भर के लिए आधा झुका दिया।

फिर जोगी पद्मासन मुद्रा में बैठा और यात्री की ओर देखते हुए अपने बायें हाथ से ट्रेन की ओर इशारा कर दिया। उसके हाथ पर बड़े-बड़े घुँघरू बँधे थे, जो इशारा कर रहे थे कि ये कर्कश आशीर्वचन ट्रेन के ड्राइवर के लिए थे, यात्री के लिए नहीं। यात्री का भय से खिंचा हुआ चेहरा ढीला पड़ने लगा, आतंक से फैली हुई पुतलियाँ फिर छोटी हो गयीं। अब यात्री ने अपने भय को मुस्कान में रूपान्तरित करना चाहा पर वह संकोच और शर्म में तब्दील हो गया।

लड़खड़ाते हुए उसने अपना चेहरा दूसरी तरफ़ फेर लिया और कुछ और सोये यात्रियों को मज़बूती से लाँघते हुए तीर की तरह प्लेटफ़ार्म से बाहर निकल गया। ऐसा करते वक़्त उसकी आँखों में पानी उतर आया था। वह सचमुच डर गया था। जाती हुई ट्रेन ने एक बार फिर 'बोंऽऽऽओंओंऽऽऽह' कर दिया, प्रतिक्रिया में फिर वही चट्टानी स्वर गूँजा, 'भाऽऽऽआग स्साला।' इस शहर को खलल पसन्द नहीं। यह लग गया।

इस शहर के जीव-टीव

बतफरोशी : *'जीव और अजीव दोनों ही शाश्वत हैं तथा इनका स्वतन्त्र अस्तित्व है। फिर भी ये परस्पर संबद्ध हैं। जीव आनन्द लेने वाला है और अजीव आनन्द देने वाली वस्तु है। जीव सदेह होते हैं अथवा विदेह।'*

जैसे पुरानी घटना को भूलने की ज़िद करते हुए उसने बहुत ज़ोर की उबासियाँ लीं और सामने से गुज़रती हुई एक मरियल काया से पूछा, "भाई साहब! टाइम क्या हो रहा है?" पता नहीं कैसे उस काया को गुस्सा आ गया, उसने अपने होंठों के कोर में फँसे पान की पीक को अपनी कानी उँगली से पोंछा और अजीब ढंग से आँखें तरेर दीं; फिर पूछनेवाले की ओर घूरते हुए

उसने आसमान की ओर अपना मुँह उठा दिया और बोला, "घड़िया खरीदने में...चंदा दिये ठे का?"

" ?", "एें।"

पूछनेवाले के होंठ खिंच गये। "हंह..." कहकर युवा घड़ीबाज़ चल पड़ा। चलते-चलते पान की पीक टाइम पूछनेवाले के जूते के पास की सूखी धरती को समर्पित करता गया, 'पिच्च्...।' पूछनेवाला जो अभी-अभी झेंपने की मुद्रा अपनाने जा रहा था क्रोध की मुद्रा में रूपान्तरित हो गया। नयी धरती और आकाश के बीच पहली बार इस अजनबी यात्री के कंठ फूटे, "शहर है ये शहर?" प्रश्न में तल्खी घुस गयी थी।

"देखने में ई शहर है। महसूस करने में सामंत" एक रूखी सी आवाज़ हवा में तैर गयी, सवाल का झटपट जवाब था यह।

"मतलब?"

"मतलब कि वह जो चला गया, बेफालतू में तीन रुपया का खर्चा करा दिया आपने उसका"

"मैंने? कैसे?"

"टाइम पूछकर"

" ?"

"अभी-अभी तीन रुपया का पान खाकर उसने मुँह में गलाया ही था, जस्ट मूड बना ही था उसका कि आपने टाइम पूछ लिया।"

" ..."

"और क्या? जिस पान की पीक को एक घंटा बाद निकलना था आपकी वजह से उसका अबॉर्शन हो गया।"

टाइम पूछनेवाले का गुस्सा उस जा चुके घड़ीबाज़ से उतरकर इस अख़बारबाज़ पर आ रहा था। अख़बारबाज़ चाय की दुकान में बैठा चुस्कियों के साथ-साथ इस तमाशे का भी ज़ायका ले रहा था। उस चुस्कीबाज़ अजनबी के हाथ में अख़बार था। अजीब शहर है यह? जिससे बात करना चाहो वह बात करने को राज़ी नहीं और जिससे बात ही नहीं करनी वह बेवजह गले पड़ रहा है? हद है! छोटे शहरों के साथ यही दिक्कत है।

तभी अख़बारबाज़, "आप कवि हैं?"

अजनबी झल्ला गया, "नहीं तो! क्यों?"

"आपने अभी-अभी कविता पढ़ी—शहर है ये शहर, अच्छी लाइन है।"

"..."

अख़बारबाज़, "इतना झल्लाइए मत। साफ़ लग रहा है कि आप इस शहर में नए-नए हैं, बल्कि अभी-अभी तिनसुकिया ट्रेन से उतरे हैं...यहाँ जो जितना चिढ़ता है न उसे उतना ही चिढ़ाता है यह शहर।" अजनबी सचमुच भन्ना उठा। ट्रेन की दर्दनाक आवाज़, काली चट्टान, घड़ीबाज़ और अब यह अख़बारबाज़? कितना झेले वह, फट पड़ा, "देखिये! मैं आपके मुँह नहीं लगना चाहता, प्लीज़!"

सुनते ही अख़बारबाज़ ने अख़बार को तेज़ी से टेबल पर पटक दिया और तमतमाते हुए, शहर में इस ताज़ा टपके नागरिक के चेहरे से खुद को टिका दिया। इससे पहले कि बात बढ़ती विजय प्रसाद चायवाले ने बात सँभाली, "हां...ये सब नहीं।"

अख़बारबाज़ लौटकर फिर उसी जगह जाकर बैठ गया, बात सँभल गयी। भद्र पुरुष को थोड़ा सुकून मिला पर वह इस बार डरा बिल्कुल भी नहीं। फिर वह रूमाल निकालकर अपना चेहरा पोंछने लगा और उस अख़बारबाज़ को नोटिस करता गया जो देखने में भले ही युवा न लगे पर था युवा ही। दाढ़ी, मूँछ, सिर के बाल और कपड़े सब बेतरतीब से हैं, सलीके जैसी कोई चीज़ नहीं है उसके पास। शरीर ऐसा है जैसे कालाहाँडी की उपज हो। मन में "हंह" कहकर अजनबी ने सूटकेस को चाय की टेबल पर रख दिया और सबसे पहले उसमें से हाथ की घड़ी निकाली—यह अगर हाथ में होती तो यह बखेड़ा ही खड़ा नहीं होता-उफ़्फ़ ये हिदायतें! घड़ी छः बजकर चालीस मिनट का वक़्त बता रही थी। फिर उसने मोबाइल का चार्जर निकाला और सूटकेस बन्द करके बगल में रख दिया। दुकान छोटी और ख़स्ताहाल थी, चार्जर के लिए स्विचबोर्ड कहीं नहीं दिखा। यहाँ एक ही टेबल और बैठने के लिए दो ही स्टूल थे। एक पर वह अख़बारबाज़ बैठा ही था। दूसरे पर अजनबी जम गया। दोनों युवा चेहरे आमने-सामने हो गये। उन्होंने अभी एक-दूसरे को

निहारना शुरू ही किया था कि चायवाला हाज़िर हुआ—

"चाय लिया जाय सर..."

अजनबी के मुँह से एक बारीक शब्द निकला, "धन्यवाद।"

तभी अख़बारबाज़ 'फुक्क' करके हँसने लगा। अजनबी का चेहरा फिर से लाल हो गया। अजनबी के माथे की नसें जैसे-जैसे तनती गयीं अख़बारबाज़ की हँसी बढ़ती गयी और वह अपनी हँसी रोकने के लिए लड़खड़ाते हुए खड़ा हो गया, "ए भाई अब हमको बर्दाश्त नहीं हो रहा है.. इ भाई साहेब धन्यवाद कहते हैं...आहाहाहा...।" अजनबी आपा खो बैठा। पुरानी सारी बेइज़्ज़तियाँ और अब के हालात सब मिलकर एक हो गये, और कहते भी हैं कि एकता में बल है, सो अजनबी को बल मिला, वह चीख पड़ा, "आख़िर मुझसे आपको क्या परेशानी है?" टीन की छतवाली छोटी दुकान में आवाज़ गूँज गयी। और फिर सन्नाटा पसर गया। चायवाला कप माँज रहा था। छोड़छाड़ कर दौड़ पड़ा, "हां...हां...यह सब नहीं...।" फिर वह अख़बारबाज़ की ओर मुड़ा, "का अरूपबाबू? एकदम कोहराम मचा कर रहेंगे क्या? पत्रकार भला ऐसा होता है? बे महाराज?"

अजनबी, " ?"

फिर चायवाला अजनबी की ओर मुड़ा, "बैठा जाए सर, बैठ जाइए। नाराज़ मत होइए। ई यहाँ के लोकल पत्रकार हैं, ग़लत आदमी नहीं हैं। हँसी-ठट्ठा करते रहते हैं...बैठ जाइए, जाने दीजिए।"

अजनबी बैठ गया, पर इस अफ़सोस के साथ बैठा कि उसके चीखने की प्रक्रिया में उसकी आवाज़ थोड़ी भर्रा गयी थी। इस अफ़सोस ने गुस्से को थोड़ी हवा दी और उसने बैठते ही तथाकथित पत्रकार पर फिकरा कस दिया, "यह पत्रकार तो कहीं से नहीं लगता!"

अख़बारबाज़ गम्भीर हो गया, अजनबी को उसने गहरी आँखों से देखा, फिर भारी आवाज़ में बोला, "महोदय, यही तो मैं आपको समझाना चाह रहा था। यहाँ लगने पर मत जाइए। यहाँ जो जैसा लगता है वैसा होता नहीं। आप यहाँ जिस भाषा और मानसिकता के साथ उतरे हैं वह आपके लिए आफ़त बन सकती है। समझे? इस शहर का व्याकरण अलग है...बाकी आपकी मर्ज़ी?"

अरूप जो अब तक अख़बार पढ़ने वाला छिछोरा अख़बारबाज़ लग रहा था उसने अपने संजीदा होने का परिचय दे दिया। "बाकी आपकी मर्ज़ी" कहते वक़्त उसने आज के पत्रकारों की तरह कन्धे उचकाये, आँखें मटकायीं और सभ्यता से मुस्कुराया भी। उसकी भाषा का असर था शायद कि अजनबी भी थोड़ा संयत हो गया। उसे अपने चीखने पर संकोच होने लगा। पर सामने वाला कोई राष्ट्रीय अख़बार का पत्रकार नहीं था, इसलिए संकोच की मात्रा थोड़ी कम थी। अजनबी एक बार फिर स्विचबोर्ड ढूँढने लगा ताकि डिस्चार्ज पड़ी हुई मोबाइल की बैट्री चार्ज हो सके। चायवाला अजनबी के हावभाव को समझ गया, बोला "यहाँ स्विचबोर्ड नहीं है, होता तो भी चार्ज नहीं हो पाता, लाइटे (बिजली) नहीं है।" अरूप बैठा-बैठा ताड़ रहा था सब कुछ, आदतन बीच में टपका और थोड़ी गम्भीरता से बोला, "अगर भरोसा हो...और आप आत्मग्लानि में न आयें तो मेरे मोबाइल से ज़रूरी फ़ोन कर सकते हैं।" अजनबी को सुकून मिला और थोड़ा मुस्कुराते हुए बोला, "नम्बर तो मोबाइल में ही फ़ीड है...वैसे फ़ोन करना बहुत ज़रूरी भी नहीं, शहर बहुत बड़ा नहीं है, पूछते हुए चला जाऊँगा।"

अरूप, "कहाँ जाना है आपको?"

अजनबी, "जैन इंटरमीडिएट स्कूल।"

अरूप, "मतलब आप कवि नहीं हैं।"

"नहीं, मैं अध्यापक हूँ।"

"हिन्दी के न?"

"आपको कैसे मालूम?"

"अध्यापक शब्द से...यहाँ ऐसे कोई नहीं बोलता...मास्टर बोलते हैं सब या फिर मास्टर जी, मास्टर साहेब। माट साहब भी बोलते हैं।" फिर थोड़ा रुक कर, "आप ट्रांसफ़र होकर आये हैं...न? कहाँ से? अच्छा जाने दीजिए 'नो इन्क्वाइरी,' पर आपके स्कूल के प्रिंसिपल का तो नम्बर है मेरे पास। महावीर जैन ही नाम है न उनका?" अरूप ने आँखें बड़ी करके सवाल किया। अजनबी ने हामी भरी। दोनों मुस्कुरा पड़े। चायवाला इस भरत-मिलाप पर खुश हुआ और तुरन्त बिना पूछे दो कप चाय का मुनाफ़ा करते हुए उन

लोगों के सामने कप रख दिये। अरूप ने अजनबी की ओर अपना बायाँ हाथ बढ़ाया और परिचय दिया, "मैं अरूप, *धरतीपुत्र* से"...बातर्ज "मैं दीपक चौरसिया 'आजतक' से", और मुस्कुराया। युवा अजनबी ने भी हाथ बढ़ाया, "मैं ऋषभ।" दोनों के हाथों ने एक-दूसरे की गर्मजोशी को महसूस किया।

"बताइए भला...आप इस शहर को शहर मानने के लिए तैयार नहीं... जबकि दो-दो बड़े जैन तीर्थंकर इस शहर में उपस्थित हैं।" अरूप ने मसखरी की जिससे ऋषभ के मन में उत्सुकता पैदा हो गयी। उसकी आँखें विस्मय और प्रश्न दोनों के साथ उठीं तो पत्रकार ने रोशनी डाली, "अरे भई, आपके प्रिंसिपल साहब का नाम महावीर मतलब वर्धमान महावीर और आप खुद ऋषभ। बल्कि आप तो अपने प्रिंसिपल से भी श्रेष्ठ हैं, ऋषभ तो जैन धर्म के प्रवर्तक थे।" दोनों हँस पड़े। पत्रकार के इतिहास-बोध पर ऋषभ थोड़ा चौंका भी। अरूप अपनी धुन में बोलता गया, "ख़ैर आप इसे मज़ाक मानें...पर यह सच है कि पहलेपहल इस शहर को जैन मुनियों ने ही बसाया था। आज भी यहाँ जितने जैन शिक्षा संस्थान, जैन मन्दिर और जैन पुस्तकालय हैं शायद ही किसी शहर में होंगे। यहाँ के जितने भी बड़े स्कूल और कॉलेज हैं सब जैनियों के दान की बदौलत हैं। जैनियों के बाद इस शहर को मुगलों ने सजाया शाहाबाद नाम देकर, फिर बाबू कुँअर सिंह ने, फिर अंग्रेज़ों ने। और अब इस शहर का भूमंडलन हो रहा है, क्या कहते हैं उसे 'ग्लोबलाइजिंग'?...और आप हैं कि इसे शहर नहीं मानते हैं?" बात खत्म करते-करते अरूप आज का पत्रकार बन गया यानी सूचना की जगह मनोरंजन पर आ गया। उसने इससे साबित कर दिया कि वह इक्कीसवीं सदी का पत्रकार है। ऋषभ पर अरूप की धाक जम गयी। यह तो पढ़े-लिखे लोगों जैसा है—हँसोड़ भी, बातूनी भी। ऋषभ ने भाववश उसके दोनों हाथ पकड़ लिये, "अरे अरूप जी...आप भी।"

"अब भावुक मत होइए...इस शहर में जैन स्थापत्य हैं, ज़मीनें हैं पर शहर के जीवन में जैन-दर्शन का सम्यक् 'चरित्र' नहीं है...इसीलिए कह रहा हूँ खुद को जल्दी बदल लीजिए," अरूप ने जोड़ा।

चायवाले ने इसे सभा-समाप्ति की घोषणा समझी और फुर्ती से आकर ऋषभ से बोला, "सोल्लह रुपया सर...चार चाय का।" इसमें पत्रकार अरूप

के दो कप चाय के पैसे भी शामिल थे। अरूप मुस्कुराने लगा। ऋषभ समझ गया। माहौल हल्का न हो इसलिए ऋषभ ने अपनी जेब में हाथ डालते हुए अरूप को संबोधित किया, "धन्यवाद अरूप भाई। आपसे मिलकर सचमुच अच्छा लगा।" अरूप चुपचाप और बहुत गम्भीरता से ऋषभ को पैसे गिनते हुए देखता रहा, फिर ठहर कर बोला, "हम यहाँ चाय का पैसा नहीं देते।" ऋषभ ने मुस्कुराती आँखें उसकी ओर उठा दीं। अरूप जारी रहा, "आप हमें पत्रकार भले ही न समझें पर यहाँ के विनोद दुआ हम ही हैं, 'ज़ायका इंडिया का'...।" दोनों ने गहरी साँस खींची और मुस्कुरा कर उठ गये।

अरूप दुकान से एक दो क़दम बाहर निकल गया, फिर कुछ सोचकर फुर्ती से लौटा और ऋषभ के दोनों कन्धों पर प्यार से हाथ रखकर बोला, "वैसे तुम भी कोई रामचंद्र शुक्ल नहीं लगते ऋषभ।" दोनों भावुक हो गये और भरत-मिलाप हो गया। अरूप टेबल पर पड़े राष्ट्रीय अख़बार को दोनों हाथों से मोड़ते हुए बाहर निकल गया। विजय प्रसाद चायवाले ने पीछे से आवाज़ मारी, "अरूप भइया...अख़बार तो छोड़ दीजिए।"

"अरे भाऽऽऽग स्साला...शाम को दे दूँगा," गरजते हुए अरूप थोड़ी दूर निकल गया। ऋषभ की पुतलियों में पत्रकार की लहराती हुई कमज़ोर काया नाच रही थी। सड़क पार से किसी दूसरे राहगीर ने अरूप को आवाज़ मारी, "काऽऽ रंगबाज़? कहाँ?" अरूप बिना मुड़े हाथ लहरा कर जवाब देता है, "आज कोर्ट में छबीला की तारीख पड़ी है, वहीं।" उसने जवाब राहगीर को दिया पर चौंक पड़ा विजय प्रसाद, "आज ही है?" चौंकते हुए उसने ऋषभ की ओर देखा मानो ऋषभ को सब पता हो। ऋषभ ने अपने कन्धे उचका दिये, "कौन है ये छबीला?"

"नया नाम फटा है सर, इस शहर में, छबीला सिंह," कहकर विजय प्रसाद गम्भीर हो गया।

इस शहर की भाषा को 'डिकोड' करने के लिए अनुभव अपेक्षित है जो कि ऋषभ के पास नहीं था। वह इस 'फटने' के अर्थ से जूझ ही रहा था कि विजय बोला, "मतलब कि सर, नया नाम फैला है इस गुंडे का...बड़ा क़ातिल है, लुटेरा साला। मोमताज मियाँ के मर्डर केस में अन्दर है।" फिर

विजय ने आसमान की ओर देखकर अपने दोनों हाथ जोड़ लिये, "जय हो आयरन देवी...।"

इधर अध्यापक ऋषभ इस शहर की 'लोकल' भाषा शृंखला में ही उलझा हुआ था। उसने खुद हिसाब लगाया कि राहगीर ने अरूप को 'रंगबाज़' कहकर पुकारा था और 'रंगबाज़' शब्द से कुछ और नहीं 'गुंडाइज़्म' की ही एक प्रवृत्ति ध्वनित हो रही है। चलते-चलते अध्यापक ने भाषा-विज्ञान सम्बन्धी प्रश्न उस चायवाले से दाग ही दिया, "अरूप तो पत्रकार हैं पर राहगीर ने उन्हें रंगबाज़ क्यों कहा?" चायवाला जवाब में ठट्ठा मारकर हँस पड़ा, "बे महाराज!...इ तो यहाँ का टाइटल है, सब एक-दूसरे को देते रहते हैं—फ्री में।" ऋषभ को उसकी हँसी अच्छी नहीं लगी—उसे यह तीसरी बेइज़्ज़ती लगी। इससे पहले कि वह और प्रश्न करके हँसी का पात्र बनता, खुद को झटका देते हुए वहाँ से बाहर निकल गया।

पर प्रश्नों के बिना दुनिया चलती कहाँ है? बिना प्रश्न के गुज़ारा नहीं। ऋषभ तीसरी क़सम खाने के बावजूद भी रिक्शेवाले से पूछ बैठा, "जैन विश्रामालय चलोगे?" रिक्शेवाला चैन से अपनी हथेलियों पर खैनी मल रहा था। उसने मनाही की और बायीं हथेली पर दाहिने हाथ से ताल देने लगा। ऋषभ को कोफ़्त होने लगी। सही में यह शहर नहीं है। कैसे जिएगा यहाँ वह? तभी पीछे से चायवाला उस रिक्शेवाले पर गरजा, "अरे स्साला, जाता काहे नहीं है...अरूप भइया के आदमी हैं।"

"ऐं?" ऋषभ खड़े-खड़े किसी का हो गया और उसे पता भी नहीं चला? इससे पहले कि वह कुछ और सोचता चायवाला पास आकर बोला "इसे पन्द्रह ठो रुपया दे दीजिएगा, चलिए बैठिए।" रिक्शेवाला इत्मीनान से खैनी अपने निचले होंठ के भीतर उड़ेलकर चालक सीट पर बैठ गया और पैडिल मार दिया। चलते-चलते विजय प्रसाद ने ऋषभ को सलाह भी दी, "यहाँ का रूल है सर कि पहले रिक्शे पर बैठ जाइए फिर चलने का ऑर्डर दीजिए, पूछिए बिल्कुल नहीं।" कुछ दूर चलकर रिक्शा जिस सड़क की ओर मुड़ा वहाँ बड़ा-सा प्रवेश-द्वार था, जिसके ऊपर पट्टियों पर केसरिया रंग से लिखा था, 'पुरयंति गलंति पुद्गलाः।' साथ में वर्धमान महावीर की भग्नावशेष

दिगंबर मूर्ति स्थापित थी। लग रहा था कि उस पर कई बार पत्थरों से प्रहार किया गया हो। प्रवेश-द्वार के ऊपर शायद जैन चिह्न था कोई, उसका भी ज़्यादातर हिस्सा ढह गया था। नीचे दोनों खंभों पर लिखा था, 'प्राचीन शहर में आपका स्वागत है।' 'स्वागत' लिखे गये शब्द पर किसी स्थानीय लीडर का पोस्टर आधा चिपका पड़ा था, शेष हवा के दबाव से फड़फड़ा रहा था—बिल्कुल इस शहर की तरह।

पुद्गल-सुद्गल का शहर

बकैती : *'पदार्थ अथवा पुद्गल शाश्वत है। उसका कोई सृष्टिकर्ता नहीं है। उसका कोई आदि अथवा अन्त नहीं है। कर्म एक प्रकार का सूक्ष्म पुद्गल है जो जीव से चिपककर उसके बँध का कारण बनता है।'*

ऋषभ ने देखा कि अरूप बेतहाशा भाग रहा है। वह इतना तेज़ भाग रहा है कि उस तरह से तेज़ भागते आदमी की कल्पना नहीं की जा सकती है। शहर दर शहर वह भागे जा रहा है। वह इतनी तेज़ी से भाग रहा था मानो परमाणु के कण बिखर रहे हों। फिर उसकी गति इतनी तेज़ हो गयी कि ऋषभ यह मान बैठा कि अरूप एक ब्रह्माण्ड से दूसरे ब्रह्माण्ड में चक्कर लगा रहा है।

अरूप को ऐसा करते देखते हुए ऋषभ खुद अपने कमरे के फ़र्श से ऊपर उठता जा रहा था। ऋषभ उड़ने लगा और उसकी निगाहें अरूप का पीछा करने लगीं। अब अरूप एक गली से दूसरी गली हाँफते हुए भाग रहा है। ऋषभ का उड़ना थोड़ा कम हुआ। फिर वह बहुत पास से अरूप को भागते हुए देखने लगा। अरूप के पीछे कुत्ते पड़े हैं—अरूप एकदम नंगा है और उसके शरीर के ज़ख्म बता रहे थे कि उन कुत्तों ने उसे जगह-जगह से नोच खाया है। भागते हुए अरूप के हाथ में कोई चमकदार चीज़ है। शायद सोने का कुछ है। फिर अचानक उसे ठेस लगी और वह मुँह के बल गिर पड़ा, सोना हाथ से छूटकर दूर जा गिरा। सारे कुत्ते अरूप पर झपट पड़े। अरूप अपनी निरीह आँखों से उसे पुकारने लगा, "ऋषभ...।" पर उसके मुँह को एक कुत्ते ने अपने ताकतवर जबड़े से दबा दिया। उसकी आवाज़ 'गों-गों-गों' में बदल गयी।

ऋषभ झटका खाकर बिस्तर से उठ बैठा। उसकी आँखों से आँसू टपक

रहे थे—ताज़े और गर्म। उसके बिस्तर की सलवटें उस भयानक सपने की गवाही दे रही थीं। उसकी आधी चादर बिस्तर से नीचे झूल रही थी। ऋषभ लगभग हाँफ रहा था। "क्या भयानक सपना था? हद है।" वह उठा और तेज़ी से गुसलखाने में घुस गया।

उसे गुसलखाने के झरोखे से पता चला कि सूर्योदय में अभी वक़्त है पर शहर जग चुका था। पड़ोस का चार साल का स्कूली बच्चा दहाड़ मार-मार कर स्कूल नहीं जाने के लिए रो रहा था। बच्चे की माँ उसे कभी पुचकारती तो कभी गालियाँ बकती। बीच-बीच में बच्चे का बाप बच्चे को उठा कर स्कूल कैब में पटकने की धमकी दे रहा था। जबकि उस बच्चे की दादी बच्चे को स्कूल नहीं भेजने के पक्ष में दलीलें दे रही थी, "आज स्कूल न जाई त पहाड़ न टूट जाई।" दादी की बात से बच्चे को बल मिला, वह दुगनी शक्ति से रोने लगा, "दादी हो...बचा ल।" इधर स्कूल कैब का ड्राइवर चीखते-गरजते हुए रोज़ लेट हो जाने की शिकायत दर्ज़ कर रहा था।

यह शहर कभी भी सुकून से नहीं जगता। ऋषभ ने सोचा, 'शहर ऐसे जगता क्यों है, झगड़ते हुए?' इतने दिनों में आज तक शायद ही कोई सुबह रही हो जब इस मोहल्ले में शोर न हुआ हो। ऋषभ अपने अंग्रेज़ी कमोड पर बैठे-बैठे शहर का चरित्र-चित्रण करने लगा। मास्टरों की यही बुरी आदत है, क्लास नोट्स की तैयारी जैसी हरकतें वे कहीं भी करने लगते हैं। उसे अरूप की बात याद आ गयी। उसने कहा था कि यह शहर ऐसे ही जगता है। यहाँ पर सड़क के रोड़े भी आपस में लड़ते हुए जगते हैं। यही यहाँ का नियम है। जब तक वे एक-दूसरे को अनुकूलित नहीं कर लेते लड़ते रहते हैं, अरूप ने यह बात आँख मार कर कही "यही यहाँ का द्वन्द्ववाद है।"

वैसे भी यहाँ की जीवन-स्थितियों ने ऋषभ को दार्शनिक स्तर पर एहसास करा दिया था कि सत्य सदैव सापेक्षिक होता है। प्रत्येक मत सापेक्ष रूप में ही सत्य है, कोई निरपेक्ष रूप से सत्य नहीं। इस तरह कोई भी वस्तुस्थिति इंद्रिय संवेदना द्वारा ही जानी जा सकती है। परन्तु वस्तु और इंद्रियों के बीच सम्पर्क हुए बिना प्रत्यक्ष असम्भव है।

सापेक्षिक सत्य के कुछ फॉर्मूले ऋषभ को उसके प्रिंसिपल महावीर जैन

ने भी समझाया था कि इस शहर में कोई भी झुककर नहीं चलता, जिसका सीना बकरी की तरह उठा होता है वह भी नहीं। सब तने रहते हैं। छोटा हो या बड़ा, कमज़ोर हो या पहलवान, सबके पास फन है जो बिना बात के फनफनाता रहता है। उन्होंने कहा कि इसलिए शहर में जब चलो तो अपनी चाल में अकड़ रखो। यदि कोई परिचय जानना चाहे तो तुम अपने को राजपूत, भूमिहार या यादव कह देना। इससे रौब बना रहता है। ऋषभ को हैरानी हुई। वह चौंका भी पर प्रिंसिपल साहब उसके भावों का शमन करते गये, बोले, "अपनी जाति का मोह त्यागना कठिन होता है—स्वजातिर्दुरतिक्रमा।" यह पंचतन्त्र की कोई पंक्ति थी जो शहर-तन्त्र पर लागू होती है। ऋषभ ने मन ही मन सोचा कि वह पैदा हुआ था तब जैन था पर अब उसे जीना है राजपूत, भूमिहार या यादव बनकर, पता नहीं वह मरेगा क्या बनकर? पर महावीर जैन द्वारा निर्दिष्ट सम्यक् चरित्र का यह तकाज़ा था कि सभी बुराइयों को दूर रखने और दैनिक जीवन में कठोर आध्यात्मिक अनुशासन बनाए रखने के लिए यह सब ज़रूरी है और सही रास्ता वही है जैसा प्रिंसिपल साहब कह रहे हैं।

जाते-जाते ऋषभ को उन्होंने यह भी नैतिक दृष्टि दी कि कोई भी समाज एकदम मूल्यहीन नहीं होता। अगर वह बिल्कुल मूल्यहीन है तब वह समाज नहीं जंगल होगा। चूँकि उनके और ऋषभ जैसे लोग यहाँ रह रहे हैं तो इसका मतलब है कि यहाँ समाज है। यह दीगर बात है कि अन्य समाजों की स्थिति यहाँ थोड़ी मज़बूत है—यहाँ जातियों का संगठन भी है, जातिगत सेनाएँ भी हैं, फिर प्रगतिशीलों का संगठन है, नक्सलियों का भी, शराबियों-जुआरियों और गांजे के तस्करों का भी। उन्होंने यह भी जानकारी दी कि समाज में विभेद है पर भाषा के स्तर पर लगभग साम्यवाद है। 'गोली मारकर खोपड़ी खाली' कर देने की बात सब करते हैं—प्रोफ़ेसर और पत्रकार भी, डॉक्टर भी-मरीज़ भी, रिक्शेवाला भी-बस मालिक भी, किरायेदार-मकानमालिक सब। एक लम्बी साँस लेकर उन्होंने कहा कि देशी-विदेशी हथियारों की यहाँ भरमार है और उसकी राजधानी मुंगेर है।

पचास पार के प्रिंसिपल साहब शरीर से जैसे ऊँचे लम्बे और तगड़े थे वैसा ही उनका अनुभव, दर्शन और शिक्षा भी थी। ऋषभ उस दिन कोई

प्रतिवाद नहीं कर पाया। उनके केबिन से बाहर आ गया, बस। ऋषभ को अब जाकर एहसास हुआ कि उस दिन स्टेशन पर पानबाज़ उस पर क्यों नाराज़ हो गया था। सापेक्षिक सत्य का सिद्धान्त ही कुछ ऐसा है।

आज ऋषभ ने छुट्टी ले रखी थी। आज का पूरा दिन उसका था। ताज़े मन से वह कुर्सी पर बैठ गया। झरोखे से छनकर आती हुई सूरज की किरणें उसके माथे को नर्मी से सहला रही थीं। अपनी आरामकुर्सी से वह उठा और याद से *राम की शक्ति पूजा* की प्रति उठा ली। कल की क्लास के लिए उसे फुटनोट्स तैयार करने थे।

उसने पढ़ना शुरू किया कि स्थिर राघवेंद्र को संशय फिर-फिर हिला रहा है। 'रावण जय-भय' और 'दृढ़ जटा-मुकुट हो विपर्यस्त' से बेपरवाह ऋषभ जैन की नज़रें केवल आठ पंक्तियों पर अटक गयीं। वह बार-बार उन्हें पढ़ रहा था।

'ऐसे क्षण अंधकार-घन में जैसे विद्युत, जागी पृथ्वी-तनया-कुमारिका छवि अच्युत' से लेकर 'काँपते हुए किसलय, झरते पराग समुदय' उसने कई बार पढ़ डाला, बल्कि ज़ोर-ज़ोर से मन में पढ़ा।

पढ़ते वक़्त वह मन ही मन मुस्कुराने लगा। फिर कुछ याद करते हुए उसने अपनी डायरी उठा ली। उसके डायरी उठाते वक़्त कोई भी सहज ही अन्दाज़ा लगा सकता था कि वह मुद्रा वही थी जो शिव धनुष 'पिनाक' उठाते वक़्त राम की रही होगी। डायरी के पहले पन्ने पर उसकी 'तनया-कुमारिका' यानी तन्वी ने बड़े-बड़े अक्षरों में लिखा था, 'ऋषभ माने बैल।' ऋषभ ने उस लिखे को सहलाया, तभी एक हँसी कमरे में दौड़ गयी, "तुम बैल हो ऋषभ...हाहाहा।" पर आवाज़ कमरे से नहीं डायरी के पन्ने से आ रही थी। झरोखे से छनती हुई रोशनी अब ऋषभ के सीने पर गिर रही थी, सीना मखमली एहसास से भर गया। एक बार फिर उसने उन शब्दों पर हाथ फेर लिये। पर अचानक बिजली गुल हो गयी। कमरे में झरोखे से आती रोशनी जितनी बची थी अब उतना ही उजाला बच गया। शेष अंधकारमय हो गया। 'ऐसे क्षण में अंधकार-घन में जैसे विद्युत' राम की तरह उद्धत ऋषभ उठा। उसने डायरी को बन्द करके एक हाथ से दबा लिया और दूसरे ही क्षण कमरे में ताला मारकर गली में

खड़े खाली रिक्शे पर बैठ गया। इससे पहले रिक्शेवाला चलने के लिए ना-नुकुर करता ऋषभ ने भारी आवाज़ में आज्ञा दे डाली, "रमना मैदान, चर्च... जल्दी।" रिक्शेवाला कसमसा कर रह गया, शायद उधर जाना नहीं चाहता हो, पर ऋषभ की आवाज़ और बनावटी पथरीली आँखों के आगे वह झुक गया। रिक्शा चल पड़ा। ऋषभ बदल रहा था। सचमुच।

सुबह के दस बज गये थे। वह इस समय जहाँ बैठा था वह जगह शहर के बीचोबीच स्थित थी। पर आश्चर्यजनक रूप से वहाँ सन्नाटा पसरा था। सड़क के किनारे हरीभरी ज़मीन पर विशाल ऐतिहासिक चर्च अब भी खड़ा था। कहते हैं कि किंग जॉर्ज उन्नीसवीं सदी में पहली बार जब भारत आये थे तब अचानक उनका कार्यक्रम इस शहर को देखने का बना। चौबीस घंटे में यह चर्च तैयार किया गया था, ताकि युवराज पूजा-अर्चना कर सकें। किंग जॉर्ज जिस रास्ते से आये उसे यहाँ के लोग आज भी के.जी.रोड के नाम से जानते हैं। लम्बी हरी घास, चर्च और यहाँ की नीरवता यूरोप के किसी शहर का आभास दे सकती थी, बशर्ते सड़क से गुज़रने वाले राहगीर भोजपुरी गाने न सुनते और रिक्शेवाले आपसदारी में माँ, बहन का रिश्ता न जोड़ते।

सुकून के पल काटते हुए घास पर बैठा ऋषभ चर्च की नक्क़ाशियों को गौर से देखने लगा। चर्च के एक दरख़्त में कबूतर का जोड़ा एक-दूसरे को प्यार से चोंच मार रहा था। अपेक्षाकृत ज़्यादा चोंच मारने वाला नर कबूतर होगा। मादा कबूतर बिदक गयी। वह उड़कर दूसरे दरख़्त पर जा बैठी। नर उड़ान भरते हुए फिर उसी के पास आ गया। मादा कबूतर गुस्से से उसे लगातार चोंच मारे जा रही थी। नर बेपरवाह प्रेम-निवेदन किये जा रहा था। फिर मादा उड़ गयी, नर उसका पीछा करने लगा। दोनों नीले आसमान में विलीन हो गये। फिर वही सन्नाटा पसर गया।

अचानक ऋषभ को अकेलापन घेरने लगा। उसने अपनी डायरी निकाली। पुरानी यादों से लगभग भरी हुई डायरी के पहले पन्ने को उसने सहलाया जिस पर लिखा था, 'ऋषभ माने बैल, ऋषभ तुम बैल हो।' एक हल्की हवा का झोंका चर्च के पासवाले तालाब से उठा और घास की खुशबू को ऋषभ पर उँड़ेलने लगा। वह लगातार डायरी के उन शब्दों पर हाथ फेर रहा था और हवा

उसके ऊपर। हवा के ठंडे झोंके तालाब के शान्त पानी में हल्की हिलोर पैदा कर रहे थे। इस तालाब का नाम डैंस तालाब था। कहते हैं कि अट्ठारह सौ सत्तावन के समय में एक अंग्रेज़ अधिकारी डैंस, धरमन बीबी के प्यार में पड़ गया था। धरमन बीबी जगदीशपुर के बाबू कुँवर सिंह की प्रेमिका थी। धरमन बीबी के मार्फ़त कुँवर सिंह उस अंग्रेज़ अधिकारी की सारी गुप्त योजनाओं का पता कर लेते थे। बलवे के समय में कुँवर सिंह के लम्बे समय तक टिके रहने की एक बड़ी वजह ये गुप्त सूचनाएँ थीं। लार्ड कैनिन इस इलाक़े में चले लम्बे संघर्ष को लेकर बेहद चिंतित था, उसने अपनी यह चिन्ता अपनी डायरी में दर्ज़ की थी। ख़ैर, डैंस मारा गया पर मरने से पहले अपनी प्रेमिका के लिए यह तालाब बनवा गया। पता नहीं क्यों अब भी लोग इसे डैंस तालाब ही कहते हैं, धरमन तालाब नहीं। आश्चर्य इस बात को लेकर है कि कोई अपनी फ़रेबी प्रेमिका के लिए तालाब क्यों बनवायेगा? प्रेम को समझना असम्भव है। दुनिया में शायद ही कोई विधा होगी जो इस मर्ज़ को समझ पायी हो? हालाँकि कुँवर सिंह अपने इस रकीब से प्रेम करने में आगे निकले—ऐसा लोगों को लगता है। उन्होंने अपनी दो प्रेमिकाओं धरमन बीबी और करमन बीबी के नाम से मस्जिदें बनवायीं और मोहल्ले भी। लोग आज उसे सदर के धरमन टोला और करमन टोला के नाम से जानते हैं। इस तरह ऋषभ धुर पुराने प्रेमी-प्रेमिकाओं और धुरंधर रकीबों वाले शहर में था।

वह हरी घास पर लेट गया। हवाएँ उसका साथ देने लगीं। स्मृतियों में तन्वी कौंधी। उसे याद आया कि इसी जगह पर अरूप के साथ वह बैठा ठहाके लगा रहा था और बगल की सड़क पर रिक्शे पर बैठी, पीताम्बर में लिपटी कोई मासूम-सी चीज़ जा रही थी। अरूप हड़बड़ाकर उठा और बेशर्मी से सीटी बजाई। लड़की ने उसकी ओर घूरा तो अरूप ने हाथ से आने का इशारा कर दिया। रिक्शा रुक गया। डर के मारे ऋषभ की साँसें भी रुक गयीं। उसे लगा कि बखेड़ा होने वाला है। पीताम्बर ओढ़े वह काया धीरे-धीरे पास आ गयी। कुछ दूरी पर वह रुक गयी और जब उसने मुँह खोला तब ऋषभ जान गया कि यहाँ कोई मासूम नहीं। उस लड़की ने अरूप से कहा, ''कमीनेपन की कोई हद होती है कि नहीं?'' अरूप जवाब में बेशर्मों की तरह हँस पड़ा। उधर लड़की

बोले जा रही थी, "आइंदा इस अन्दाज़ से कभी बुलाया न अरूप, तो नंगा करके इसी रमना मैदान में दौड़ा दूँगी।" अरूप 'हद बेहद दोनों तजै' की तर्ज़ पर मुखातिब हुआ, "अरे यार, बी मेच्योर, दोस्त हूँ, पूर्व सहकर्मी भी...इतना तो बनता है।" जवाब में "शटअप" गूँजा और वह आकृति ऋषभ की ओर मुड़ी। ऋषभ चुपचाप उसे निहार रहा था। लड़की ने बिना लागलपेट के सवाल किया, "आपका परिचय?" ऋषभ तैयार नहीं था, हड़बड़ा गया। अरूप ने बात सँभाली और ऋषभ की ओर मुड़कर कहा, "परिचय बता दो दोस्त, नहीं तो इन्क्वाइरी बैठ जायेगी। ये बरखा दत्त हैं यहाँ की मशहूर पत्रकार।" फिर छिछोरी हरकत करते हुए अरूप ने अन्तिम बेहूदा लाइन जोड़ी, "ये सेक्स एंड द सिटी' में काम करती हैं।" लड़की की भृकुटियाँ तन गयीं। अरूप को वह "भाग पागल" कहकर ऋषभ की ओर मुड़ गयी, "एनी वे, मैं तन्वी, इस शहर के द सिटी चैनल की वरिष्ठ संवाददाता।" और उसने ऋषभ की ओर आत्मविश्वास के साथ हाथ बढ़ा दिया। ऋषभ उसकी 'टफ़नेस' पर मुग्ध हो गया। इस शहर की तो लगती ही नहीं। उसने भी मुस्कुराते हुए हाथ बढ़ा दिया, "मैं ऋषभ, हिन्दी का अध्यापक।"

"अध्यापक?" तन्वी के मुँह से चौंकने जैसी आवाज़ निकली और हँसने लगी। ऋषभ झेंप गया। उसने फिर 'टिपिकल' दाग दिया था। उफ़! तुरन्त उसने अपने को सँभाला और तन्वी से पूछा, "क्यों अध्यापक कोई वल्गर शब्द है?" सवाल पूछते वक़्त ऋषभ में एक कठोरता आ गयी थी। तन्वी थोड़ा-सा हिल गयी, फिर बोली, "न नहीं...पर मुझे लगता है कि प्रचलित शब्दों का इस्तेमाल करना चाहिए।" तन्वी को लगा कि ऐसा बोलकर वह मुक्त हो चुकी है। पर यहाँ बैल ताव खा चुका था। उसने सवाल दागा, "और इन प्रचलित शब्दों का निर्माण कौन कर रहा है?...बाज़ार? मीडिया?" तन्वी ने महसूस किया कि वह फँस रही है। वह झेंपी, "सॉरी ऋषभ साहब।" पछतावा करते वक़्त वह बिल्कुल मासूम हो गयी, मानो अपने आप में सिमट रही हो। ऋषभ को ध्यान ही नहीं रहा कि उसने अभी तक तन्वी का हाथ पकड़ रखा था। बैल को जब यह महसूस हुआ तब बैल ने हड़बड़ाकर हाथ छोड़ दिया। 'सॉरी' शब्द ऋषभ के कलेजे में घुस गया था। अरूप 'नयनों का नयनों से गोपन प्रिय सम्भाषण'

देख रहा था। उससे रहा नहीं गया। उसने उन दोनों की तंद्रा तोड़ी, "चलो, गले मिलकर मामला खत्म करो।" उन दोनों की गर्दन झटके के साथ अरूप की ओर मुड़ी और शर्मिन्दगी से झुक गयी। किसी ने कुछ नहीं कहा।

लेटे-लेटे ऋषभ की स्मृतियाँ कई खंडों में विभाजित होकर तैरने लगीं। कभी कॉफ़ी स्टॉल, कभी किसी रेस्तराँ, सिनेमाघर में तन्वी के साथ बिताये हुए कई पल कई जगहों से उड़-उड़ कर उसकी आँखों में समा रहे थे। उसकी आँखें बन्द होने लगीं। चर्च की घास पायल की आवाज़ करके नाच उठी। उनकी सरसराहट में ऋषभ कैद होता गया। कबूतर का वह उड़ चुका जोड़ा फिर लौटा और ऋषभ की छाती पर आकर बैठ गया। इस बार दोनों बिल्कुल नहीं लड़े। दोनों की चोंच एक-दूसरे में कुछ ढूँढने लगे। मादा कबूतर ने कहा, "तुम बैल हो।" नर ने नाराज़ होने का नाटक किया, "ऋषभ का मतलब साँड़ होता है, बैल नहीं।" और उसने अपनी चोंच से मादा की चोंच को दबा दिया। फिर, फड़फड़ाहट। दोनों के पंजे ऋषभ की छाती में धँस रहे थे। ऋषभ ने अचकचाकर अपनी आँखें खोल दीं। सामने अरूप खड़ा था। वह एक पतली डंडी से ऋषभ का सीना खोद रहा था। सीने में जो दर्द उठा था वह कबूतर के जोड़ों के प्रेमातुर नर्तन से नहीं बल्कि इसी बाँस की पतली नोक से उठा था। ऋषभ को गुस्सा आ गया, वह "भाऽऽऽग" कहकर उठ बैठा। अरूप ने बचाव की मुद्रा अपना ली, "मैंने सोचा कि तुमने सल्फ़ास खाकर आत्महत्या कर ली है। बाँस की छड़ी से इसीलिए खोदकर देख रहा था कि जान है कि नहीं?" अचानक जगने से ऋषभ की आँखों में लाल डोरे तैर रहे थे। उसने प्रतिवाद किया, "मैं भला आत्महत्या क्यों करूँगा? क्या परेशानी हो सकती है मुझे?" अरूप की आँखें जो कुछ क्षण पहले भय से फटी पड़ी थीं, वे सन्तुलित हो गयीं। उसने मुस्कुराते हुए पूछा, "तो अध्यापक महोदय सूने चर्च के पास इस तरह घास पर बारह बजे दिन में सोने का क्या मतलब? तुम्हें कोई परेशानी नहीं पर शहर को क्यों परेशान कर रखा है? उधर देखो, लोग आतंकित होकर तुम्हें दूर से ताड़ रहे हैं।"

ऋषभ ने सड़क की ओर गर्दन उठाई। सात-आठ लोगों का समूह इधर ही देख रहा था। वह भौचक हो गया, "क्या किया है मैंने?"

"अरे यार कुछ नहीं किया तुमने। ये लोग देर से यहीं खड़े हैं और तुम्हारी देह को दूर से लाश समझ बैठे हैं। इधर से मैं गुज़र रहा था तो उन्होंने सूचना दी कि लगता है कोई आदमी मरा पड़ा है। यहाँ आया तो तुम थे।" अरूप एक साँस में सब बोल गया। उसने हाथ बढ़ाकर ऋषभ को उठाया, "उठो, चलो यहाँ से। कहीं और छुट्टी मनाते हैं। महीना भर पहले यहीं एक मर्डर हुआ था।" ऋषभ अभी इस शहर को पूरी तरह से नहीं जान पाया था। अफ़वाहों का शहर है यह। वह चल पड़ा।

उनका रिक्शा हिचकोले खाता हुआ मेन मार्केट की तरफ़ बढ़ रहा था। रिक्शेवाले ने अगले पहिए में दो घुँघरू बाँध दिये थे। ऋषभ को लगा कि उसकी खनखन छनछन में तन्वी की आवाज़ खनखना रही है। इस सौन्दर्य से अनजान अरूप हथेली पर तम्बाकू रगड़ने में व्यस्त था। रास्ते में ऋषभ अरूप से बस इतना ही पूछ पाया कि मेरा अपहरण क्यों हो रहा है? अरूप ने तम्बाकू ठोकते हुए कहा, "जैन भोजनालय जाना है, हम खाना वहीं खाएँगे और कीमत तुम अदा करोगे।" फिर दोनों चुप हो गये। देर तक। उनकी चुप्पियों में आज की छुट्टी पिघल रही थी। रिक्शे का पहिया घुँघरुओं की आवाज़ में बहा जा रहा था। रास्ते में लोग पता नहीं क्यों उन दोनों को ही घूर रहे थे। हद है?

खाना खाते वक़्त दोनों मौन थे पर अरूप के मुँह से चपर-चपर की आवाज़ निकल रही थी। वह खाते वक़्त अक्सर बेसब्र हो जाता है। ऋषभ ने अपनी चोर नज़रों से उसे एक बार देखा फिर अपनी रोटियाँ तोड़ने लगा। फिर अचानक चपर-चपर की आवाज़ रुकी तो वह बोला, "तुम वहाँ घास पर तन्वी का इन्तज़ार कर रहे थे न?"

ऋषभ की नज़रें झुकी ही रहीं, "नहीं तो।"

अरूप गम्भीर हो गया, "उसका इन्तज़ार मत करो ऋषभ।" ऋषभ चुपचाप चम्मच से दही उठाकर खाता रहा। अरूप ने फिर कुछ चुभा दिया, "तन्वी पटना में है आजकल।" ऋषभ चौंकते-चौंकते रुक गया, सिर्फ़ भौंहें उठा दीं, "क्यों?" अरूप ऋषभ को कुछ-कुछ समझने लगा था। वह ऋषभ की इस ओढ़ी हुई गम्भीर मुद्रा को ताड़ गया। फिर पापड़ को उठाकर मुँह में बजाते हुए वह ऋषभ के इस 'क्यों' के जवाब में हल्के से हँसा। ऋषभ के

लाल होने के लिए इतना काफ़ी था। उसके लाल होते चेहरे को अरूप ने पढ़ते हुए अन्तिम कील ठोक दी, "ये क्यों क्या पूछते हो तुम...'सखी वो मुझसे कहकर जाते'?" अरूप ने ऋषभ को क्षणभर में 'यशोधरा' बना डाला। तन्वी ऋषभ को कहकर नहीं गयी थी। जब कील चुभी तो बैल बिदक गया और गुस्से में रस्सी तोड़कर भागने को हुआ। बैल की आँखें फैल गयी थीं। अरूप ज़रा-सा डरा, उसके डरने की वजह यह थी कि यदि बैल खाने का बिल दिये बगैर चला गया तो उसका क्या होगा। अरूप की जेब में फूटी कौड़ी भी नहीं थी। उसने बात सँभाली, "बैठ जा भाई...बैठ जा...दोस्त हूँ...इतना तो हक़ है ही।" खीझे हुए बैल को आख़िर बैठना पड़ा क्योंकि लोग उसे घूरने लगे थे। फिर अरूप ने ही शुरू किया, "द सिटी चैनल का पटना के किसी बड़े न्यूज़ चैनल से 'मर्ज़र' होने वाला है, सेठ जगतानन्द उसे बेचने गया है।" अरूप क्षणभर रुका और एक बार और मसखरी करनी चाही, "सेठ चैनल बेचने गया है तन्वी को नहीं।" इस मसखरी को ऋषभ ने शायद सुना ही नहीं। उसकी नज़रें कहीं और देखने लगीं, पता नहीं कहाँ?

दोनों जब खाना खाकर बाहर आये तो अरूप ने ज़ोर की अँगड़ाई ली और बाद में एक भद्दी-सी डकार भी लगा दी। उसका मुँह दरियाई घोड़े की तरह खुला जिसमें से तम्बाकू चबाए सड़े दाँतों का एक जोड़ा झाँकने लगा। ऋषभ ने अपना मुँह फेर लिया। फिर ऋषभ ने ही पूछा, "अब क्या?" अरूप उत्साहित होकर बोला, "घर जाकर क्या करोगे? चलो बिजईया की दुकान पर चाय पीते हैं।" ऋषभ ने हामी भर दी। पता नहीं क्यों आज वह अकेले रहने से बचना चाहता था।

शहर की चाल की तरह ही सुस्त और लुंजपुंज रिक्शा एक बार फिर चल पड़ा। इस रिक्शे के पहिए में घुँघरू नहीं जड़े थे। उसके चलने में 'किर्रर्र-किर्रर्र' की पीड़ादायी आवाज़ निकल रही थी। शहर के लोग अभी भी उन दोनों को घूर रहे थे। 'मामला क्या है आज?' ऋषभ ने सोचा।

बाज़ार से निकलते वक़्त उनके रिक्शे के सामने से एक मोटरसाइकिल सवार चला आ रहा था। उसकी नज़रें तो सामने ही थीं पर अचानक वह बायीं ओर देखने लगा। वह जहाँ देख रहा था वह मशहूर 'सिने फ़ोटो स्टूडियो' था

जिसके डेस्क पर बैठी लड़की युवा बाइकर को देखकर मुस्कुरा रही थी, बदले में बाइकर होंठों को गोल कर अपने बायें हाथ से बाल सहलाने लगा। बस फिर क्या था, रिक्शे और मोटरसाइकिल का मिलन हो गया, 'भड्ड'। यह इतना जल्दी और अकस्मात् हुआ कि ऋषभ और अरूप को सँभलने का मौका तक नहीं मिला। रिक्शावान "हां-हां" बोलकर रिक्शे से कूद गया। बाइकर गिरते-गिरते रह गया। उसके मुँह से इतना ही निकला, "भाऽऽग स्साला...देख के नहीं चलता?" ऋषभ को बाइकबाज़ पर गुस्सा आ गया। एक तो ग़लती उसकी ऊपर से रिक्शेवाले को ही गाली! इससे पहले कि वह कुछ बोलता अरूप टपक पड़ा, "का ठुनमुन बाबू? पूरे इलाक़े में हमारा ही रिक्शा मिला था ठोकने को?" यह बात अरूप ने लगभग गाते हुए कही। बाइकबाज़ धूप का चश्मा उतारकर मुस्कुराने लगा, फिर बोला, "ठोकने तो हम गोबर्धनवा को जा रहे थे, भिड़ गये आप।" वाक्य पूरा करते-करते बाइकबाज़ ने अपनी टी-शर्ट को ज़रा-सा ऊपर उठा दिया—जींस में घुसी हुई वह काली चीज़ चमक गयी। ऋषभ चौंका, "पिस्टल?" इससे पहले की वह इस क्रिमिनल के बारे में कुछ और सोचता, अरूप बतकही करने लगा, "क्या हुआ? अभी तक सूद नहीं दिया।" बाइकबाज़ निराश हो गया, "काहे ला सूद? साला मूलधन लेकर दो महीने से गायब है। जस्ट पता चला है कि ताड़ी पीकर सिनेमा हॉल के पीछे ऊँघ रहा है, अभी ठोकते हैं जाकर।" इतना कहते हुए उसने बाइक को एक किक मारी, फिर नज़र घुमाकर स्टूडियोवाली लड़की को घूरा और चल पड़ा। रिक्शे का कुछ बिगड़ा नहीं था, बस 'किर्रर-किर्रर' की आवाज़ और बढ़ गयी थी। ऋषभ ने एक भरपूर नज़र अरूप पर डाली, फिर सामने देखने लगा। अरूप को वह नज़र चुभ गयी। बोला, "इस तरह से क्या देखते हो? ठुनमुन तुम्हारा ही सहधर्मी हुआ।" ऋषभ एकदम उखड़ गया, "क्या यार, कब से फ़ालतू बोले जा रहे हो, एक क्रिमिनल और सूदखोर से मेरी बराबरी कर रहे हो? हद है।"

"यार नाराज़ क्यों होते हो, यही सच है, वह शिक्षक है।" कहते हुए अरूप ने धीरे से ऋषभ का हाथ पकड़ लिया। फिर उसे दबाते हुए बोला "चौंको मत, हज़ारों की संख्या में नयी स्टेट सरकार ने शिक्षकों और शिक्षामित्रों

की भर्तियाँ की हैं, उनमें से यह एक है, बल्कि ग्रेजुएट है।''

ऋषभ ने क़सम खाई थी कि इस शहर की किसी भी घटना पर वह हैरान नहीं होगा। उसके हैरानी प्रकट करने पर लोग उसे 'चूतिया' समझते हैं। पर यह ऐसा सच था जिस पर उसे सचमुच हैरानी हुई। अरूप सच बकता गया, ''ये लोग महीने चार महीने पर मिलने वाली तनख़्वाह सूद पर चलाते हैं, शहर की गाड़ी ही सूद के पेट्रोल से चलती है।'' ऋषभ ने अपनी मुंडी झुका ली और लगभग मुस्कुराते हुए बोला, ''कमाल है।'' फिर वह रिक्शे के नीचे से धीरे-धीरे सरकती हुई धरती को देखने लगा। वह खिसकती हुई धरती को देखते-देखते इस शहर के चरित्र की बारीकियाँ उधेड़ने लगा। मसलन, यह शहर भय से संचालित है। भय को यहाँ सूद कहते हैं। शहर की इस ऐंठन की वजह के पीछे कोई आर्थिक कारण है। भय, हेकड़ी, गरीबी इन सबको मिलाकर वह किसी निष्कर्ष पर पहुँचता कि अरूप ने एक और शगूफ़ा छोड़ा, ''साला, इस शहर में जब से रिसेप्शनिस्ट आंदोलन चला है, सड़क पर एक्सिडेंट ज़्यादा होने लगे हैं।'' ऋषभ ग़लती से फिर चौंका। दोनों मित्रों ने ज़ोर से ठहाका लगाया। आस-पास के राहगीर उन्हें घूरने लगे। ऋषभ ने ही पूछा, ''ये रिसेप्शनिस्ट आंदोलन तुम्हारे शहर में कब हुआ?'' अरूप ने जवाब दिया, ''अरे यार! भूमंडलन और क्या?'' अरूप के भीतर का पत्रकार जग गया, गला साफ़ करके बोला, ''भूमंडलीकरण के बाद चकाचौंध जैसी एक चीज़ का इस शहर में पदार्पण हुआ। आस-पास के गाँवों की आबादी उड़-उड़ कर यहाँ बसने लगी। फिर दूसरी प्रक्रिया शुरू हुई। जिनकी ताकतवर आर्थिक स्थिति थी उनके लड़के-लड़कियाँ दिल्ली, मुंबई, बैंगलोर में फिट हो गये, और जो कमज़ोर थे उनके बच्चे और खासकर बच्चियाँ यहीं फिट होने की जुगत में लगे। पिछले पाँच-सात वर्षों में यहाँ की लगभग सभी बड़ी दुकानें, होटल, रेस्तराँ इन लड़कियों से गुलज़ार हो गयें। जिनका एक नया नामकरण था—रिसेप्शनिस्ट।'' बात पूरी करते-करते अरूप ने लम्बी साँस खींचकर अपनी गर्दन टेढ़ी कर ली, मानो बहुत बड़ी 'थियरी' दे मारी हो। पर ऋषभ ने उसकी हेकड़ी कम कर दी, ''तो इसमें बुराई क्या है?'' अरूप ने दार्शनिक भाव से कहा, ''नहीं, बुराई नहीं है।'' फिर रुककर बात पूरी की, ''पर...

पर एक्सीडेंट तो हो ही जाता है न? तुम सच देख ही चुके हो।'' और उसने अपनी बायीं आँख दबा दी। पत्रकार फिर मसखरा बना गया।

रिक्शा 'किर्रर-किर्रर' करते हुए बढ़ा जा रहा था। बायीं तरफ़ नया चमचमाता हुआ 'मॉल' देखकर ऋषभ को किसी की याद आ गयी। उसने जो शर्ट पहन रखी थी, वह उसी 'मॉल' की थी। 'मॉल' चमक रहा था। बड़े-बड़े शीशों के भीतर बेशकीमती कपड़े, जूते, शर्ट, कोट और रिसेप्शनिस्ट। कोई कह नहीं सकता था कि यह दो मंज़िला 'मॉल' इसी शहर का है। सूदखोर शहर का। अरूप ने ऋषभ का ध्यान भंग किया। उस पर आज पत्रकार हावी था। ''यहाँ पहले सिनेमा हॉल था, तुम्हारे ही बिरादरान ध्यानचंद जैन दिल्ली से सेलेक्ट सिटी मॉल देखकर आये थे, सिनेमा हॉल की लीज़ खत्म हुई तो उसकी ज़मीन का अधिग्रहण करके हॉल तुड़वा दिया और मॉल बनवा दिया। ये चमचमाते हुए शीशे और साफ़ कपड़ों में लिपटे सिक्योरिटी गार्ड देख रहे हो न?''

ऋषभ ने जवाब दिया, ''हूँ''

''पर यह गार्ड आये दिन पिटते रहते हैं।'' मसखरे ने फिर बायीं आँख दबा दी।

''क्यों?''

''अरे यार, दिलजलों के शहर में ताजमहल कौन बर्दाश्त करेगा? इस शहर की बहुसंख्यक आबादी चार रुपये का पान खाकर दिन गुज़ार देती है। लौंडे-लफाड़ियों के पास पैसे होते कहाँ हैं, बीस-बीस कपड़े नापकर-तौल कर खाली हाथ बाहर आ जाते हैं। वे यहाँ खरीदने नहीं मौज करने आते हैं। उनका यह 'फन-विला' है।'' अरूप ने ऋषभ का ध्यान उन बड़े और आधे टूटे काँच की ओर केन्द्रित किया, ''वो टूटा काँच देख रहे हो न, उसे इस शहर के लौंडों ने ही शहीद किया है। अब ध्यानचंद जैन कन्फ्यूजन में हैं कि क्या करें। अगर काँच की जगह टीन की चद्दर डाल दें तो अन्दर का चमकदार मॉल और रिसेप्शनिस्ट बाहर से दिखाई नहीं देंगे और अगर काँच फिर से लगाया तब क्या गारंटी है कि वह फिर न टूटे?'' ऋषभ चुप रहा। अरूप जारी रहा, ''इस शहर की तरह यह मॉल भी संक्रमण का शिकार है।''

इस बार ऋषभ ने अफ़सोस जताया पर लहज़ा इस बार अरूप को चिढ़ाने वाला अपनाया, ''बड़ी बुरी बात है।'' अरूप ने इसे छोटे शहरों की क्षुद्र प्रवृत्ति पर चोट के रूप में लिया, ''तुम चाहे कुछ भी कहो, पर बड़े शहरों की तरह छोटे शहरों में ग्राहक का आत्मसम्मान रौंदा नहीं जाता।''

ऋषभ ने छेड़ा, ''कैसे? बताओ।''

''यहाँ हेकड़ी ही पूँजी है। या कह लो कि पूँजी नहीं है इसलिए हेकड़ी है लोगों में। बड़े शहरों के दुकानदार महँगी चीज़ें दिखाकर ग्राहकों को शर्मिंदा करते रहते हैं, जैसे उनकी औकात दिखा रहे हों। ग्राहकों को वहाँ से 'सॉरी' कहकर निकलना पड़ता है। पर यहाँ...यहाँ महँगी चीज़ें दिखाते ही ग्राहक दुकानदार पर आगबबूला हो जाता है। बहुत हुआ तो वह दुकानदार को ही चोट्टा-लुटेरा कहकर चल देता है। दुकानदारों की मज़ाल नहीं पलटकर कुछ बोलें वर्ना उनकी दुकान पर कभी भी देशी बम फट सकता है। इसीलिए तो अपनी हिफ़ाजत के लिए यहाँ के दुकानदार, सुनार, थोक-विक्रेता, कालाबाज़ारी वाले सब रंगदारी टैक्स देते हैं। टैक्स लेने वाला इस शहर से चालीस किलोमीटर दूर रहता है।'' ऋषभ कुछ और पूछता कि अरूप ने टोका, ''अब उसका नाम मत पूछना।'' यह एक और सच था जिसे ऋषभ पचाते हुए गुमसुम हो गया। साला शहर है कि जहन्नुम?

रिक्शा विजय प्रसाद चायवाले के सामने आकर रुक गया। ऋषभ ने ही रिक्शेवाले को पैसे दिये जो कि स्वाभाविक ही था। दुकान पर थोड़ी भीड़ थी। अरूप विजय को चाय का इशारा करके भीड़ से थोड़ा अलग खड़ा हो गया, ऋषभ के साथ। भीड़ में से कुछ लोगों ने फिर उन दोनों को घूरा और चाय पीने लगे। ऋषभ उस दिन के बाद केवल आज ही स्टेशन के पास आया। ऋषभ को यहाँ आकर आभास हुआ कि उसे इस शहर में आये तीन महीने हो गये हैं। विजय प्रसाद चायवाले ने छोटू के हाथों चाय भिजवायी थी। चाय वाकई में अरूप की भाषा में 'स्वादु' थी। चुस्कियाँ लेते हुए ऋषभ आस-पास के हालात पर नज़र डालने लगा। मोछुआ दारू पीकर किसी को गरियाते, हांथ भांजते उनकी बगल से तेज़ी में निकल गया। पता नहीं उसने कौन-सी दारू पी ली थी, वह बगल से गुज़रा तो ऋषभ दारू की बास से

असहज हो गया। मोछुआ अब हिन्दी फ़िल्मों के नाम फिल्मी सितारों के नाम से जोड़कर गाते हुए जा रहा था, "धरमेंदर, जितेंदर, जीने नहीं दूँगा, ख़ून भरी माँग, आग ही आग।" उसका नाम मोछुआ इसलिए पड़ा था कि उसकी मूँछें बहुत लम्बी और घनी थीं।

वह चला गया तब ऋषभ की नज़र चाय की दुकान के पास की रेत के टीले पर चली गयी, जिसे रेलवे की संपत्ति समझकर लोग चाय का कुल्हड़, सिगरेट, पान आदि विसर्जित कर रहे थे। वहीं बगल में एक नंग-धड़ंग बच्चा रेत खोदकर उसमें गुफा बना रहा था। तभी ऋषभ चौंक गया। उस बच्चे के बगल में गेरुए कपड़े में लिपटा वही महाकाल बैठा था जिससे ऋषभ की मुठभेड़ रेलवे प्लेटफ़ॉर्म पर हुई थी। वही काला शरीर, वही घुंघरू, वही आँखें। रेत के टीले पर बैठे उस जोगी ने अपनी जटाएँ खोल दी थीं। वह उन्हें सुखा रहा था। वह बायीं हथेली पर रखे लाल रंग को अपनी दाएँ हाथ की उँगलियों से उठा कर माथे पर त्रिपुंड बना रहा था। लेकिन उसकी आँखें ऋषभ पर ही टकटकी लगाये हुए थीं। बल्कि घूर रही थीं। त्रिपुंड बनाकर उसने हथेलियों को रेत से रगड़ लिया और उठ गया। उसके क़दम ऋषभ की ओर बढ़ने लगे। लेकिन यह पहले वाला ऋषभ नहीं था। समय के साथ इस शहर ने उसे थोड़ा मज़बूत कर दिया था। वह अडिग होकर उस काली चट्टान को अपनी ओर लुढ़कते देखता रहा—निर्विकार। चट्टान उसके पास आकर रुकी।

"का हाल है भुजंगनाथ?" यह अरूप था। उसके पूछने के अन्दाज़ से लग रहा था कि इस भुजंग के साथ अरूप के आत्मीय रिश्ते हैं। जोगी ने घुंघरुओं से लदे अपने दाहिने हाथ को उठा दिया, "बमबम।" आवाज़ उसके शरीर की तरह ही भारी-भरकम थी। अरूप ने फिर पूछा, "मौज है न?" इस बार भी जोगी ने 'बमबम' ही कहा पर कहते वक़्त उसने गर्दन बायीं ओर झुकायी और उसने अपनी दायीं आँख दबा दी। यह निहायत छिछोरा अन्दाज़ था। जोगी और अरूप दोनों हँस पड़े। अरूप ऋषभ की ओर मुड़ा और कहा "ई रिसभ हैं, पढ़ाते हैं।" जोगी ने अपने घुँघरुओं वाले हाथ उठाकर ऋषभ के माथे पर रख दिये। ऋषभ के भीतर सनसनाहट हो गयी। फिर जोगी ने कहा, "बमबम।" जब जोगी ने हाथ हटाया तब ऋषभ के भीतर सुकून-सा

कुछ पसर गया, उसे यह अच्छा लगा।

कहते हैं कि विपरीत के प्रति एक सहज आकर्षण होता है। इस शहर में जोगी पहला शख्स था जिससे ऋषभ ने आत्मीय ढंग से निवेदन किया, "आप चाय ज़रूर पीते होंगे, मैं मँगवाता हूँ।" जोगी ने हामी भर दी। रेत के टीले में गुफ़ा बनाने वाला लड़का दौड़ता हुआ जोगी के पास आ गया। जोगी ने उसे हँसकर उठा लिया और पुचकारने लगा। ऋषभ चट्टान को पिघलते हुए, पुचकारते हुए देखने लगा। बच्चा जोगी की नाक उमेठने लगा। ऋषभ अब तक जिस चेहरे को खौफ़ का पर्याय समझता रहा उसे एक बच्चा थपकियाँ दे रहा था, चूम रहा था। अरूप ने उस बच्चे के गाल छूकर कहा, "जल्दी बड़ा हो गया।" जोगी की आँखें चमक उठीं। अरूप ने अपने मुँह में उँगली डालकर सीटी मारी तो विजय प्रसाद चायवाले ने अपनी नज़रें इनायत कीं। अरूप ने एक जोड़ी उँगली उठाकर 'विक्ट्री' का सिग्नल दिया जिसका मतलब था 'दो कप चाय लाओ।'

जोगी उस बच्चे के बदन से चिपकी रेत झाड़ने लगा। मोछुआ आज ज़्यादा ही तेज़ी में था। वह फिर नशे में गालियाँ बकता आ रहा था। पास से गुज़रते हुए उसने जोगी को सम्बोधित किया, "का रंगबाज?" जोगी ताव खा गया। घुँघरुओं वाले हाथ उठाकर उसने मुट्ठी कस ली और लगभग गुर्राते हुए कहा, "बअअम बअअम।" तब तक मोछुआ धरमेंदर, जितेंदर कहते हुए वहाँ से जा चुका था, उसे फ़ुर्सत कहाँ थी!

'छोटू' चायवाला दो चाय के कप ऋषभ को पकड़ा कर चला गया। ऋषभ ने एक कप जोगी को दिया, दूसरा अरूप को। चुस्कियों की आवाज़ हवा में भरने लगी। बच्चा जोगी की गोद में ही था, जोगी बच्चे के मुँह के पास कप ले गया तो उसने हँसते हुए अपना मुँह मोड़ लिया। काले शरीर से चिपका गोरा बच्चा सचमुच बहुत प्यारा था। जोगी अभी चाय की चुस्कियाँ भर ही रहा था कि विजय प्रसाद चायवाला चीखा, "अरे बाप..." और दौड़ते हुए उनके पास आ धमका। इससे पहले कि लोग कुछ समझ पाते उसने जोगी के हाथ से काँच का कप छीनकर सड़क पर दे मारा। चाय की प्याली चकनाचूर हो गयीं। विजय की आँखें लाल हो गयी थीं। चाय की दुकान पर खड़े ग्राहक

चौंककर घटना का मुआयना करने लगे। ऋषभ को इस हरकत पर गुस्सा आ गया। इससे पहले कि आदतन अरूप कुछ बोलता ऋषभ ने ही मोर्चा खोल दिया, "क्या बदतमीज़ी है ये?" उसने लगभग चीख मार दी। विजय प्रसाद ने अपनी उखड़ती हुई साँस के साथ जवाब दे दिया, "कुछ भी कहिए सर, इ मुर्दाखोर-अघोरी हमारे कप में चाय नहीं पी सकता।" सब सन्न हो गये। ऋषभ इन वाक्यों को 'डिकोड' करने में लगा ही था कि अरूप ने विजय प्रसाद का कॉलर पकड़ लिया, "साले तेरी हिम्मत कैसे हुई? गुंडा समझता है अपने आपको, रंगबाज़ है यहाँ का?"

विजय ने हाथ जोड़ दिये, "भइया जी, पेट पर लात मत मारिए, जूता मारकर भले पीठ छील दीजिए। पर इस मुर्दाखोर को हम कप में चाय नहीं पीने देंगे। सब लोग इसे जानते हैं, मेरे ग्राहक भड़क जायेंगे।" विजय का इशारा उन चमचमाती काँच की जूठी प्यालियों की तरफ़ था जिन्हें छोटू धो कर फिर से चाय डालने जा रहा था। मुर्दाखोर और कप जैसे शब्द सुनकर ऋषभ स्तब्ध था। उसे उन धुली हुई प्यालियों से बदबू की लहर उठती हुई जान पड़ी। कुछ देर पहले पी हुई चाय को उसने याद किया और उसे मितली आने लगी, पर वह उसे दबा गया। अरूप ने विजय प्रसाद के कॉलर से हाथ हटा लिया और समझाने की मुद्रा में आ गया, "तू पागल है क्या?, अरे साला इ अघोरी नहीं हैं, मैं जानता..." वह वाक्य अभी पूरा भी नहीं कर पाया था कि जोगी विजय प्रसाद को ज़ोर से धकेल कर चिल्लाया, "हट...।" फिर उसने अरूप को बात पूरी न करने की हिदायत देते हुए घुँघरू लगे हाथ की अपनी तर्जनी को हिला दिया। उँगली अरूप की दोनों आँखों के सामने दायें-बायें हिलती रही। जोगी ने यह सब कुछ झटके के साथ किया। गोद के बच्चे पर इन घटनाओं का कुप्रभाव न जाने कब से पड़ रहा था। वह धाड़ मारकर रोने लगा। जोगी बस इतना कह पाया, "अच्छा अरूप बाबू" और बच्चे को पुचकारते हुए चला गया। अरूप की आँखों में पहली बार ऋषभ ने पानी जैसा कुछ तैरते हुए पाया। अरूप ने उन्हीं आँखों से विजय को कोसा, "कुत्ता है तुम।"

रिक्शा एक बार फिर हिचकोले खाते हुए चल पड़ा। इस ऊहापोह में ऋषभ को यह भी याद आया कि विजय प्रसाद को उसने चाय और टूटी प्याली के

पैसे भी नहीं दिये। जब याद आया तब तक रिक्शा शहर के भीतर घुस चुका था। पैसे फिर कभी। चुप्पी ऋषभ ने तोड़ी, "जोगी से तुम्हारा बहुत लगाव है, नहीं?" सवाल सुनकर अरूप कुछ हरकत में आया जो काफ़ी देर तक चुप ही नहीं था बल्कि अपनी आदतों के विपरीत शान्त भाव से किसी सोच में डूबा था। उसने एक लम्बी साँस छोड़ी और ऋषभ की ओर चेहरा घुमाकर आँख मार दी। फिर भी वह कुछ सोच ही रहा था और सोचते-सोचते बोला, "जानते हो ऋषभ, लोग कहते हैं कि भुजंगनाथ पहले डकैत था। सासाराम-कैमूर की पहाड़ियों में। पता नहीं कब वहाँ के डकैत आपस में ही ख़ूनी खेल खेलने लगे। भुजंगनाथ वहाँ से भागकर यहाँ आ गया। दाढ़ी-मूँछें थीं ही, बस गेरुआ कपड़ा धारण कर लिया। ऊपर से इसका कोई पुलिस रिकॉर्ड भी नहीं था।"

"और वह बच्चा?" ऋषभ तह में जाने लगा।

"कह सकते हो कि नाजायज़ है। इसी स्टेशन पर उसको जनमते ही फेंक गया था कोई। तब से भुजंग ही उसे पाल रहा था। अब भुजंग के सारे कर्मकांडों का कारण वह बच्चा ही है। वह लड़ा नहीं केवल उस बच्चे के कारण।" ऋषभ को इन बातों में दम नहीं लगा। पर वह कर ही क्या सकता था? ऋषभ को बार-बार लग रहा था कि जोगी का कोई गुप्त रहस्य अरूप जानता है। आख़िर क्यों जोगी ने अरूप को बात पूरी नहीं करने दी? कुछ तो है। सड़क की हालत अच्छी होने के बावजूद भी रिक्शे की गति धीमी पड़ने लगी। भीड़ बहुत थी। यह शहर का मेन मार्केट था। कुछ देर की चुप्पी के बावजूद, अरूप के मुँह से व्यंग्य में फूटा, "हुँह।" इस पर दोनों की नज़रें भिड़ गयीं। "क्या हुआ?" ऋषभ ने पूछा।

"जानते हो दोस्त, इस शहर में भुजंगनाथ और तन्वी एक ही दिन पैदा हुए थे।" ऋषभ को यह सूचना कोरे गप्प के सिवा कुछ भी नहीं लगी। भुजंग और तन्वी की उम्र के बीच का फ़ासला बहुत नहीं बल्कि बहुत ही ज़्यादा था, इस तथ्य से कोई इनकार नहीं कर सकता था। ऋषभ को अरूप के पेशे पर ही तरस आने लगा। पर अरूप ने फिर गोला दागा, "तुम भले भरोसा न करो, पर यही सच है। दोनों का जन्म एक ही समय पर हुआ था। या कह लो कि दोनों ने एक-दूसरे को पैदा किया था। वह भी मसान में, जिसे भोजपुरी

में मुर्दाघटिया कहते हैं।'' बात खत्म करते-करते अरूप ने फिर आँख मार दी। ऋषभ को यह गप्प थोड़ी मनोरंजक लगने लगी, उसने बस इतना कहा, ''इतना तो मुझे भी मालूम है कि हिन्दू लोग भी श्मशान में मरने के बाद राख होने आते हैं, पैदा होने नहीं...फिर भी बको।'' इशारा स्पष्ट था। अरूप थोड़ा गम्भीर हो गया, पत्रकार की अपेक्षाकृत गम्भीर छवि के साथ उसने गप्प को आगे बढ़ाया, ''यह तब की बात है जब इस शहर में चकाचौंध जैसी एक चीज़ घुस चुकी थी। लोग सरकारी रेडियो और दूरदर्शन का क्रियाकर्म करके रंगीन चैनलों और दर्जनों बटन वाले रिमोट का 'आत्मसातीकरण' कर रहे थे। उसी समय में सेठ जगतानन्द ने क्रांति शुरू करनी चाही 'द सिटी चैनल' की शक्ल में, पर राष्ट्रीय रंगीन चैनलों के सामने यह लोकल टिक नहीं पाया। इसका कबाड़ा निकलने लगा।'' बात बीच में रोककर अरूप ने जेब से तम्बाकू की डिबिया निकाली और खैनी-चूने का संयोग कराकर हथेली पर अँगूठा रगड़ने लगा। ऋषभ के भीतर का मास्टर जग गया था। उसने बेसब्री से कहा, ''आगे भी बोलोगे कुछ?''

''फिर सेठ जगतानन्द की नज़र ऐसे राष्ट्रीय चैनलों पर पड़ी जो सनसनी फैलाने में माहिर थे और पैसा भी पीट रहे थे।'' अरूप बात पूरी करके अब हथेलियों पर सिकुड़ी हुई खैनी को दायें हाथ से पीटने लगा। ऋषभ अधीर हो रहा था, तब तक अरूप ने आगे जोड़ ही दिया, ''सेठवा को लगा कि सनसनी अगर राष्ट्रीय स्तर पर हो सकती है तो शहर के स्तर पर क्यों नहीं? धन और बल का प्रयोग करते हुए उसने चुनिन्दा तथाकथित पत्रकारों को सनसनी खोजने में लगा दिया। यह वही दौर था जब मेरे और तन्वी जैसे लड़के-लड़कियों की फ़ौज 'कॉरसपांडेंस' बनकर टी.वी. पर खुद को देखने का सपना पाले लगातार हाथ-पैर मार रही थी। अचानक इस शहर का पोस्टमार्टम शुरू हुआ। पार्क के जोड़ों, हस्पतालों की बदहालियों, घूस लेते हवलदारों, घूस देते ट्रक ड्राइवरों, जुए के अड्डों, चकलाघरों, तस्करी के गढ़ों के वीडियो फुटेज देखते-देखते शहर में बढ़ियाई नदी की तरह घुस गये। इस शहर के औसत लोग नागासाकी को नहीं जानते पर परमाणु बम का अनुभव सबने कर लिया। क्या कहते हैं उसे...हं...'पापाराजी' जैसी एक चीज़ चल पड़ी। लोग जिसके हाथ

में कैमरा देखते उसे या तो सशंकित निगाह से देखते या फिर मुस्कुराते हुए। कहने का मतलब है कि तब किसी कैमराबाज़ को नज़रअन्दाज़ नहीं किया जा सकता था।" बात खत्म करते-करते अरूप ने खैनी को ऊपर के होंठ में दबा दिया और सड़क पर दो बार थूका भी, 'पुच्च।' ऋषभ को लग गया कि इस कहानी में जान है। वह गम्भीर हो गया। "आगे," कहकर ऋषभ ने चुप्पी मार ली। "आगे यह कि दोस्त, सेठ जगतानन्द पर पाँच बार जानलेवा हमला हुआ, एक बार तो उसकी टाँग में छर्रा घुस गया था। पर तब तक देर हो चुकी थी। द सिटी चैनल का साम्राज्य शहर और आस-पास के क़स्बों पर स्थापित हो चुका था। राज्य सरकार ने उसे पुलिस प्रोटेक्शन दे दिया। उसे दो 'गनर' मिल गये। एक-दो बार तो मेरी भी हड्डियाँ टूटी थीं, पर कौन साला प्रोटेक्शन देता है?" अरूप के साथ यही दिक्कत थी। वह राष्ट्रीय घटनाक्रमों को नितान्त व्यक्तिगत स्तर पर परखने लगता था। ऋषभ ने बात बीच में ही काट दी, "तुम? तुम्हें क्यों?"

"वो इसलिए दोस्त कि उस चैनल में तब मैं भी था।"

"फिर छोड़ा क्यों?" ऋषभ ने भौंहें तान कर पूछा।

अरूप तैश में आ गया, "क्या करते? साला बाद में सेठवा हमारी फ़ुटेज शहर को दिखाने की जगह उसका मार्केटिंग करने लगा। जिसका फ़ुटेज हम लाते थे, उसी को दिखा कर ब्लैकमेल करता, पैसे ऐंठता।" यह सुनकर ऋषभ की आँखें थोड़ी फैल गयीं। वह अरूप पर टकटकी लगाए हुए था। अरूप ने कहा, "अब ऐसे मत देखो मुझे, मैं गणेश शंकर विद्यार्थी नहीं हूँ। मैं भी तो चाह रहा था कि फ़ुटेज से पैसा आये, पर साला सेठवा हिस्सा ही नहीं देता था। सो छोड़ दिया।" बात खत्म करके उसने खैनी की पीक को एक बार फिर थूका। ऋषभ का मन इस कहानी से ज़्यादा अरूप के थूकने की वजह से जुगुप्सा से भर गया 'थूह'।

रिक्शा मेन बाज़ार में जाम की वजह से फँस गया। कोई भी रिक्शा हिल तक नहीं सकता था। जो चीज़ हिल रही थी वह केवल लोगों की ज़ुबान थी। "तोहरी माँ का, तोहरी बहन का...रोज़-रोज़ का हेडेक है...स्साला भरे बाज़ार में ट्रक कौन घुसा दिया?" अरूप इस दृश्य को उत्साह के साथ देख रहा

था और ऋषभ घृणा के साथ। यह दृश्य और ज़्यादा वीभत्स हो गया। ऋषभ अपने को इस पूरे परिदृश्य से अनुपस्थित करना चाह रहा था। वह पहले भी एक बार यहाँ रिक्शे पर फँस चुका था। तन्वी के साथ। तनया कुमारी की स्मृति कौंधते ही उसके शरीर में सिहरन घुस गयी। उसने अरूप को टोका, "पर तुम्हारी कहानी में तुम्हारा भुजंगनाथ कहाँ है, तन्वी कहाँ है?" भुजंग के बारे में उसने जानबूझ कर पहले पूछा कि भुजंग कहाँ है और तन्वी के बारे में बाद में पूछा। नहीं तो मन था कि पूछे इस पूरी कहानी में "मेरी तन्वी कहाँ है?" अरूप को थोड़ा बुरा लगा, बोला, "यार बेचैन क्यों हो रहे हो, बता ही तो रहा हूँ...।" फिर अरूप ढीला होकर शुरू हुआ, "तो वह ऐसा दौर था कि द सिटी चैनल के सितारे बुलंद थे, सेठ पर हमला हो चुका था और शहर के सम्मानित लोगों में उसकी हैसियत बहुत ऊँची हो चुकी थी। पर मीडिया हाथी की तरह है, उसकी खुराक बड़ी होती है। वह ऐसा दौर था कि रोज़ सनसनी पैदा करना आसान नहीं था। ठीक वह ऐसा दौर था कि तन्वी हर हालत में स्क्रीन पर खुद को बोलते हुए देखना चाहती थी। और ऐसे ही दौर में एक ऐसा दौर था जब भुजंगनाथ बच्चा गोद में लिये स्टेशन पर कटोरा रखकर भीख माँगता था, वह हर हाल में बच्चे को और खुद को ज़िंदा रखना चाहता था। सेठवा साला लोमड़खोपड़ी, एक साथ इन दोनों पर उसकी नज़र पड़ी। भुजंग की बलिष्ठ काली काया और तन्वी की..." अरूप बीच में ही कुछ सोच कर रुक गया। ऋषभ समझ गया कि अरूप आगे क्या जोड़ने जा रहा था। उसने लगभग छाती पर पत्थर रख कर कहा, "आगे बोलते जाओ अरूप...मैं कुछ भी सुन सकता हूँ।"

अरूप ने सफ़ाई दी, "बिदको मत यार, ऐसा कुछ भी नहीं हुआ जैसा तुम सोच रहे हो...बल्कि हुआ यह कि...जैसा मैं कह रहा था कि मीडिया की खुराक बड़ी होती है। पर जगत सेठ लगातार पाँच हमलों के बाद सँभल गया। वह उन चीज़ों के पीछे भागना बन्द कर चुका था जिससे बड़े गिरोहों को घाटा लगे। पर मीडिया बिना खुराक के चल नहीं सकती। तब चैनल पर भोजपुरी फ़िल्मी गानों, साक्षात्कारों, स्कूली सांस्कृतिक कार्यक्रमों की प्रस्तुतियाँ होने लगीं पर लोग कुछ और चाहते थे। शहर में लोकल चैनल की टी.आर.

पी. तो होती नहीं...लोगों ने कहना शुरू किया कि इस चैनल में वह बात नहीं है। सेठवा चिन्तित हो गया। इधर तन्वी सिटी चैनल की स्क्रीन पर हर हाल में आना चाहती थी। सेठ का वह रोज़ कान चबाती थी और उधर सेठ की नज़र भुजंगनाथ पर पड़ी। उसने भुजंगनाथ को बुलाया और उसके बच्चे की परवरिश की अग्रिम राशि देकर उसके कान में कुछ कहा। भुजंग को 'हाँ' कहना पड़ा। फिर उधर उसने तन्वी को बुलाया और कहा कि उसके चैनल में केवल बरखा दत्त जैसी 'फ़ीलिंग' के साथ ही लड़कियाँ काम कर सकती हैं। तन्वी के कान में उसने धीरे से कुछ कहा। पहले तो तन्वी चौंकी, फिर डरी और अन्ततः 'हाँ' कह दिया।''

''हुआ क्या?'' ऋषभ ने फिर अपनी बेचैनी दिखाई।

अरूप जोड़ता गया, ''उसके बाद रंगमंच तैयार हुआ। वो भी मसान में। रात के दस बजे मोछुआ प्रकट हुआ, जिसकी पी गयी दारू सूँघकर तुम थोड़ा बिदके थे।'' ऋषभ ने कोई प्रतिवाद नहीं किया। अरूप चालू रहा, ''तो सेठवा ने मोछुआ को 'सेट' कर दिया। मोछुआ उस रात साधना की चरम अवस्था पर था। मतलब दारू पीकर उसने गोबर के उपलों से चार अलग-अलग जगहों पर उसके ढेर सजा दिये। जैन वस्त्रालय से वो सारे सजावटी आदमकद पुतले मँगाये गये जो टूटे-फूटे थे। उपलों के ढेरों पर पुतलों की टूटी हुई टाँगें, उखड़ी हुई भुजाएँ, चपटी हुई खोपड़ियाँ फेंक दी गयीं। एक ढेर को कुछ ज़्यादा ही व्यवस्थित ढंग से सजाया गया और कम टूटे पुतले को इस तरह से फ़िट किया गया कि आदमी की लाश की तरह दिखे।'' यह बात पूरी करते-करते अरूप की साँसें तेज़ हो गयीं। फिर कहा, ''साला गज़ब का आयोजन था। उस रात मंसान में कोई लाश नहीं आयी थी। मोछुआ अपना काम खत्म ही कर रहा था कि बड़ी-सी गाड़ी मसान में आ धमकी। सेठ जगतानन्द गाड़ी चला रहा था। फिर सेठवा, तन्वी, कैमरामैन और भुजंगनाथ उसी गाड़ी से उतरे। फिर मोछुआ ने हल्के गीले उपलों में पेट्रोल छिड़क कर आग लगा दी। तुरत-फुरत सेठ ने अपने बैग से भूने हुए मुर्गे का टुकड़ा भुजंगनाथ के कटोरे में उछाल दिया। कैमरा खड़खड़ाया और उपले की आग खत्म होते-होते एक ज़बरदस्त फुटेज तैयार हो चुका था।'' अरूप की बात पूरी हुई। ऋषभ को सब कुछ

समझ में आने लगा था। अरूप के चेहरे पर एक चमक थी जो कथा कहने के दौरान आ गयी।

इसके बाद अरूप ने ऋषभ को जो बताया वह हंगामा, सनसनी के सिवाय कुछ भी नहीं था। अरूप ने कहा, "अगले दिन सुबह से ही द सिटी चैनल ने हंगामा बरपाना शुरू किया। 'इस शहर का अघोरी नं. 1' शीर्षक 'हिट' कर गया। कैमरे के सामने इस शहर ने जलती हुई लाशें, मांस खाता काला भुजंगनाथ का चट्टानी शरीर, और साहस के साथ टन-टन की ध्वनि में रिपोर्टिंग करती तन्वी को देखा। उसे टी.वी. स्क्रीन पर देखकर उसके गरीब माँ-बाप की आँखें भर आयीं जो खुद शूटिंग के दौरान उसी मसान में कैमरामैन के पीछे साँस रोके खड़े थे। दोपहर होते-होते शहर ने तन्वी को बरखादत्त सम्मान से नवाज़ दिया और भुजंगनाथ 'अघोरीनाथ' के रूप में सम्मानित किये गये। दोनों की ब्रांडिंग हो चुकी थी।"

ऋषभ को कुछ उमस महसूस हुई। पर कहानी को चौकन्ना होकर वह सुनता रहा। हिन्दी का प्राध्यापक मूलत: आलोचक होने का दावा करता है, सो उसने भी दावेदारी रखी, "काहे की ब्रांडिंग? अभी-अभी चायवाले ने जोगी को नाप दिया।" यह तीखा व्यंग्य था, अरूप को चुभ गया। उसने तर्क पेश किया, "दो-चार लोगों के घृणा करने से क्या हो जाता है? शहर के उन पिछड़े इलाकों और आस-पास के गाँवों में जाकर देखो तो समझ में आ जायेगा। वहाँ भुजंगनाथ को चढ़ावे में—जिसे तुम भीख ही कहोगे—इतना मिल जाता है कि अन्दाज़ा नहीं लगा सकते। क्या-क्या नहीं मिलता उसे। इसे तुम लोगों की जाहिली कहो, भुजंग का आकार या मीडिया का आरोपित आतंक, पर भुजंगनाथ मज़े में जी रहा है—ब्रांड की तरह। वह नहीं चाहता कि लोग इस सच को जानें कि उसने उस रात मुर्दा नहीं बल्कि भुने मुर्गे को खाया था—मार्केट खराब हो जायेगा।" और यह बात खत्म करते-करते अरूप ने ऋषभ की पीठ ठोककर आँख मार दी, "समझे बबुआ?"

हिन्दी आलोचना धवस्त हो गयी। रिक्शा बाज़ार के जाम से बाहर निकल कर तेज़ी से सरसराने लगा, साँप की तरह। इसी बीच अरूप ने ऋषभ को कुछ और बातें बतायीं जो बेमतलब की थीं। जैसे कि फिर भी द सिटी

चैनल में वो बात नहीं रही, मसलन उसका पटना के बड़े चैनल से 'क्लब' होना है, या फिर तन्वी पटना जाने के चक्कर में है, या सेठवा साला चरित्रहीन है, शहर के मीडिया को उसने ही पहले गंदा किया। सेठ राष्ट्रीय अख़बारों के लोकल पत्रकारों को दो सौ-चार सौ रुपया चटाकर उन्हीं ख़बरों को छपवाने की फ़िराक में रहता है जो उसका चैनल दिखाता है। तन्वी की मसान वाली कवरेज़ को उस घटना के दो दिन बाद किसी निजी राष्ट्रीय न्यूज़ चैनल के 'कपाल-महाकाल' में दिखाया गया। इस राष्ट्रीय प्रसारण के बाद तन्वी की रंगत और खिल गयी। साला लोमड़ खोपड़ी है सेठवा। अब धंधा मंदा हो रहा है तो रूलिंग पार्टी से टिकट लेकर यहाँ से चुनाव लड़ने के चक्कर में है, वगैरह-वगैरह। ऋषभ कभी 'हूँ' कभी 'हाँ' कहता रहा। अरूप समझ गया कि मास्टर जी अब कुछ सुनने के मूड में नहीं हैं, सो वह भी चुप हो गया। रिक्शा गंतव्य के अंतिम मोड़ के 'रोड ब्रेकर' पर ज़ोर से उछला और तेज़ी से चलता चला गया।

रिक्शे पर बैठे-बैठे ऋषभ को यह भय सता रहा था कि अरूप कहीं आज की रात उसके साथ ही न ठहर जाये। उसके दिमाग का कबाड़ा पहले ही बहुत हो चुका था, अब दिमाग को और छेड़खानी बर्दाश्त नहीं। उसने अरूप से पिंड छुड़ाने के लिए ही सही अपने मोहल्ले से चार गली पहले के छोटे बाज़ार में रिक्शा रुकवा दिया। इस बार अरूप के चौंकने की बारी थी। "क्यों? क्या हुआ?"

"ई-मेल चेक करना है, कई दिन हो गये हैं। सामने वाले 'साइबर कैफ़े' में बैठूँगा।"

"इसमें? यहाँ?" अरूप ही चौंका।

ऋषभ चिढ़ गया और, "क्या हो गया?" कह कर वह रिक्शे से उतर गया। फिर बोला, "मैं रिक्शा-भाड़ा दे देता हूँ, तुम्हें जहाँ जाना है जाओ।" पर इन पंक्तियों में ऋषभ ने बेरुख़ी नहीं झलकने दी। अरूप बोला, "मैं तो चला जाऊँगा, पर तुम जहाँ जा रहे हो न, वह इस शहर के साइबर अपराध की राजधानी है।" ऋषभ और चिढ़ गया, बिफर गया, "क्या बकते हो यार?"

अरूप रिक्शे पर बैठे-बैठे दार्शनिक भाव से बोला, "यहाँ के 'साइबर

कैफ़े' में छोटे-छोटे बॉक्स बनाए गये हैं, जहाँ शहर के तमाम लौंडे 'पौंडी' देखते हैं, मोबाइल पर 'लोड' करते हैं। यहाँ के 'साइबर कैफ़े' में जाओ तो इस शहर के लोग ऐसे देखते हैं मानो रंडीबाज़ी करने जा रहे हो। यहाँ तो साइबर रिपोर्टिंग का भी स्पेस नहीं है बचुवा। वैसे यहाँ 'चार्ज' भी साला बहुत ज़्यादा करता है।'' ऋषभ अशोभनीय भाषा कभी बर्दाश्त ही नहीं कर पाता था, उसने दस सेकेण्ड कुछ सोचा, फिर अपनी आँखें छोटी करके एक-एक शब्द चबाते हुए बोला, ''मुझे तो कई बार लगता है अरूप कि तुम्हारा पूरा व्यक्तित्व झूठ और गप्प के अणुओं से बना है।'' इतना कहकर उसने रिक्शेवाले को तीस रुपये दिये और 'कैफ़े' में घुस गया। पीछे से अरूप के शब्द सुनाई पड़े, ''चल रिक्शा...साली दुनिया भरोसे की नहीं रही अब।''

'कैफ़े' में सचमुच बॉक्स बने थे। कुल आठ, जिन पर सफ़ेद रंग से नंबर लिखे थे। फिर भी अरूप की बात झूठ साबित हुई, बॉक्स नंबर एक, पाँच और सात खुले हुए थे जिन पर बैठा युवा संप्रदाय मेल, फ़ेसबुक, ऑरकुट की सवारी कर रहा था। बाकी के बॉक्स बन्द थे। सचमुच। वह दो नंबर बॉक्स में घुस गया।

दो नंबर स्वाभाविक रूप से एक और तीन के बीच में था। तीन नंबर बॉक्स बन्द था। ऋषभ को वहाँ बैठे अभी घंटा भर भी नहीं हुआ कि बॉक्स नंबर तीन के नेटसवार का 'इयर फ़ोन' कंप्यूटर से बाहर निकल गया। कम्प्यूटर में से धमाके के साथ आवाज़ आयी, ''उंहह...आंहह।'' यह लड़की की आवाज़ थी। काउंटर पर बैठा हुआ अधेड़ हड़बड़ाकर उठा और धड़धड़ाते हुए बॉक्स नंबर तीन पीटने लगा। तब तक उस आवाज़ की आवृति और भी ऊँची हो गयी। बॉक्स पर भड़भड़ाता हुआ हाथ, और वह आवृति ऐसा दृश्य उपस्थित कर चुके थे कि बाकी बॉक्सों में बैठे 'सर्फ़र' ठट्ठा मार कर हँस पड़े। ऋषभ को भी हँसी आ गयी, पर उसने उसे दबा लिया। अधेड़ बॉक्स नंबर तीन के युवा पर चीखने लगा, ''पगलेट हो का जी एकदम? साला देखना है तो चुपचाप देखो, नहीं तो उठाकर बाहर फेंक देंगे। बॉक्स देखने के लिए बनाया गया है, देखकर देह ऐंठने के लिए नहीं।'' 'वह' आवाज़ तो थम गयी थी, पर हँसी की लहर पूरे 'कैफ़े' में उमड़ती रही। ऋषभ मुस्कुराते हुए अपना

काम करने लगा। हद है!

जिस तकनीक और प्रौद्योगिकी का निर्माण समय बचाने के लिए हुआ था वे सबसे बड़े समयखोर निकले। ऋषभ घंटों बैठा रहा और समय गुज़रने का उसे आभास तक नहीं हुआ। जब उसका मोबाइल बजा तब उसने समय देखा तीन घंटे होने जा रहे हैं। फ़ोन अरूप ने किया था। भन्नाते हुए ऋषभ ने हरा बटन दबा दिया, "हाँ बोलो।" अरूप ने जब उससे पूछा कि कहाँ हैं जनाब तो उसका जी हुआ कि बोल दे उसी 'पाड़े' में हूँ, पर संयम उसकी प्रवृत्ति थी, बोला, "साइबर कैफ़े में ही हूँ, बताओ?" अरूप ने जानबूझकर एक ख़ास लरजती हुई आवाज़ निकाली, "उंहहूँ...क्या बात है... ?" ऋषभ ये इशारे समझता था, बिदक गया, "यार प्लीज़, तमीज़ में रहो।" अरूप का पेशा ही ऐसा था कि वह सामने वाले का 'टेंपरेचर' तुरंत नाप लेता था, बात बदल कर बोला, "जल्दी बाहर आओ, एक मुसीबत में हूँ।" ऋषभ को इस मुसीबत पर भरोसा नहीं था। फिर भी वह वहाँ से उठा, शायद उठना ही चाह रहा था और काउंटर पर हिसाब करके बाहर आ गया। बाहर सचमुच अँधेरा उतरने को था। ऋषभ की निगाह मुसीबत में फँसे अरूप की टोह लेने लगी। तभी बिजली गुल हो गयी। आकाश का अँधेरा छोटे-बाज़ार में उतर गया। पर थोड़ी ही देर में संभ्रान्त दुकानों से जनरेटर चीखने लगे, और चीखते-चीखते अभी-अभी उतरे अँधेरे को वापस आसमान में टाँग दिया। इधर छोटी दुकानों के दुकानदार बिहार सरकार, भारत सरकार और ईश्वर जैसी चीज़ को लानत-मलानत भेजते हुए कैंडिल-लालटेन से जूझने लगे। रोशनी शक्ल बदलकर लौट आयी।

ऋषभ ने अरूप को फ़ोन किया, "कहाँ हो यार?" उधर से अरूप ने आवाज़ दी, "तुम्हारे सामने मिट्ठू हलवाई की दुकान है, देख रहे हो न, उसी के बगल वाली गली में घुसो।" ऋषभ ने आश्चर्य से उस ओर देखा। बजबजाती हुई नाली के पास सचमुच मिठाई की दुकान थी। कोयले के चीकट धुएँ से 'मिट्ठू हलवाई' का 'ट्ठू' छुप गया था। ऋषभ ने उसे पढ़ा, "मि... हलवाई" और पास की संकरी गली को देखकर चौंका, "इस गली में?" अरूप उधर हड़बड़ाया हुआ था, "भाई, बहस मत करो, आ जाओ।" उसकी

आवाज़ हल्की काँप रही थी। ऋषभ अँधेरी सुरंग में घुस गया। गली में कुछ देर चलते रहने के बाद उसने एक खंभे की आड़ लेकर अरूप को खड़ा देखा। ऋषभ ने ही पूछा, ''क्या हो गया?''

''पहले चलो यहाँ से,'' कहते हुए अरूप ऋषभ के साथ भीतर की गलियाँ पार करने लगा। गलियों के लोगों ने दीया-बाती शुरू कर दी थी नहीं तो इस अँधेर-नगरी को पार करना असम्भव ही था। एक शान्त और संकरी गली में उनके घुसते ही एक लड़का प्रकट हुआ। अँधेरे में उसकी शक्ल नहीं देखी जा सकती थी, पर ऋषभ ने अन्दाज़ा लगाया गोलू-मोलू सा, ठिगना कद लिये वह अचानक उपस्थित हुआ है। अरूप ने कहा, ''इ रिसभ भइया हैं, प्रणाम करो।'' लड़का ऋषभ के घुटनों की ओर झुक गया।

ऋषभ ने फिर पूछा, ''मामला क्या है?'' अरूप ने उत्तर दिया, ''इस लड़के को आज रात तुम अपने कमरे पर ठहरा लो, तुम्हें हमारी दोस्ती की क़सम, ना मत कहना।'' एक खिड़की से छन कर आ रही रोशनी में ऋषभ ने उस गोलमटोल काया की ओर भरपूर निगाह डालने की कोशिश की। सफ़ेद गंदी टी-शर्ट और जींस पहने उस साँवले लड़के की आँखें चमक रही थीं जो कि प्रार्थना की मुद्रा में हाथ जोड़े खड़ा था। अजीब मुसीबत थी। तभी घरों के बिजली के बल्ब जल उठे यानी लाइट आ गयी। वे जहाँ खड़े थे वहाँ का लैम्पपोस्ट आँखें मिचमिचाकर जल गया। ऋषभ ने केवल इतना ही देखा कि गंदी टी-शर्ट और फटी जींस में खड़े उस लौंडे के पैरों में चप्पल तक नहीं थी। बस वह अरूप को खींच कर थोड़ी दूर ले गया और दाँत पीसकर फुसफुसाया, ''ये किस भिखमंगे को मेरे साथ ठहरा रहे हो?'' अरूप ने ठीक उसी अन्दाज़ में जवाबी कार्रवाई की, ''हद है यार। ये मेरा रिश्तेदार है, इसके शराबी बाप और सौतेली माँ ने इसका जीना हराम कर रखा है, रात भर की तो बात है।'' ऋषभ ने साफ़ मना कर दिया। अरूप पहली बार हाथ जोड़कर गिड़गिड़ाया, ''मैं हाथ जोड़ता हूँ, मैं आज रात ही पटना जा रहा हूँ, नहीं तो यह मेरे साथ रुकता, बेबस है बेचारा, रात भर ठहरा लो, मिन्नत कर रहा हूँ।'' ऋषभ फिर भी नहीं माना। अरूप उदास हो गया, बोला, ''जाओ ऋषभ, जाओ...तुम लोग साहित्य को पढ़ने-पढ़ाने का केवल ढोंग करते हो, करुणा

नहीं है तुम लोगों में...।''

ऋषभ कुछ नहीं बोला, वहाँ से चल पड़ा। पीछे से अरूप ने अंतिम अस्त्र चला दिया, ''भवभूति को पढ़ाते हुए तुम्हें कोई शर्म नहीं आती क्या?'' आवाज़ गली में गूँज गयी। ऋषभ के क़दम वहीं थम गये। यह मामला व्यक्तिगत न होकर अखिल भारतीय हो गया। साहित्य की कसौटी और उसके मन पर पड़ने वाले प्रभाव का मामला था। ऋषभ के मन में आया कि वह बोल दे कि साहित्य की कसौटियाँ बदल चुकी हैं, कुछ भी अखिल भारतीय नहीं, अब 'पाठ' भी बदल गया है, 'सहृदय' भी। पर इन स्थापनाओं को लेकर वह खुद सहमत नहीं था, क्या बोलता?

फिर सारा दृश्य ही बदल गया। अरूप चला गया पर उसके निर्देशानुसार वह छोकरा ऋषभ को अपने पीछे-पीछे गली-दर-गली घुमाते हुए अचानक ऋषभ के घरवाली गली में पहुँचा। ऋषभ को हैरानी हुई कि अब तक उसे पता नहीं था कि छोटे बाज़ार से आने का एक छोटा रास्ता यह भी है। गली में आकर दोनों खड़े हो गये, लड़का बहुत डरा हुआ लग रहा था, उसकी हरकतें बता रही थीं कि वह आस-पास के लोगों की निगाह से बचना चाह रहा था। उसने हाथ जोड़े, ''भइया जी, जल्दी हमको ले चलिए।'' हाथ जोड़ते वक़्त उसकी गर्दन उसके दोनों कन्धों के बीच धँस गयी और उसकी आँखें उसके दयनीय होने की कथा कह रही थीं। फिर दोनों चौथे मकान की पहली मंज़िल की सीढ़ियों पर चढ़कर गये। एक कमरे का छोटा-सा साफ़-सुथरा फ़्लैट उस लड़के की आँखों को सुकून देने लगा। शायद वह खुद को सुरक्षित महसूस कर रहा था। लड़का फ़र्श पर बैठ गया, ऋषभ आरामकुर्सी पर। थकान ऋषभ की पलकों को दबोचे जा रही थी। वह कुछ सोचता कि उस लड़के का स्वर हवा में तैरा, ''भइया जी...भइया जी हम भिखमंगा नहीं हैं भइया जी।'' उसके कहने में इतनी करुणा थी कि ऋषभ कुर्सी में धँस गया। उसने गर्दन घुमाई तब तक देर हो चुकी थी। उस लड़के की आँखों से आँसू झरने लगे थे, होंठ फड़फड़ाने लगे थे। ऋषभ को लगा कि लड़का दहाड़ मार कर रो देगा। वह रोया भी पर सिसकियों के साथ रोया। लड़के की आँखें बन्द थीं पर उसमें से आँसू झरे जा रहे थे। उसकी सिसकियों से ऋषभ का कमरा सिहर गया।

ऋषभ के भीतर 'भवभूति' अब जाकर प्रकट हुए।

ऋषभ बिना कुछ बोले आरामकुर्सी से उठा और गिलास में पानी भर कर उस लड़के को दिया। लड़का चुपचाप लगभग एक ही घूँट में सारा पानी पी गया। ऋषभ ने पूछा, "और?" तो उसने ना में सिर हिलाया। उसके इस तरह से सिर हिलाने से ऋषभ को किसी की याद आ गयी। वह हैरान हुआ, फिर थोड़ी देर रुक कर कहा, "खाना खा लो।" उस लड़के ने फिर प्रार्थना की वही मुद्रा अपनाई, "नहीं भइया जी...मन नहीं है...हमको सोना है बस... दो दिन से सोये नहीं हैं।" उसकी आँखें अब भी पनियल थीं। कातरता जैसे शब्द का वास्तविक अर्थ क्या हो सकता है, ऋषभ को अब पता चला। ऋषभ ने उसकी कातरता पर मुस्कुराहट की असफल परत चढ़ाने की कोशिश की और कहा, "ठीक है, सो जाओ।" और वह खुद आरामकुर्सी पर आकर बैठ गया। उसे भी ज़बरदस्त नींद आ रही थी। फिर भी उसने डायरी के उस पन्ने को एक बार फिर खोला जिसे वह आज दिन भर साथ लिये-लिये घूमता रहा। उसने फिर उस लिखे को पढ़ा, "ऋषभ माने बैल, ऋषभ तुम बैल हो।" उसने अपनी हथेलियों को उस पन्ने पर फेरना शुरू किया। उसकी एकाग्रता को लड़के ने भंग कर दिया, "भइया जी...भइया जी हमारे बाबू जी पुलिस में थे।" लड़के की आवाज़ में एक कँपकँपी थी। लड़का फ़र्श पर ही लेटा हुआ था। ऋषभ "हूँ" कह कर चुप हो गया। ऋषभ दूसरी दुनिया में जा चुका था। उसकी आँखें छत पर टिक गयीं। छत के जिस सफ़ेद हिस्से पर ऋषभ की आँखें टिकी थीं, ठीक उसी के बगल में एक मकड़ी अपना जाल बुन रही थी।

ऋषभ जब उस दुनिया से लौटा तो लड़के की नाक बज रही थी। वह खर्राटे मारने लगा था। ऋषभ उठा और गुसलखाने में चला गया। वह गुसलखाने से बाहर आया तब तक खर्राटों की आवाज़ थम चुकी थी। लड़का पेट के बल हाथ-पैर फैला कर बेसुध पड़ा था। उसके इस तरह सोने से उसे फिर किसी की याद आयी, उसने उस याद पर ज़ोर दिया तो चौंक गया—पार्श्व! पार्श्व ऋषभ का छोटा भाई था। इसी कद-काठी का, पर वह इतना साँवला नहीं था। इस लड़के के सिर हिलाकर 'ना' कहने का अन्दाज़, हाथ-पैर फेंक कर पेट के बल सोना, सब पार्श्व की तरह ही था। तीन महीने हो गये ऋषभ को

घर से आये। उस लड़के ने ऋषभ के मन को सोये-सोये ही कुरेद दिया था। ऋषभ झुक कर उस लड़के को गौर से देखने लगा। चौदह-पंद्रह से ज़्यादा की उम्र नहीं है। मसें भीग चुकी थीं। लड़के के होंठ खुले थे और मुँह के भीतर से लार की पतली धार उसके होंठ का कोना पकड़कर फ़र्श पर इकट्ठी हो रही थी। ऋषभ ने वहाँ से अपना ध्यान हटा लिया। फिर उसकी नज़र लड़के की पीठ पर गयी जहाँ उसकी टी-शर्ट सिकुड़कर ऊपर चढ़ी हुई थी। देह के उस हिस्से से ताज़े जख्म झाँक रहे थे। साफ़ लग रहा था कि किसी भयानक चीज़ से उसकी चमड़ी उधेड़ दी गयी है। उफ़...। कितना क्रूर है यह शहर!

अचानक ऋषभ का ध्यान भंग करते हुए उस लड़के के शरीर ने हरकत की और नींद में ही वह "माई रे..." बड़बड़ाया। जैसे वह सपने में किसी बुरी चीज़ से डर गया हो। फिर वह वैसे ही सोता रहा—पेट के बल। ऋषभ वहाँ से हट गया, उसने सोचा कि लड़के ने नींद में अपनी मरी हुई माँ को याद किया है। उसे खाने की इच्छा बिल्कुल नहीं थी। उसने बत्ती बुझा दी और समय से बहुत पहले बिस्तर पर पसर गया। पर बत्ती बुझाने से क्या होता है? ऋषभ कैंडिल की तरह फिर भी जल रहा था। गल रहा था। अँधेरे में तनया कुमारिका की छवि एक बार फिर कौंधी। काश, ऋषभ लेखक होता। अगर होता तो इस भावतन्त्र से बाहर निकल सकता था। एक लेखक से ज़्यादा संवेदनशील कोई नहीं होता, पर उससे ज़्यादा क्रूर भी कोई नहीं हो सकता। लेखक भावनाओं का गोताखोर होता है, वह जिस रफ़्तार से उसकी तह में जाता है उसी रफ़्तार से बाहर भी आ जाता है। और ऐसा वह कई-कई बार करता रहता है। पर ऋषभ लेखक नहीं मास्टर था। ऊपर से हिन्दी का। हिन्दी का मास्टर भावातिरेक की अवस्था में तब तक रहता है जब तक वह खुद को थोड़ा 'डैमेज' न कर ले। उसने मोबाइल उठाकर तन्वी को मैसेज भेजा—"तन्वी, सेठ जगतानन्द बुरा आदमी है, उसके साथ मत रहो। गुड नाइट।"

सोता हुआ ऋषभ तन्वी से अपनी अंतिम मुलाकात को स्मृतियों के धुँधलके से खींच निकालना चाह रहा था। देर तक मशक्क़त के बाद दृश्य थोड़ा साफ़ हुआ। ऋषभ और तन्वी 'कहीं' जाना चाह रहे हैं। कोई रिक्शेवाला 'कहीं' जाने के लिए तैयार नहीं। गुस्से में तन्वी एक बूढ़े रिक्शेवान के रिक्शे

पर बैठ जाती है, "चौक ले चलो।" रिक्शावाला खाँसते हुए मना कर देता है। तन्वी उखड़ जाती है, "लड़की है तो नाजायज़ फ़ायदा उठाते हो, दस-पाँच ज़्यादा चाहते हो तो बोलो न जी।" रिक्शेवाला गुस्से की नज़र से उसे देखता है। तन्वी उसके देखने को 'मौका' समझकर उस पर झपट पड़ती हैं, "बेशर्म हो एकदम, बूढ़े हो गये हो और लड़की को घूरते हो, बुलायें पुलिस को?" रिक्शेवाले का गुस्सा घृणा में बदल जाता है, "इ का कह रही हैं आप? आप से ज़्यादा बड़ी हमारी बेटी है...हम ऐसे आदमी नहीं।" वाक्य खत्म करते करते रिक्शेवाला शर्म से झेंप गया है, फिर बोला, "चौक के रास्ते रोड़ा बिछा हुआ है, रिक्शा खींचने पर ख़ून का उल्टी हो जायेगा...इसीलिए कोई नहीं जा रहा।" "चलो-चलो बड़े आये ख़ून फेंकनेवाले" कहकर एक तल्ख़ी के साथ वह रिक्शे पर बैठी रही और इशारे से ऋषभ को भी रिक्शे में बैठने को कह देती है।

दृश्य बदलता है। बड़े-बड़े रोड़ों पर उछलता हुआ रिक्शा जिसे एक बूढ़ा रिक्शेवाला जान देकर खींचने जैसा खींच रहा है। हाँफते हुए। देह की, गले की, हाथ की नसें फूल रही हैं—मानो उनमें किसी ने पानी भर दिया हो। रिक्शा जितना उछलता, उतना ही रिक्शेवाले का पसीना उसके शरीर से उछल कर ज़मीन पर गिर जाता था। चाल धीमी हुई, रिक्शेवाला रिक्शे से उतर जाता है, फिर खींचता है, दाहिने हाथ की नसें शरीर छोड़कर बाहर आना चाहती हैं, उसके दाहिने पैर के अँगूठे के ज़ख्म से ख़ून रिस रहा है...ऋषभ उस ज़ख्म में धँसता जाता है। धँसते-डूबते ऋषभ अचानक चीखता है, "रुको।" तन्वी आश्चर्य से उसे निहारती है। ऋषभ रिक्शे से उतर जाता है, उसके पैरों के नीचे के रोड़े उसके जूते को भी छेद रहे हैं। वह तन्वी को घूरता है, "कितनी क्रूर हो तुम।" फिर सब कुछ अँधेरे में डूब गया।

कायाक्लेश-व्लेस का शहर

बतउलझी : *'जीव अपने कर्मों का फल भोगता है। उसे सुख-दुःख की वेदनाएँ होती हैं। वह सक्रिय और कर्म करने में स्वतन्त्र है। वह अपनी इच्छा से शुभ या अशुभ कर्म करता है और पाप-पुण्य का भागी होता है। जीव अपने भाग्य*

का प्रभु स्वयं होता है। वह स्वयं बंधन में पड़ता है और स्वयं बंधन से मुक्त होता है।'

सुबह उसकी आँखें देर से खुलीं। पर रोज़ की तरह माथे पर वह भारीपन नहीं था। बिस्तर से उसके उठने से पहले ही उसके मोबाइल के मैसेज बॉक्स में कुछ आया, मोबाइल 'टींव' करके चुप हो गया। यह तन्वी थी जिसने लिखा था, "ओफ़् ऋषभ, प्लीज़ अपने विचार अपने पास रखो, जगत सेठ क्या है, मैं भी जानती हूँ, पर मुझे यह भी पता है कि किसको किस हद तक छूट देनी है। पटना में हूँ।" यह हल्की सुबह फिर भारी हो गयी। यह रात के मशवरे का जवाबी हमला था, एक शाब्दिक कार्रवाई। ऋषभ ने दाँत भींच लिये। सुबह हुई नहीं कि गुस्सा चढ़ गया, धूप से पहले।

वह बिस्तर से भन्नाते हुए उठा तो दरवाज़ा खुला हुआ था।

'हें.. ?'

रात का सारा घटनाक्रम बिजली की तरह उसके दिमाग में चक्कर काटने लगा। "वह लड़का कहाँ है?" उसने मन ही मन पूछा और तेज़ी से उठकर गुसलखाने में झाँकने लगा। कोई नहीं था वहाँ। फिर वह टेबल पर रखे पर्स को खोलकर देखने लगा। दो सौ तेरह रुपये। उसने हिसाब लगाया तो पाया कि रात तक इसमें सात सौ तेरह रुपये थे। पाँच सौ रुपये उसके पर्स से उड़ गये थे। उसे तकलीफ़ से ज़्यादा तत्काल गुस्से ने घेर लिया। वह एक 'चूतिया' था जिसे लोग अब जान गये थे। अचानक उसे अपने 'करुणा भाव' से नफ़रत होने लगी। अरूप, वह लड़का, सिसकियाँ, तकलीफ़ सब जाल है साला। दिमाग की तनी हुई नसों के साथ उसने दरवाज़ा बन्द किया और गुसलखाने में चला गया। मोबाइल के साथ।

कमोड पर बैठे-बैठे उसने दस बार अरूप को फ़ोन लगाया, पर 'स्विच्ड ऑफ़' की ध्वनियों के सिवाय कुछ हाथ नहीं लगा। उसके भीतर बहुत कुछ एक साथ खदबदाने लगा। वह बार-बार अपने 'करुण-भाव' पर पछताता रहा। उसकी आत्मा बार-बार नीत्शे की तरह उससे कह रही थी कि करुणा एक रोग है जो मनुष्य को बलशाली, तेजस्वी बनाने से न केवल रोकता है बल्कि मनुष्य के साथ-साथ धर्म, सभ्यता और संस्कृति को पौरुषहीन बनाता है। इस

पौरुषहीन बनने की नई व्याख्या 'चूतिया' बनना है। 'भवभूति' तत्काल सबसे बड़े झूठ थे। उसकी आँखें लाल हो गयी थीं जिसमें से पूरी दुनिया फ़रेबी नज़र आ रही थी। दिमाग की नसों में दौड़ रहे असंख्य आलोड़न को रोकने की कोशिश करते हुए ऋषभ ने एक लम्बी साँस ली और कमोड पर बैठे-बैठे उसने अपनी सभी साँसों का वजन पेट पर पटक मारा...फिर वह ध्यानमग्न हो गया।

आज उसने नोटिस ही नहीं किया कि उसके गुसलखाने के झरोखे पर धूप उतर आयी थी। वह स्कूली बच्चा स्कूल जा चुका था, उस बच्चे की माँ ने कोई गाली नहीं बकी, बच्चे का बाप और दादी गुमसुम थे। 'स्कूल-कैब' के ड्राइवर ने कोई लानत-मलामत नहीं भेजी...सब कुछ शान्त था। सिवाय उसके।

आज क्लास में पढ़ाते वक़्त उसके दिमाग के दो हिस्से हो चुके थे। एक हिस्से में तन्वी 'टनटना' रही थी, तो दूसरे में अरूप और वह छोकरा। उसे चोरी के ही तरीके पर ताज्जुब हो रहा था। यह आधी चोरी क्यों? सात सौ तेरह रुपए में से पाँच सौ ही क्यों ले गया? बाकी क्यों छोड़ गया? उसे भ्रम होने लगा, क्लास में उसके वाक्य विन्यास टूटने लगे, 'राम की शक्तिपूजा' में 'शत घूर्णावर्त' और 'जल राशि-राशि' की जो 'पछाड़' थी, वह ठीक उसके सिर के पिछले हिस्से पर पड़ रही थी। उसने फिर तनया कुमारिका को 'लम्पट रावण' के चंगुल से निकालने की बेचैनी में दो बार सेठ जगतानन्द को याद किया।

समर हारकर अधूरी क्लास उसने छोड़ दी और बाहर आ गया। कितना झेलता वह इस तन्वी को, उस अरूप को, लड़के को और ऊपर से कठिन क्लास के इस 'टेक्स्ट' को। प्रिंसिपल को अर्ज़ी देकर वह अपने कमरे की ओर लौटने लगा। उसे सबने धोखा दिया है। इस धोखेबाज़ी का कोई विश्लेषण नहीं हो पा रहा था। सब कुछ अबूझ पहेली की तरह गले से लिपट चुका था। वह लड़खड़ाते हुए चर्च के पास से गुज़रा...उसने पलटकर देखा भी नहीं कि चर्च कैसा है आज? जोड़ा कबूतर उसके इंतज़ार में फड़फड़ाते रहे, पर वह भावहीन चलता रहा। सामने से एक सफ़ेद कार गुज़री जिसमें कोई अधेड़ ठहाके मारता हुआ दिखा। साथ में कोई लड़की थी। कार जब पास से गुज़री तो ऋषभ झटका खाकर चौंक गया...तनया कुमारिका? पर कार की रफ़्तार ने

उसे दुबारा दृष्टिपात करने का मौका ही नहीं दिया। कार हनहनाती हुई निकल गयी। "यह तन्वी थी?" सवाल उसके मन ने किया और दिमाग ने उसका साथ दे दिया। स्मृतियों, ताज़ा जख्मों और हालिया दृश्य ने उसके फेफड़ों को झकझोर दिया। उसने अपनी साँसें नियंत्रित कीं और मोबाइल पर गिनकर पाँच शब्द लिख डाले 'तुम...एक...बीमार...हो, तन्वी।'

कमरे में दिन भर उसके भीतर का लावा पिघलता रहा, पर लावा पिघलने के साथ ही पसरता चला गया। जो शब्द उसके धर्म में सबसे ज़्यादा वर्जित था वह उसी शब्द के साथ सोता-जगता रहा—बेचैनी। उसका सम्यक् चरित्र बिस्तर के नीचे कहीं दुबक गया था। वह रो रहा था कि गुस्से में था या गालियाँ बुन रहा था कोई नहीं जान पाया, खुद वह भी नहीं। दो दिन-दो रात वह कहीं नहीं था। शून्य में भी नहीं।

तीसरे दिन उसे प्रिंसिपल महावीर जैन ने फ़ोन किया तो उसने 'दो दिन और छुट्टी' की मौखिक अर्ज़ी दे डाली। बस।

उसी दिन अरूप ने मिस कॉल दी और लावे ने विस्फोट के लिए रास्ता देखा। "अरूप बाबू डकैती ही करानी थी तो...चोरी का धंधा पत्रकार बनने से बेहतर...गंदी नाली के...शहर नहीं शैतानों का घर है...।" फ़ोन कट। अरूप को इतना कठोर बोलते वक़्त वह महसूस कर रहा था कि वह क्या बोल रहा है। फिर घंटी दिन भर नहीं बजी। उसके अगले दिन आश्चर्यजनक ढंग से अरूप ने मिस कॉल देने की जगह स्वयं फ़ोन किया। ऋषभ के 'हैलो' के बाद उधर से सिसकियाँ सुनाई पड़ीं। अरूप रो रहा था? पहली बार उसने अरूप को रोते हुए सुना। इससे पहले कि ऋषभ के भीतर के 'भवभूति' कुछ कहते उसने 'भवभूति' को पकड़ कर दबा दिया, तब बोला, "अरूप...मैं तो तुम्हें सच्चा दोस्त समझता था...।" अरूप सिसकियाँ लेता हुआ चुप हो गया। दोनों एक-दूसरे की साँसें सुनने लगे। देर तक। फिर अरूप लड़खड़ाते हुए बोला, "इसमें मेरा कोई कसूर नहीं..." और चुप हो गया।

ऋषभ कलेजा कठोर किये हुए था, उसने अंतिम सवाल किया, "अरूप... वह लड़का कौन था अरूप?" अरूप चुप रहा। ऋषभ ने तल्ख़ी से फिर वही सवाल दुहराया, फिर भी अरूप गूँगा बना रहा।

"वह तुम्हारा रिश्तेदार तो नहीं था, यह मैं जानता हूँ। मैं मुकदमा नहीं करने जा रहा हूँ, पाँच सौ रुपयों के लिए...पर पता तो चले कि ऐसे लड़के को मुझे क्यों सौंपा गया? बताओ तो?" ऋषभ संयत होकर सवाल करता गया। पर अरूप चुपचाप अपनी साँसों की मौजूदगी दर्ज़ कराता गया।

"हद है यार...हद है। कुछ तो बोलो।" ऋषभ जानबूझ कर चीखा। उसे यह बात समझ में नहीं आ रही थी कि एक रोता हुआ पत्रकार चुप क्यों है? अरूप जितना चुप रहा ऋषभ उतना ही संशय में पड़ता गया। अन्त में उसने फ़ोन रखने की मुद्रा में कहा, "ठीक है मत बताओ...पर याद रखना कि तुमने एक ऐसे लड़के को मेरे साथ भेजा था जिस पर मैं पहली बार में ही भरोसा नहीं कर पाया, पर तुम्हारे लिए मैंने..." बात अधूरी ही रह गयी। फिर, "कैसे दोस्त हो तुम अरूप?" का ताना मारा ऋषभ ने। अरूप की सिसकियाँ फिर फूट पड़ीं।

ऋषभ को मामला और संगीन दिखने लगा। उसने बात बदल कर सवाल किया, "किसी परेशानी में हो?"

"नहीं," भर्राते हुए अरूप बोला।

"तो क्यों रो रहे हो?"

"मैंने चोरी नहीं करवाई," कहकर अरूप बिलख पड़ा। ऋषभ के 'भवभूति' झटके के साथ खड़े हो गये, "तो रो क्यों रहे हो दोस्त?"

अरूप चुप हो गया, "कुछ नहीं।" "ख़ैर जाने दो, मैं उस घटना पर तुम्हें कुछ नहीं बोलूँगा, मैं अब उसे भुला देना चाहता हूँ, जल्दी मुझसे मिलो।" कहकर ऋषभ ने फ़ोन काट दिया। अजीब हालात हो गये थे। ऋषभ फ़ोन रख कर इन हालात पर नये सिरे से सोचता कि फिर अरूप ने फ़ोन किया।

"हाँ, बोलो अरूप।"

"तुम मुझे ग़लत मत समझना, बस इतना समझो कि मैं तुम्हारा बुरा कभी नहीं चाहूँगा..."

"ठीक है...क्या कहना है तुम्हें अब?" ऋषभ ने सवाल किया।

"जो लड़का तुम्हारे कमरे पर ठहरा था न ऋषभ...उसका नाम छबीला सिंह है।"

"कौन छबीला?" ऋषभ ने यह सवाल किया, पर सवाल खत्म होते-होते उसके शरीर में झनझनाहट फैल गयी। "छबीला? रंगबाज़?" तभी अरूप ने पुष्टि कर दी, "छबीला सिंह वही है जिसे शहर आतंक कहता है।"

"क्या बकते हो अरूप? चूतिया बनाने के लिए बार-बार मैं ही तुम्हें मिलता हूँ?" ऋषभ चीख पड़ा। ऋषभ की भाषा के सारे संस्कार विलोपन के कगार पर आ गये। उत्तेजना से उसकी नसें फूल गयीं। उसे यह सब एक बार फिर गप्प लगने लगा, निरी कहानी। "मैं सच कह रहा हूँ ऋषभ।" ऋषभ फ़ोन पर ही चीखने लगा, "नहीं...मैं नहीं...तुम झूठे हो, कहानीबाज़ हो अरूप।" ऋषभ की बेचैनी अचानक बढ़ गयी। उसको समझ नहीं आ रहा था कि वह उस दिन के सिसकते हुए लड़के को क्या माने? सोये में मुँह से लार टपकाने वाला—सपने में 'माई' कहकर डरने वाला—छबीला सिंह? नहीं-नहीं, अरूप झूठा है। यह सम्भव ही नहीं। अरूप ने हारकर अंतिम लाइन जोड़ी, "मैं रात में आऊँगा, बस मुझे ग़लत मत समझो।" फिर फ़ोन काट दिया अरूप ने। पर ऋषभ फ़ोन को कान से अभी भी चिपकाए हुए था। फ़ोन से 'टोंप-टोंप' की आवाज़ आती रही, ऋषभ इससे बेपरवाह छत निहारता रहा, जो बिल्कुल सफ़ेद थी।

हर वस्तु का मूल कारण आत्मा है, ऋषभ खंडन करता गया। उसके अगले दो दिन तक ऋषभ के पास कोई नहीं आया और न ही किसी का फ़ोन आया—प्रिंसिपल, अरूप, तन्वी किसी ने भी उसे याद नहीं किया। अगले दो दिन तक वह सभी नौ रसों में डूबता-उतराता रहा, बीच-बीच में जब उस छोकरे की सिसकियों को वह याद करता तो पार्श्व का चेहरा उसके आगे घूम जाता और दसवें रस का उद्रेक हो जाता। फिर उसे घृणा होती इस शहर से, अरूप पर क्रोध आता, छोकरे पर गुस्सा या दया। बस तन्वी का मामला अलग था। विप्रलंभ श्रृंगार कभी-कभी प्रतिशोध के भाव में रूपान्तरित हो जाता। वह कभी नीत्शे को याद करता तो कभी महाभारत की उस पंक्ति को बुदबुदा बैठता "प्रतिशोध सबसे शुद्ध भाव है।" पर वह कहीं नहीं पहुँचता। रसों का चक्र फिर से शुरू हो जाता। उसे एक तरह की माहवारी ने धर लिया था जिससे उबरने की कोई तिथि निश्चित नहीं थी।

उसने पिछले दिनों के सारे अख़बार पढ़ डाले। अरूप के दैनिक कहे जाने वाले अख़बार *धरती-पुत्र* को भी वह पढ़ गया जो कि सप्ताह में कभी-कभार छपता था। पिछले पाँच दिनों से वह अख़बार नहीं आ रहा था। उसकी नज़र *धरती-पुत्र* के उस आख़िरी प्रकाशन पर पड़ी जिसकी हेड लाइन थी—'छबीला फरार क्यों हुआ?' यह ख़बर उसी दिन छपी थी जिस दिन के ढलते ही अरूप ने ऋषभ से उस छोकरे की मुलाकात कराई थी। उसका दिल जोरों से धड़का, "ओह, तो उस दिन लोग हमें इसीलिए घूर रहे थे।" फिर ऋषभ ने उसी दिन का कोई राष्ट्रीय अख़बार खोला जिसमें शहर और आसपास की मुख्य ख़बर थी—'आतंक का पर्याय छबीला सिंह फरार।' भीतर के कॉलम में राष्ट्रीय अख़बार ने सूचित किया था कि 'हत्या, रंगदारी और लूट के सिलसिले में सज़ायाफ़्ता खूंखार बाल अपराधी 'जुवेनाइल कस्टडी सेंटर' की बीस फुट की ऊँची दीवार फाँद कर भाग गया। उसके फरार होने से शहर में एक बार फिर आतंक फैल गया है, इसके बाद वह अख़बार कई सारी आई.पी.सी. की धाराओं के साथ मुल्ज़िम के ज़ुर्म को नत्थी करते हुए रंगा गया था। इधर *धरती-पुत्र* के वरिष्ठ संवाददाता अरूप का मानना था कि गरीबी, भुखमरी और अपमान से लाचार एक बालक को किस तरह से अपराधी की श्रेणी में आना पड़ा। जो मूलतः आया नहीं लाया गया है। पत्रकार ने उस केस को भी कोट किया था जिसमें उसके हाथों हुए 'ख़ून' को निचली अदालत ने 'हादसा' मानने से इनकार भी नहीं किया और हाईकोर्ट में अपील करने का रास्ता छोड़ दिया था। छबीला की विधवा माँ के पास पैसे होते तो छबीला बाहर होता। फिर पत्रकार ने कुछ सवाल सनसनी के साथ दागे थे—क्या बाल-सुधार गृह में भरपेट भोजन का न मिलना उसके भागने की एक बड़ी वजह है? क्या किसी तरह के अत्याचार ने छबीला सिंह को भागने के लिए बाध्य किया? और भी कई सवाल थे।

बस, ऋषभ ने बड़बड़ाते हुए अख़बार मोड़कर फेंक दिया। "इस शहर में कुछ भी 'क्लियर' नहीं।" इसी पंक्ति को वह दो दिन तक दोहराता रहा। उसकी भाव-तंत्रिका एक निश्चित निष्कर्ष चाहती थी, पर वह सम्भव नहीं था। अन्ततः वह अपने भाव-लोक से विस्थापित होने लगा। दो दिन तक न

रात हुई, न दिन हुआ। सुबह-शाम गायब थे। जो चीज़ बची थी वह कुछ भी नहीं थी। शून्य भी नहीं, पता नहीं क्या?

तीसरे दिन सुबह सब कुछ बदल गया। तन्वी ने ऋषभ को फ़ोन किया, "सुनो ऋषभ...कान खोल कर सुनना और फ़ोन मत रखना..." फिर तन्वी एक-एक शब्द चबाते हुए बोलती गयी, "आज के बाद अगर तुमने मुझे बीमार या एक बीमार कहा तो तुम्हारी जुबान काटकर कुत्तों को खिला दूँगी...समझे... ?"

ऋषभ को भरोसा नहीं हुआ कि यह तन्वी है। उसने कहा, "तन्वी!"

"नाम मत लो गंदी जुबान से...मैं दो दिन बिज़ी थी, सो जवाब नहीं दिया, तुमने मेरे चरित्र पर उँगली उठाई है, पर ऋषभ मत भूलो कि भगवान ने मुझे देह दी है तो बुद्धि भी दी है।"

ऋषभ कुछ कहने को हुआ तब उसने महसूस किया कि उसकी ज़ुबान हलक में ही कहीं अटक गयी है। वह इस अप्रत्याशित हमले से सुन्न हो गया। उसने साहस करके कहा, "तन्वी...मैं तुम्हें बचा रहा था...।" पर तन्वी एक ही साँस में बोलती गयी, "अब तुम खुद को बचाओ...। ये मैसेज मैं पुलिस को दिखाऊँगी, तुम्हारे प्रिंसिपल को भी...तुम्हारी नौकरी...।" और फ़ोन कट गया।

ऋषभ के मस्तिष्क के अब तक जो दो हिस्से हुए थे अब एक हो गये। अरूप और छबीला अंतर्ध्यान हो चुके थे। पूरे के पूरे मस्तिष्क पर जो चीज़ अब टनटना रही थी वह तन्वी की आवाज़ थी। नहीं, 'यह तन्वी नहीं थी', सोचता हुआ वह उठा और पानी पीकर कलेजा ठंडा करने लगा। लेकिन पानी की बौछारें जलते कलेजे पर गिरते ही भाप बनकर उड़ने लगीं। उसने एक बार फिर मोबाइल सर्च किया, "नम्बर तो वही है।" उफ़! ऋषभ ने महसूस किया कि उसकी टाँगें काँप रही हैं। उसने तन्वी के कहे शब्दों को बटोर कर एक साथ समझना चाहा।

इस शहर का चरित्र अविश्वसनीय है। जो लड़की महीनों साथ-साथ घूमी हो वो ऐसी कैसे हो सकती है? नहीं-नहीं, यह शहर बहुरूपिया है, लोगों का भरोसा नहीं। अब वह जिस चीज़ को खोने से डर रहा था वह तन्वी का 'प्यार' नहीं नौकरी थी। एक हड़बड़ी के साथ वह उठा और अरूप को फ़ोन मिलाने लगा।

स्विच्ड ऑफ़। बार-बार वही। तुरन्त उसने अरूप को मैसेज भेजा "अरूप, तन्वी को मैंने गुस्से में शायद कुछ ग़लत मैसेज कर दिया था, वह पुलिस और प्रिंसिपल को उसे दिखाकर नौकरी पर आफ़त डालने जा रही है, उसे रोक लो दोस्त।" फिर मन ही मन उसने कहा, "जाओ तन्वी, आज से तुम मुक्त हो।" उसकी साँसें उखड़ चुकी थीं, बुरी तरह से। इस हादसे में मार डाले गये अपने रिश्तों की दुर्गति से ऋषभ की आँखें भर आयीं। वह बिस्तर पर औंधे मुँह गिर पड़ा और रात हो गयी, कई दिनों की रात।

ऋषभ वैसे ही बेसुध पड़ा रहा। कई तरह के कई सपने जब आदमी को सताने लगते हैं तब माना जाता है कि वह कमज़ोर पड़ रहा है। ऋषभ के सपने में कभी छबीला उसे भइया जी कहता तब ऋषभ फट पड़ता, "तुम छबीला नहीं हो, साले चोर कहीं के," तो कभी तन्वी सेठ जगतानन्द की जाँघ पर बैठी ऋषभ को पुकारने लगती। अरूप भी आया सपने में, "ऋषभ मैंने चोरी नहीं कराई यार...वह लड़का पार्श्व था।" सुनते ही ऋषभ बेचैन हो जाता है और चीखता, "झूठे, मक्कार, साले तुम सारे-के-सारे दोगले हो...।" फिर चौंक कर वह उठता, पानी पीता और फिर सोने चला जाता। फिर दृश्य बदलता, "तन्वी मैं कैसे जिऊँगा तुम्हारे बिना?" छबीला पार्श्व की तरह पुकारता, "भइया जी घर आओ।" जोगी का वह नंगा बच्चा सपने में उसे ज़ोर-ज़ोर से हँसता हुआ दिखता। जोगी और अरूप लड़ते दिखते हैं, पार्श्व जेल में बन्द है, शहर में पानी भर गया है, लोग मोबाइल से वीडियो बना रहे हैं। रेत का टीला डूबने लगा, जोगी का बच्चा अकेला है, रो रहा है, कोई तो उठाओ उसे। अरे सफ़ेद कार बाढ़ में स्टीमर बन गयी? सेठ जगतानन्द और तन्वी उस पर बैठ कर कहीं जा रहे हैं। पानी के भीतर से खट्-खट् की आवाज़ आ रही है, आवाज़ तेज़ हो गयी—खट्-खट्-खट्-खट्...। ऋषभ-ऋषभ...खट्-खट्...। ऋषभ आँखें खोलता है। उसके दरवाज़े की कोई साँकल बजा रहा है खट्-खट्। होश में आते-आते वह निश्चित रूप से जान चुका था कि साँकल खटखटाते हुए पुकारने वाला अरूप है। शुक्र है कि वह होश में आ गया था और उसके कमरे में कहीं भी प्रस्तर झड़ा हुआ नहीं दिखा था जिसकी आकृति आदमी के चेहरे जैसी हो, नहीं तो उसे मानने में ज़रा सी भी देरी नहीं होती कि वह

साँकल 'अँधेरे में' का 'वही' बजा रहा है।

अरूप थका हारा और बेहद उदास था। वैसे ही बेतरतीब दाढ़ी-बाल, गंदे कपड़े, चीकट चप्पल। उसके आते ही कमरे में एक गंध-सी तैर गयी। इस सदी में जहाँ पत्रकार रोज़ सूट बदलकर टी.वी. पर दनदनाते हैं, वहीं अरूप के कपड़े मानो सदियों से कवच-कुंडल की तरह उसे जकड़े हुए हों। अरूप को देखकर ऋषभ को कोई हैरानी नहीं हुई। पर अरूप ऋषभ की हालत देखकर बहुत हैरान हुआ। ऋषभ उसे एक ऐसा बीमार दिखा जो बीमारी से बाहर न आने की ज़िद में सूख रहा हो। आँखें धँस गयी थीं, चेहरे पर हफ़्तों की दाढ़ी, बिखरे हुए बाल—यह ऋषभ नहीं हो सकता।

ऋषभ अपनी बेतरतीबी पर शर्मिन्दा होता कि अरूप ने सवाल दागा, "क्या तन्वी ने कभी कहा था कि वह तुमसे प्यार करती है?"

"नहीं।"

"तो फिर यह उम्मीद क्यों?"

"देखो अरूप मैं इस मसले पर कोई बात नहीं करना चाहता, अब।"

"ठीक है, निश्चिंत रहो, मेरी बात हो गयी है उससे।"

यह संक्षिप्त संवाद झटके के साथ खत्म हुआ, और ठीक ही खत्म हुआ।

अरूप के पास एक हैंड बैग था, जिसकी जिप रगड़ खाकर खराब हो चुकी थी। खुली हुई हालत में उस बैग से ढेरों कागज़ात और अख़बारों की कतरनें झाँक रही थीं। अरूप ने बैग को चुपचाप बिस्तर के नीचे खिसका दिया और साधिकार ऋषभ का सफ़ेद तौलिया लेकर उसके गुसलखाने में गुम हो गया। वह देर तक नहाता रहा। गुनगुनाते हुए अरूप की आवाज़ कभी-कभी विलाप करती हुई विधवा की आवाज़ की तरह लगती तो ऋषभ चौंक जाता। कई दिनों और रातों तक सोते रहे ऋषभ को आज रात सोने की बिल्कुल इच्छा नहीं थी। वह अरूप के गुसलखाने से बाहर आने का इन्तज़ार करता रहा। इस बीच उस छोकरे से अरूप के संदिग्ध सम्बन्धों पर भी ऋषभ कुछ-कुछ सोचता रहा। आज वह दूध का दूध और पानी का पानी करके रहेगा। उसने लम्बी साँस ली और गुसलखाने के दरवाज़े पर अपनी निगाहें टिका दीं। अरूप बाहर आया तो ऋषभ गुसलखाने में घुस गया। नहाने।

वह जब गुसलखाने से बाहर आया तब तक अरूप ऋषभ के 'प्रिय' सेंट की आधी शीशी खुद पर उड़ेल चुका था, पूरा कमरा गमगमा गया था। अरूप निर्विकार भाव से फ़र्श पर पालथी मारे बैठा था और फटे हुए बैग से रम की बोतल निकाल ली थी। फ़र्श पर अख़बार बिछा हुआ था, उस पर ऋषभ के घर से आए ताज़े नमकीन की थैली पूरी की पूरी उड़ेली जा चुकी थी। एक काँच का कप भी था। ऋषभ को गुस्सा आ गया, "ये क्या है?"

"आज मत रोको, बहुत दिन हो गये हैं," अरूप ने नज़रें गड़ाकर बेरुख़ी से जवाब दे दिया। पर ऋषभ संयम की परिधि से बाहर आ रहा था, "क्यों पटना में जी नहीं भरा?"

"पटना मैं केवल दो दिन रुका।"

"तब बाकी दिन कहाँ थे?"

"तुम्हारी गली के तीन गली पीछे एक मकान में छुपा था।"

"क्यों, किससे?"

"पुलिस से।"

"ऐसा क्या किया है तुमने?"

"छबीला की फरारी में मेरा हाथ बताया जा रहा है। बैजनाथ सिंह ने यह लिखित बयान दिया है कि छबीला को भगाने वाला दूसरा शख्स मैं था।"

ऋषभ ने पूछा, "अब ये कौन है?"

"जुवेनाइल कस्टडी सेंटर का हेड।"

"क्या तुमने ही उसे भगाया था?" ऋषभ संशय में आ गया।

"नहीं, मुझे तो शाम को पता चला।"

"तब तुम्हारा नाम क्यों लिया गया?"

"पुरानी दुश्मनी," कहकर अरूप ने आँख मारी। फिर बोला, "छबीला का केस मैं कई दिनों से देख रहा हूँ, इसलिए।"

ऋषभ ने अविश्वास से कहा, "तुम्हारी कहानी में दम नहीं।"

"देखो ऋषभ, मैं तुम्हारे कमरे में बैठा हूँ तो इसका मतलब ये नहीं कि तुम्हारे राग में राग मिलाऊँ।" अब जाकर अरूप का पत्रकार बाहर आया, फिर थोड़ा संयत होकर बोला, "बैजनाथ एक नंबर का रंडीबाज़ है, उसके कोठे

पर जाते वक़्त मैंने उसकी स्टोरी बनाई थी, पर सेठवा साले ने उस 'फुटेज' को दिखाकर उसे ब्लैकमेल किया और पैसे भी ऐंठे। पता नहीं कैसे यह बात लीक हो गयी और बैजनाथ की पत्नी मायके चली गयी, जो अब तक नहीं लौटी।'' इतना कहकर अरूप ने रम की बोतल खोली और कप में उड़ेलने लगा। पर ऋषभ अब अरूप पर भरोसा करने वाला नहीं था, वह पूर्ववत तना रहा। फिर कुछ सोचकर बोला, ''छबीला कहाँ है?''

एक घूँट मारकर अरूप ने गला साफ़ किया, ''शहर में।''

''और वह लड़का कहाँ है? वह चोर जो मेरे पैसे लेकर गायब हुआ था?'' ऋषभ ने खड़े-खड़े अपनी नज़रें दारूबाज़ पर गड़ा दीं। दारूबाज़ भौचक! उसने नज़रें उठायीं और ऋषभ को घूरता रहा, देर तक। ऋषभ निर्विकार भाव से पुरानी मुद्रा में था। ऋषभ कुछ और पूछने वाला था अभी, पर अरूप अपना मुँह रम से भरे कप में घुसा चुका था। कप रखकर उसने नज़रें उठायीं ''बैठो, सब बताता हूँ,'' कहकर चुप हो गया।

यह दूसरा संवाद भी संक्षिप्त रहा। दोनों की बातचीत की शक्ल ये नहीं होनी चाहिए थी जो दो-दो बार हुई। हालात इतने अजीब हो चुके थे कि मानसिकता बदल गयी थी। दोनों एक-दूसरे को खूब कहना चाहते थे, बिना एक-दूसरे को सुने, पर संवाद टूट-टूट जाते थे।

अरूप फ़र्श पर नंगे बदन ऋषभ का सफ़ेद तौलिया लपेटे बैठा हुआ कुछ सोचने लगा। उसकी मुद्रा किसी जैन मुनि से कम न थी। फिर, उसने गला साफ़ किया, ''देखो ऋषभ, मैंने पत्रकारिता के पेशे में बारह साल तपस्या की है, मैं जो भी कहूँगा वह अनुभव का सच होगा।'' उसके कहने की मुद्रा ऐसी थी मानो स्वयं वर्द्धमान महावीर कह रहे हों, ''वत्स मैंने बारह वर्षों तक जंगल में तप किया है, सच्चा ज्ञान पाया है।'' ऋषभ अरूप से थोड़ी दूर फ़र्श पर बैठा सुनता रहा। अरूप जारी रहा, ''यह शहर जंगल है, जहाँ मैंने बारह साल...।'' अरूप के एक-एक वाक्य के बाद हवा में जो शान्ति फैलती जा रही थी वह ऋषभ को खतरनाक ढंग से आध्यात्मिक लग रही थी। ऋषभ एकटक उसे देखने लगा। वह तय नहीं कर पा रहा था कि बोलने वाला यह कौन है? रम की गंध ऋषभ की नाक तक पहुँची और वह झटके के साथ सतर्क हो गया,

बोला, "देखो अरूप, साफ़-साफ़ कहो, दर्शन-फर्सन मत झाड़ो!" अरूप ने रम का एक घूँट फिर भरा और संयत होकर बोला, "छबीला सिंह वही है जो तुम्हारे कमरे में उस रात रुका था, वह अपराधी नहीं बल्कि उसे अपराधी की श्रेणी में इस शहर ने डाल दिया है।" अरूप चुप हो गया। कमरे में सन्नाटा वैसा ही पसरा रहा, ऋषभ मातम की अवस्था में आने लगा। उसकी समझ बहुत पहले जवाब दे चुकी थी। वह चीखना चाहता था, "क्यों-क्यों-क्यों ठहराया मेरे घर पर?" पर वह कुछ नहीं कह पाया। उसने बस स्मृतियों के सहारे सवाल किये, "मोमताज मियां का ख़ूनी है वह, सारा शहर जानता है।"

"उसने ख़ून नहीं किया," अरूप की आवाज़ अकड़ से भर गयी।

"कैसे नहीं मानूँ मैं?"

"इसलिए कि वह एक हादसा था, छबीला की माँ का बलात्कार होने जा रहा था, छबीला उस समय बारह साल का था, उसने मोमताज को धक्का मार कर गिराया और वह दरांती पर पेट के बल गिर गया, बस।" कहकर अरूप ने बेसन का नमकीन मुँह में ठूँस लिया। वह चुपचाप नमकीन चबाता रहा पर ऋषभ बोलने लगा, "मुझे तो लगता है अरूप कि तुम एक और सनसनी फैलाकर क़ारोबार करना चाहते हो? तुम कहानीबाज़ हो और कुछ नहीं।"

इधर नमकीन मुँह में घुल गया तो, उसने एक ही घूँट में बाकी की रम खत्म की और कप ज़ोर से पटक दिया, "मेरा अख़बार नहीं पढ़ते तुम? तीन साल से मैं उसकी रिपोर्टिंग कर रहा हूँ?" ऋषभ तैयार बैठा था, उसने नहले पर दहला फेंका, "तो फिर शहर में उसका आतंक क्यों है?"

अरूप ने जवाब देने की जगह अपनी टाँगें फैला दीं और दोनों हाथ पीछे की तरफ़ रखकर सिर को छत की ओर मोड़ दिया। फिर गहरी साँस छोड़ दी। "देखो दोस्त, मैंने कहा न कि यह शहर जंगल है, यहाँ हिंसा की पूजा होती है, भोले-भाले इन्सान को यह शहर धार दे देता है, छबीला के साथ यही हुआ।"

ऋषभ को चिढ़ होने लगी, "यार घुमाओ मत, मुझे सबूत चाहिए, बताओ?"

"सबूत यह है कि पाँच दिनों से मैं अपने ही शहर में छुप-छुप कर जी रहा हूँ, सबूत यह है कि शहर की पुलिस मुझे पागल कुत्ते की तरह ढूँढ़ रही है।

मेरे नाम का वारंट जारी हुआ है!'' नशा चढ़ गया, अरूप बिफरने लगा। ऋषभ इन बातों के भरोसे में आने से रहा, उसके मन में घृणा भर गयी, वह जिरह पर उतर आया, ''तो बीस फुट दीवार फाँदकर तुम्हारा कमज़ोर और बेकसूर छबीला भाग गया, क्या यह काम ग़ैर आपराधिक मानसिकता का आदमी कर सकता है? शहर उससे डरे, दीवार वो लांघे, जुवेनाइल कस्टडी के दो कर्मचारी घायल हैं। क्यों बेवकूफ़ बना रहे हैं अरूप बाबू आप?'' ऋषभ चीखते-चीखते रह गया। अरूप चुपचाप रम की बोतल को कप में उँड़ेलने लगा, फिर संयत होने की कोशिश में बोला, ''बीस फुट की वह दीवार क्रिमिनल भी नहीं पार कर सकता...छबीला खुले दरवाज़े से भागा था।''

''तो तुम अब कहोगे कि वह भागा नहीं भगाया गया है?''

''नहीं।''

''तो?''

''बैजनाथ सिंह की पत्नी वर्षों से अपने मायके में है, उसकी कसर वह जुवेनाइल कस्टडी के अपराधियों से पूरी करता है। छबीला बचता रहा पर उसके फ़रार होने के एक दिन पहले...क्या नाम बताया था उसने...हाँ...अंजुम को बैजनाथ ने दबोचा, छबीला की नींद खुली तो उसने शोर मचाना शुरू कर दिया, फिर सारे छोकरे शोर करने लगे। शोर से अंजुम का पीछा छूट तो गया पर अगली रात को छबीला की बारी आ गयी। गार्ड उसे टाँगकर बैजनाथ के ऑफ़िस में ले गये। तीन-तीन लोग उसके कपड़े उधेड़ते रहे। पता नहीं कैसे क्या हुआ, बैजनाथ का सिर टेबल से टकराया और ख़ून की धार निकल गयी, गार्ड छबीला को छोड़कर बैजनाथ को सँभालने लगे। बस छबीला फ़रार।''

ऋषभ दोनों हाथों से अपने बाल नोचने लगा। उसे बिल्कुल भरोसा नहीं हो रहा था, उसकी साँसें गहरी हो गयीं। वह इतना ही बोल पाया, ''अरूप प्लीज़...बन्द करो बकवास।''

पर अरूप नशे की गिरफ़्त में था, ''बकवास तो अभी और है दोस्त, और सुनो। छबीला जब वहाँ से भागा तो उसके बदन पर चिथड़े भी नहीं थे।'' ऋषभ झटके के साथ अरूप को घूरने लगा, अरूप ने जवाब में अपनी आँखें चौड़ी कीं और सिर दो बार हिलाते हुए पूछा, ''ये बकवास कैसी लगी

आदरणीय ऋषभ बाबू?'' अरूप के प्रश्न में घृणा भरी हुई थी, ऋषभ के लिए। सन्नाटा पसर गया। अरूप ने कप की बची हुई रम को गटका। अब रम की बोतल आधी ही रह गयी थी। फिर अरूप ही बोला, ''देखो, भय है और भय का कारण है, पर उसका निवारण भी है।'' अगर वह नशे में न होता और वाक्य सुधार लेता तो ये शब्द पक्के बुद्ध के वचन लगते, ''दुख है, दुख का कारण है...'' पर शुक्र था कि ऐसा नहीं हुआ। अरूप फिर बोला, ''मैं पटना इसी सच को जगज़ाहिर करने गया था।'' इस तरह अरूप ने छबीला कथा का ट्रैक ही बदल दिया।

पर ऋषभ अभी भी उसकी छबीला कथा को लेकर सन्देह में था। 'अरूप का कोई भरोसा नहीं,' उसने मन ही मन सोचा और उसे सुनता रहा।

पर अरूप रौ में था, ''नेशनल समाचार चैनलों में गया, सब टालते गये, एक-दो ने कहा 'फुटेज' ले आओ—कुछ और ऐसा कि प्रस्तुति में सच साफ़ झलके तब जाकर सोचेंगे....बहनचो.. मल्लिका शेरावत की नंगी टाँग पर अखिल भारतीय बहस से उन्हें फ़ुर्सत मिले तब तो मेरी स्टोरी पर ध्यान देंगे।'' कह कर उसने रम की बोतल कप में फिर उँड़ेल दी। ऋषभ के सफ़ेद तौलिए से उसने अपनी नाक साफ़ की, पसीना पोंछा और बोलता गया, ''गले में बड़े मीडिया चैनल का पट्टा हो तो कोई भी पत्रकार पर हाथ डालने से डरेगा। साला....फ्रीलांसर को कौन पूछता है? कहाँ से लाऊँ कैमरामैन और कैमरा? पाँच दिन से इसी शहर में छुपा-छुपा फिर रहा हूँ, पत्रकारिता क्या घंटा होगी?'' यह बात मानो उसने खुद से कही।

ऋषभ ने अपनी नज़रें उठायीं, सच में बहुत निरीह लगने लगा था अरूप। अरूप ऋषभ से आँखें मिलाते हुए बोला, ''ऐसा नहीं है कि मैं कोई समाज सेवक हूँ, मैं छबीला के सच को 'ब्लास्ट' करना चाहता हूँ, बस। इस सच की मंडी में 'मार्केट वैल्यू' है बस यह सच लोग समझें, मान लें, जो कि एकदम सच है।'' फिर थोड़ा रुककर उसने अधूरी बात पूरी की, ''और इस सच के साथ-साथ अपनी भी वैतरणी पार हो जायेगी।''

ऋषभ उसके इशारे समझ गया, सो आदतन टोका, ''क्यों? *धरती-पुत्र* छोड़ दोगे? उससे भी तो सच का पर्दाफ़ाश हो सकता है?'' इस प्रश्न में

अरूप को व्यंग्य की बास आयी, उसने दाँत पीस लिये और सच का घूँट पीते हुए बोला, "*धरती पुत्र* की हालत तुम भी जानते हो, मुश्किल से सौ प्रतियाँ भी नहीं बिकतीं उसकी? कुछ बूढ़े बुद्धिजीवी, पत्रकार, मास्टर और प्रोफ़ेसर, बस यही पढ़ते हैं। अख़बार के लिए 'एड' माँगने जाओ तो साले शहर के दुकानदार मुझ पर हँसने लगते हैं। कहने को यह दैनिक है पर यह कितना दैनिक है तुम भी जानते हो ऋषभ। इसी वजह से कुछ संस्थाओं ने इसे खरीदना बन्द कर दिया है। तुम्हारे इंटरमीडिएट स्कूल ने भी खरीदना बन्द कर दिया था, बहुत हाथ-पाँव जोड़े तब जाकर तुम्हारा प्रिंसिपल राज़ी हुआ—ऊपर से मीडिया की औकात बताते हुए उसने संस्कृत का श्लोक दे मारा—"विक्रीयंते न घण्टाभिर्गाव: क्षीरविवर्जिता:।"

ऋषभ ने आदतन उसका भावानुवाद किया, "दूध न देने वाली गायें गले में घंटी लटका देने से अधिक मूल्य में नहीं बिक पातीं।" इस पर अरूप चिढ़ सा गया, बोला, "पता है, पता है...मैंने भी दसवीं तक संस्कृत घोंटी है।" अरूप को अपनी स्कूली विद्या पर बहुत अहंकार था। ऋषभ ने तुरन्त उसका अहंकार तोड़ते हुए जोड़ा, "महावीर जैन मीडिया के लिए एक और श्लोक अक्सर पढ़ते हैं, यह श्लोक धम्मपद का है, 'कोनु हासो किमानंदो निच्चं पन्जलिते सति...' सब कुछ जल रहा है और तुम्हें हँसी और आनन्द सूझता है?" अरूप उबल गया, नशे ने ज़ोर मारा तो वह बोला, "उसे क्या घंटा मालूम है कि मीडिया क्या है?" ऋषभ इस पर ताव खा गया, "देखो, प्रिंसिपल साहब को हल्के में मत लो। बड़े विद्वान हैं, कम से कम मीडिया पर उनके विचार एकदम सटीक होते हैं। धोती-कुर्ता पहनने का मतलब यह नहीं कि वह पिछड़ा है।"

"मैंने ऐसा नहीं कहा, पर वह अहंकारी लगते हैं।"

"उनके जितना ज्ञान हो तो कोई ज़्यादा ही अहंकारी हो जायेगा, वह तो फिर भी बहुत कम हैं।"

अरूप झगड़ने की मुद्रा में आ गया, "ज्ञान क्या घंटा? तुम्हारे स्कूल के फाटक पर ही लिखा है—अन्ततोऽश्मापि जीर्यति—पत्थर भी अन्त में गल जाता है। क्या मतलब है इसका? विद्या भी जब साली गल जाती है तो क्या

उखाड़ लेंगे बच्चे पढ़कर?"

ऋषभ तैश में चीखा, "हद है यार...चीज़ों को मिसकोट मत करो...यही तुम्हारी आदत मुझमें नफ़रत भरती है।" "मैं..." अरूप सफ़ाई में कुछ कह पाता, उससे पहले ऋषभ उखड़ गया, "प्रिसिंपल तुम्हारे वज़न से भी ज़्यादा वज़न की किताबें साल भर में पढ़ जाते हैं, कभी उनकी क्लास में बैठना। वे कहते हैं कि मीडिया में समस्या नहीं अब आनन्द है, आभासी यथार्थ के माने भी मुझे बताए, और यह भी कहा कि अनुभव और स्वाद हस्तान्तरित हो रहे हैं, यह खतरनाक दौर है। जो तथाकथित सच (?) तुम्हारे भीतर बिलबिला रहा है न अरूप, वह इसी मीडिया की तली में क्यों अपाहिज बना हुआ है तुम भी जानते हो?" इस तरह ऋषभ ने प्रिंसिपल का सहारा लेकर पत्रकारिता के नये युग की धज्जियाँ उड़ानी चाहीं। अरूप उखड़ता नज़र आया। बात कहाँ से चली थी और कहाँ पहुँच गयी। नयी बहस बेहिसाब हो गयी। उखड़ते हुए भी अरूप कहाँ मानने वाला था।

"तुम्हारा प्रिंसिपल मीडिया पर भरोसा ही नहीं करता...मुझे तो लगता है कि वह एक तरह का नास्तिक ही है जो किसी चीज़ पर भरोसा नहीं करता।"

"हद है यह, हद। तुम तो ऐसा कह रहे हो जैसे मीडिया न हुआ वेद हो गया जिस पर भरोसा न करने वाला नास्तिक है?"

"वेद नहीं है मीडिया तो उससे कम भी नहीं।"

"और यह बात तुम अपने उस सच को बेचने की असफलता के बावजूद कह रहे हो...बोलो?"

"मैं मानता हूँ कि यह है, पर पूरा सच नहीं।"

ऋषभ ने अन्तिम दाँव खेला, "दरअसल पूरा मीडिया दलाली का सभ्य चेहरा बन चुका है, जहाँ चीज़ें बेची जाती हैं...मुझे अब साफ़ लग रहा है कि तुम सबके सब धंधेबाज़ हो। प्रिंसिपल साहब ठीक ही कहते हैं कि तुम लोगों पर तर्क से ज़्यादा तकनीक हावी हो गयी है अब।" उसकी साँसें उखड़ रही थीं और आँखें चौड़ी हो गयीं। अरूप यह सब पचा गया, चुपचाप।

अब अरूप क्या सोच रहा था पता लगाना मुश्किल था, पर ऋषभ अभी भी छबीला-कथा पर अटका हुआ था, उसे सच जानना है, हर हाल में।

हारकर अरूप कहने लगा, "*धरती-पुत्र* को तो बन्द होना ही है या फिर उसका नये मालिक के साथ कायांतरण होगा। कायांतरण हुआ तो समझो मेरी छुट्टी—बन्द हुआ तो भी छुट्टी।" कहकर अरूप नमकीन चबाने लगा। उसकी आँखें सूनी थीं, कुछ-कुछ उदास भी। ऋषभ इस उदासी को भी शक की निगाह से देख रहा था। उसका मन इस शहर से, शहर के लोगों से एकदम उखड़ चुका था। उसे बस छबीला में दिलचस्पी थी। उसने फिर पूछा, "वो सब तो ठीक है पर छबीला से शहर क्यों डरता है अरूप? बताओ?"

"छबीला एक हौवा है, एक निर्मिति और कुछ नहीं...कुछ नहीं।" अरूप बताते-बताते थकान से सिर हिलाने लगा मानो यह जवाब उसने कई बार कइयों को दिया हो और अब वह थक गया है जवाब देते-देते। फिर वह देर तक चुपचाप रम पीता रहा, ऋषभ वैसे ही एकटक उसे घूरता रहा।

"जिस रात वह रुका था उसकी अगली सुबह उसने तुम्हारे पर्स से पाँच सौ रुपये निकाले थे, यह बात उसने पहले मुझे बताई। मैंने उसे बहुत डाँटा। वह बोलने लगा कि उसकी माँ बहुत बीमार है, कई दिनों से। उसके लिए दवाई चाहिए थी, सो पैसे निकाल लिये और वह रोने लगा।" कहकर अरूप ने अपने घुटने मोड़ लिये। ऋषभ निर्विकार भाव के साथ वैसे ही फ़र्श पर बैठा हुआ था। उसका सिर भारी हो रहा था, शराब की गंध कमरे के भूगोल में अपनी उपस्थिति दर्ज़ करा चुकी थी। वह उठा और खिड़की खोल दी, अरूप हड़बड़ाकर उठा, "अरे क्या कर रहे हो?" बोलते हुए उसने कमरे की बत्ती बुझा दी। ऋषभ भौचक हो गया, "क्या हुआ?"

"अगर किसी ने भी मुझे देख लिया तो आफ़त आ जायेगी।"

"?"

"ऋषभ मामला बहुत बिगड़ गया है...मैं सचमुच मुसीबत में हूँ।"

"बड़े डरपोक पत्रकार हो यार?" ऋषभ ने अरूप पर ताना कस ही दिया। उसके भीतर का ज़ख्म रिस रहा था। पर अरूप की हड़बड़ाहट से उसे इतना तो लग गया कि मामला संगीन हो चुका है। उसने खिड़की बन्द करनी चाही तो अरूप ने रोक दिया, "नहीं, हवा आने दो, मैं अँधेरे में ही पी लूँगा, तुम चाहो तो अपने बिस्तर पर लेट जाओ मैं नीचे सो जाऊँगा।" ऋषभ लेट

गया। उस़ने अरूप से खाने के बारे में भी नहीं पूछा। लेटते-लेटते बस इतना पूछा, "छबीला शहर का आतंक क्यों है अरूप, अब बता भी दो?"

ऋषभ के सवाल में भावुकता भर गयी। अरूप को लगने लगा कि छबीला-कथा का आदि-अन्त जानकर ही वह मानेगा। उसने रम की बोतल पूरी तरह कप में उँड़ेल दी, अँधेरे में ही। फिर उसे गटागट पीकर कप पटका, अख़बार मोड़ दिये और पैर फैलाकर लेट गया। अँधेरे में वे एक-दूसरे की साँसें सुन सकते थे। अरूप ने मदहोशी में कथा शुरू की, ऋषभ उसके शब्दों के सहारे कथा में सतर्क बिम्ब भरता गया। रात बहुत हो गयी, बिम्ब सपने में घुसते गये।

छबीला पार्श्व जैसा दिखने लगा, फिर से। पार्श्व किसी औरत से बिलख-बिलख कर बात कर रहा है, "माई रे...इ गरीबी ना चाही....पापा के पेंशन कब आयी?" जवाब में औरत रो रही है। वह औरत श्यामा सिंह की बेवा है। दारूबाज़ श्यामा सिंह होमगार्ड का बदनाम सिपाही था। दारू पीकर अपने साहबों से भी लड़ जाता था। साहबों ने इनाम में उसे शेरघाटी भेज दिया। वहाँ भी वही हाल। वह तब का समय था जब शेरघाटी में नक्सलवादियों ने अपनी उपस्थिति बारूदी सुरंगों से दर्ज़ करानी शुरू कर दी थी। डी.एस. पी. साहब के डाकबंगले पर हमला हुआ, वहाँ से भागते हुए बारूदी सुरंग ने कइयों को मार डाला, श्यामा सिंह भी शहीद हो गया। पर शहीदों की सूची में श्यामा सिंह गायब था। विभागीय साहबों ने पुराना हिसाब चुकता किया, सबकी बेवाओं को पेंशन मिलने लगी, श्यामा सिंह के परिवार को छोड़कर। उसकी पेंशन फ़ाइलों में ही अटकी रही, सफ़ेद बादलों में बूँदों की तरह, जो दिख रहे थे ज़रूर पर बरसते नहीं थे।

अरूप के शब्द बदल गये तो ऋषभ ने बिम्ब भी बदल दिये। सपने में नये बिम्ब उभर गये। श्यामा सिंह की बेवा पड़ोस के मोमताज मियाँ के घर बर्तन माँज रही है। मोमताज कुर्सी पर बैठा उसे घूर रहा है।

फिर "बाबू रे, बचा ले," आवाज़ पार्श्व के सीने में तीर की तरह घुसी और वह दौड़ते हुए आता है, दरवाज़े पर आँधी की ताकत से चोट करता है, कुंडी खुल जाती है। माँ आँगन में औंधी पड़ी है, मोमताज उसके ऊपर बैठा

उसका मुँह बन्द कर रहा है। एक ज़ोर के झटके से बूढ़ा मोमताज हैंडपंप की ओर लुढ़कता है, फिर दरांती...।" माँ चीख उठती है, "भाग रे छबिलवा... भाग...जल्दी।" छबीला भागना शुरू करता है, पीछे से शोर बढ़ता जाता है, "छबीला...छबीला..."

दृश्य ने ऋषभ की साँसें चढ़ा दी हैं, फिर कई दृश्य उभरते गये। महीनों बाद छबीला ज़मानत पर छूटकर घर आता है। अब वह बदल गया है, मसें भीगने लगी हैं, शरीर फट कर चौड़ा हो रहा है—पर उसके शरीर की खुराक घर में नहीं है। माँ की साड़ी के चिथड़े हो गये हैं। घर में अनाज नहीं। क्या करे? "माई रे....इ गरीबी न चाही...पापा के पेंशन कब आयी?" जवाब में माँ ज़ार-ज़ार रोती है। बिम्बों ने फिर रंग बदला। छबीला को उसी के मोहल्ले के 'पुराने चावल' की नज़र लग गयी, उसने छबीला को धार देना शुरू कर दिया। अब एक देशी कट्टा छबीला की कमर से चिपक गया था।

पंसारी की दुकान से छबीला ने महीने भर का राशन लिया। सौदा झोले में रखकर छबीला चलने को हुआ तो दुकानदार ने टोका, "पैसा?" बदले में छबीला कमर से देशी कट्टा निकाल कर अपने झोले में रखने लगा। छबीला की नज़रें झोले पर थी और दुकानदार की नज़र उसके देशी कट्टे पर। छबीला ने सिर उठाकर दुकानदार से बस इतना ही कहा, "अगला महीना" और चलता बना। दुकानदार शुरू में चौंका, फिर कुछ सोचकर चुप हो गया। यह देशी कट्टा चीज़ ही ऐसी थी जो शहर की धमनियों में घुली हुई थी। उन दिनों शहर में औसतन यह दस जगह फूटते थे, गली, चौराहे, मोहल्ले, खेल के मैदान, दुकानदारों के दरवाज़ों से लेकर चाट-समोसे और खोमचेवालों तक पर। मरता कोई नहीं था पर डरते सभी थे और यह सब हो रहा था उसी उम्र के लड़कों के हाथों। दुकानदार तो उस समय चुप हो गया पर यह बात उसने छबीला के मोहल्ले के किसी बाशिंदे से कह दी। इतना काफ़ी था, तीन दिन में मोहल्ला समझ गया था कि छबीला से कैसे पेश आना है अब। जुवेनाइल कस्टडी ने पृष्ठभूमि तैयार की, मोमताज मियाँ अब 'हादसे' में नहीं बल्कि छबीला के 'हाथों' मरे थे। छबीला ने भी किसी को कोई सफ़ाई नहीं दी। घर का चूल्हा जल उठा।

जिस दुनिया में छबीला ने क़दम रखा उस पर अभी वह लड़खड़ाते हुए

चलना सीख ही रहा था, पर उसकी चर्चाएँ तेज़ रफ़्तार से फैलती गयीं। अगले तीन महीने में उसने दर्जनों लड़ाइयाँ कीं, उसने अपनी उम्र और उम्र से बड़े कई लौंडों को सार्वजनिक रूप से धोया। इसी बीच जब-जब उसकी जीभ ज़ोर मारती थी वह मिठाइयाँ, गोल-गप्पे, आलू-चाट, समोसे उड़ाता रहता था, फ्री फंड में। एक दायरे के भीतर उससे कोई पैसा नहीं माँगता था। उसके नये शिकार स्कूली छात्र थे जिनसे वह डरा-धमकाकर पैसे ऐंठता और चलता बनता। बस, यही दुनिया थी उसकी। मोहल्ले का 'पुराना चावल' उसका सबसे नज़दीकी उस्ताद था और हिस्सेदार भी।

मरहूम मोमताज मियाँ का रिश्तेदार पुलिस महकमे का पुराना और विश्वस्त मुखबिर था। उसकी नज़र छबीला पर बहुत पहले से थी। छबीला की हरकतों को पुलिस महकमे में दर्ज़ कराने में उस रिश्तेदार का सहयोग रहा। इसी बीच शहर में तीन डकैतियाँ हुईं, जिनमें से एक डकैती का सन्देह छबीला सिंह वल्द श्यामा सिंह पर दर्ज़ कराने में वह सफल हो गया। छबीला को 'शिवम् चाट भंडार' से पुलिस घसीटते हुए ले गयी। अगले दो दिन तक वह थाने की फ़ाइल में बिना दर्ज़ हुए रिमांड पर रहा। छबीला सिंह पर जो दर्ज़ हुआ वह पुलिसिया लाठी थी, घूँसे थे, थप्पड़ और जूते थे। उसकी माँ थाने के बाहर बिलखती रही और इधर बिहार पुलिस छबीला के साथ न्याय करती रही।

न्याय राष्ट्रीय अख़बारों के स्थानीय पत्रकारों ने भी किया—'शहर का नया आतंक छबीला सिंह'। तमाम तरह के राष्ट्रीय अख़बारों द्वारा जागृति फैलाने के बावजूद शहर आतंक में जी रहा था, यह ठीक बात नहीं थी। कोई न कोई तो यह सब कर रहा था। अपराध हो रहे थे अतः अपराधी का नामकरण ज़रूरी था। विशेषण से संज्ञा की ओर जाते हुए अख़बार ने छबीला को 'रंगबाज़' से नवाज़ा। अपराध खत्म। अपराधबोध भी।

तीसरे दिन टूटे-फूटे छबीला की घर वापसी हुई। अगले दो हफ़्तों तक वह बीमार रहा। रात में अक्सर उसे बुखार चढ़ जाता और वह कभी नींद में तो कभी सदमे में बड़बड़ाता रोता, "हो दारोगा जी...हम...हम ना।"

जब शरीर दुरुस्त हुआ तब घर की हालत ख़स्ता हो गयी। फिर वही गरीबी और पेंशन की आस। एक बार फिर उसने पंसारी की ओर क़दम बढ़ाए

और दुगनी क्रूरता से देशी कट्टा लहरा कर घर का चूल्हा जला लिया। वह पुराने ढर्रे पर लौट गया। इसी बीच शहर में कई अपराध हुए। छबीला घर में लेटा होता पर शहरवाले उसके हाथ हर अपराध में रंगे हुए देखते। अख़बारों ने भी ज़ोर मारा। पुलिस को सबूत चाहिए था।

छोटे शहरों में भी कभी-कभी बड़े हादसे होते हैं जिन्हें तारीखें कभी नहीं मिटा पातीं। इस शहर में भी एक बड़ा हादसा हुआ। 'बसंत कुमार एंड सन्स' शहर की सबसे पुरानी इसलिए कमाऊ सोने की दुकान थी। बसंत का जवान बेटा इतना सुन्दर था कि शहर की लगभग औरतें-लड़कियाँ उसके रूप पर फ़िदा थीं। मितभाषी बेटा वास्तविक सपूत निकला, दुकान पहले से ज़्यादा आमदनी में आ गयी। वह हँस-हँस कर शहर की औरतों-लड़कियों से बतियाता और सबकुछ बेच देता। झुंड-का-झुंड आता और दिल, दिमाग, पैसा सब उस दुकानदार पर गँवा कर जाता। शहर के लगभग अधिकारियों की औरतें उसकी मुरीद थीं। दुकान की आमदनी की ख़बर शहर से चालीस किलोमीटर दूर दक्षिण में उस अहाते तक पहुँची जहाँ इस शहर का 'टैक्स' जमा होता था। 'बसंत कुमार एंड संस' के फ़ोन की घंटी बजनी शुरू हो गयी। मितभाषी सपूत जितना सुन्दर था उतना ही ज़िद्दी भी निकला। उसे शहर के अधिकारियों पर न सही पर उनकी औरतों पर ज़रूर भरोसा था। उसने फ़ोन पर मिली धमकी का मुँहतोड़ जवाब दिया, "जो उखाड़ना है उखाड़ लो पर रंगदारी टैक्स नहीं देंगे हम।" फिर भी फ़ोन पर धमकी दो बार आयी और तीसरी बार गोली। शाम को शटर गिराते वक़्त सात बार कारतूसें फूटीं और सुन्दर शरीर बिना तड़पे शान्त हो गया।

रात होते-होते शहर उबल गया, शहरवाले भी। दुकानदारों ने रात में ही क्लेक्ट्री को घेर लिया। रंगदारी टैक्स से परेशान दुकानदारों को बहाना चाहिए था, विद्रोह हो गया। सुबह अख़बार की सुर्खियों ने न जाने कितनी जवान औरतों और लड़कियों को रुलाया, कितनों ने उस दिन उपवास रख लिया। बसंत के बेटे को जाननेवाली शहर की संभ्रांत बूढ़ी औरतें छाती पीटकर रह गयीं। शहरवालों के उबाल से जो दबाव पड़ना था, उससे कहीं अधिक दबाव प्रशासनिक अधिकारियों की पत्नियों का पड़ा। रोने वाली औरतों में नवविवाहित

एस.पी. साहब की पत्नी भी थी। पत्नी ने अपनी आँखों के डोरे लाल करके कहा, "इतना सुन्दर लड़का, अभी शादी भी नहीं हुई, मार दिया गया।" नयी नवेली पत्नी का रोना भला कौन बर्दाश्त कर सकता है। एस.पी. साहब ने इतना ही कहा, "बस! अब और नहीं। मुझे चौबीस घंटे का समय दे दो...प्लीज़।" और दनदनाते हुए कोठी से बाहर चले गये, ड्यूटी पर।

राष्ट्रीय अख़बार की स्थानीय सूचना में यह बात स्पष्ट कर दी गयी थी कि यह जघन्य काम शहर के नये रंगरूटों के सिवाय भला कौन कर सकता? वैसे पत्रकारों को शक था कि काम पुराने महारथी का है पर साधन तो शहर के नए लौंडे-लफाड़िए ही होंगे। शहर औसतन दस देशी तमंचों की गूँज रोज़ सुन रहा था, इसलिए जनमानस ने भी फ़ैसला कर लिया—नये रंगबाज़ों का ही काम है यह। शहर के कई नए रंगबाज़ पुलिस के हत्थे चढ़ गये। छबीला भी। जब वह पकड़ा गया तब उसकी कमर में देशी कट्टा भी पाया गया। पुराने मुखबिर की बातों में दम लगा थानेदार को। छबीला सिंह की फ़ाइल डी.एम. के आदेश से फिर खोल दी गयी। छबीला पर आर्म्स-एक्ट के साथ-साथ सात डकैतियों, सोलह झपटमारी, दर्जनभर गाड़ियों की चोरी, 'बसंत कुमार एंड सन्स' के बेटे की हत्या का गहरा सन्देह किया गया। अब प्रशासन को भी मोमताज मियाँ का हादसा 'हादसा' न होकर 'क़त्ल' लगने लगा। छबीला मुँह खोले, फटी आँखों से आरोपों का विश्लेषण करता रहा। उसे हैरानी इस बात की हो रही थी कि जो-जो कारस्तानियाँ उसने अब तक की हैं उनमें से कोई भी केस की शक्ल में दर्ज़ ही नहीं हुई थी। बस उसे खुशी इस बात की थी कि पुलिस ने उसे मारना तो दूर डाँटा तक नहीं। वह चुपचाप साहबों की जिरह सुनता रहा। पर उसे क्या पता था कि ईश्वर ही नहीं व्यवस्था की लाठी में भी आवाज़ नहीं होती पर असर बना रहता है, देर तक। अगले दिन का राष्ट्रीय अख़बार 'छबीला रंगबाज़' के नाम समर्पित था। उसके छोटे से जीवन पर बित्ते भर की जीवनी छपी। शहर के नए 'ब्रांड' का जन्म हो चुका था।

रात के अँधेरे में ऋषभ पार्श्व की परछाईं देखता है, उसके हाथ में देशी तमंचा लहराता हुआ आसमान में उठा और 'धाँय...धाँय...धाँय।' ऋषभ हड़बड़ा कर उठ जाता है, सुबह हो चुकी थी। तेज़ हवा के झोंके खुली खिड़की को

पटक रहे थे "धाँय....धाँय।" उसने आँखें मलीं और खिड़की बन्द करके कुछ देर शान्त बैठा रहा। अरूप जा चुका था। शराब की बदबू अब भी हवा में तैर रही थी। उसके भीतर एक बार फिर जुगुप्सा भर आयी। 'घटिया है यह शहर' उसने मन ही मन सोचा। फिर सबसे पहले झाड़ू उठा लिया और इस रफ़्तार से सफ़ाई करने लगा जैसे वह सब कुछ साफ़ करके ही दम लेगा—कमरा, विचार, स्मृतियाँ, सपने, सम्बन्ध, करुणा सब कुछ। उसकी शारीरिक फुर्ती देखने लायक थी।

इसी दौरान टेबल पर अरूप का लिखा पर्चा मिला—"ऋषभ, बिना पूछे तुम्हारे पर्स से हज़ार रुपये निकाल लिये, यह उधार है जो जल्दी चुकता कर दूँगा, बुरा मत मानना, प्लीज़।" अब क्या, झाड़ू हाथ से छूट गया। धूप चढ़ने से पहले उसके गुस्से का पारा चढ़ गया। "अब और नहीं" कहते हुए उसने टेबल पर रखी हर चीज़ फ़र्श पर फेंक दी और बड़बड़ाते हुए गुसलखाने में चला गया।

वह कमोड पर बैठा ही था कि खिड़की से फिर उसी स्कूली बच्चे के रोने की आवाज़ आने लगी। वह बच्चा चीख-चीख कर स्कूल जाने से बगावत कर रहा था "माई रे...हम स्कूल ना....।" पीछे से बच्चे का बाप गालियाँ बरसा रहा था, "फेंक दो साले को स्कूल कैब में।" स्कूल कैब का ड्राइवर फिर उसी तरह झुंझलाकर चीख रहा था—"रोज़-रोज़ का यही नाटक है, कल से हमारा हिसाब कर दीजिए, रोज़ लेट हो जाते हैं इस चक्कर में।" बच्चे की दादी फिर वही राग अलाप रही थी, बच्चे के पक्ष में।

हद है, यह शहर बिना शोर के, बिना तनाव के जग ही नहीं सकता? कमोड पर बैठे-बैठे ऋषभ के भीतर इस शहर को लेकर वही धारणाएँ मज़बूत हो रही थीं जो बहुत पहले लार्ड मैकाले ने हिन्दुस्तानियों के बारे में बनाई थीं, "साधु-संन्यासियों का देश, नंगे-फकीरों का देश, खेल-तमाशों और साँप संपेरों का देश।" ऋषभ ने इन वाक्यों में अपने वाक्य जोड़ दिये, बस देश की जगह शहर को रखा, "रंगबाज़ों का शहर, चरित्रहीनों का शहर, टुच्चे जालसाज़ पत्रकारों का शहर, माफ़ियाओं और हत्यारों का शहर, बिकाऊ मूल्यों का शहर, किसी को भरोसे में लेकर उसके पैसे उड़ानेवालों का शहर...।"

उसने एक बार फिर आँखें बन्द करके अपनी सारी परेशानियाँ साँस के सहारे अपने पेट पर दे मारीं और कमोड पर ध्यानमग्न हो गया।

यहाँ पर स्याद्वाद-फाद

बतफरेबी : *'प्रत्येक वस्तु के बारे में ज्ञान केवल सम्भाविक है। किसी भी वस्तु के अस्तित्व की एक दृष्टि से पुष्टि (स्याद अस्ति) की जा सकती है तो दूसरी दृष्टि से उससे इनकार (स्याद नास्ति) भी किया जा सकता है । स्याद का शाब्दिक अर्थ है—सम्भवतः। और इसका कारण यह है कि कुछ भी निश्चित नहीं। इसके विधान के सात तरीके हैं जिन्हें सप्तभंगिन्याय कहा जाता है। सापेक्ष सत्यों को निरपेक्ष समझ लेना नयाभास कहलाता है। नयाभास तब होता है जब प्रमाता वस्तु के उन पक्षों को असत्य मान बैठता है जिनसे उनका प्रयोजन नहीं। नयाभाष का अर्थ है मिथ्या दृष्टिकोण।'*

अपने 'चूतिया बोध' से ऋषभ कई दिनों तक नहीं उबर पाया। इस बोध से बाहर निकलने की ज़िद में वह फिर से दर्शन और साहित्य घोंटने लगा। इसका असर भी हुआ और उसका मनमानस 'सम्यक' होता चला गया। भीतर का कोलाहल जब स्थिर हुआ तब वह खुद के बारे में, अपने सम्बन्धों के बारे में और इन सबसे बढ़कर शहर के बारे में नए सिरे से सोचने लगा। उसके सोचने में अरूप की कही हुई बातें अक्सर शामिल हो जातीं। अरूप ने ही कहा था कि देखने में यह शहर है, महसूस करने में सामंत। उसने यह भी कहा था कि जैसा कि छोटे शहरों के होते हैं इस शहर का भी आत्मसंघर्ष है—आधुनिकता और मध्ययुगीनता का, ज्ञान और हेकड़ी का, रंगबाज़ी और सादगी का, महिलामुक्ति और टिकुली का, जींस और साड़ी का, जाति और जाति का। ससुरा जब से यह भोजपुरी का आंदोलन चला है, हिन्दी और भोजपुरी का संघर्ष हो गया है। अगर शहर के लोग अब अलग राष्ट्र का सपना देखने लगें तो कोई ताज्जुब नहीं! साला ई है शहर!

इसी बीच शहर में तीन हत्याएँ हुईं, दो और डकैतियाँ जिनमें से एक हत्या और एक डकैती छबीला के नाम समर्पित थी। साथ में अख़बार ने यह भी कहा कि यह पढ़े-लिखे गरीब नौजवानों का गैंग है जो अब तक रोज़गार

नहीं पा सके हैं। जैसा कि अरूप ने कहा था इस शहर के आत्मसंघर्ष के बारे में, वह दिखा भी, बल्कि अरूप के अख़बार ने दिखा दिया। *धरती-पुत्र* ने जो कि कभी तस्वीरें नहीं छापता था, थाने में पेड़ से बँधी एक निरीह औरत की फ़ोटो छापी थी जिसके नीचे लिखा था—''छबीला सिंह की माँ को पेड़ से बाँधकर मारती पुलिस, साथ में थाना प्रभारी कुर्सी पर बैठे चाय पी रहे हैं।'' दरिंदगी का यह चेहरा भी लोगों ने देखा। अरूप अपना काम कर रहा है—गुमशुदा होकर।

फिर भी, ऋषभ का छबीला कथा पर से सन्देह नहीं टला। अख़बारों ने भी तो कोई कसर नहीं छोड़ी थी। शहर के 'सिटी चैनल' को तो मानो छबीला की छूत लग गयी थी। ऋषभ कुछ भी निश्चित नहीं कर पा रहा था। उसको बार-बार लग रहा था कि कुछ भी निश्चित करने वाले सारे तर्क और उपकरण इस शहर में असफल हो चुके हैं या फिर गल चुके हैं। छबीला उसके लिए अब एक दार्शनिक 'सब्जेक्ट' था, और यह 'सब्जेक्ट' अनन्त गुणों-अवगुणों का योग था। वस्तु का ज्ञान प्रमाण से होता है। तीनों कालों में वस्तु के अनन्त पर्याय होते हैं। वे कुछ ही परिस्थितियों में सत्य हो सकते हैं। किसी वस्तु का कोई विशिष्ट पक्ष एक विशेष सन्दर्भ में सही हो सकता है, किन्तु दूसरे बिन्दु से देखने पर वह ग़लत हो सकता है। यथार्थ के अनेकानेक पक्ष हो सकते हैं और वह अपने को अनेकानेक रूपों में अभिव्यक्त करता है। यथार्थ के कुछ पहलुओं को तो जाना जा सकता है, किन्तु सभी पहलुओं को जानना असम्भव है। यथार्थ का ज्ञान चूँकि अनिवार्यतः सापेक्ष है अतः मानवीय निर्णय भी सीमित और सापेक्ष होता है—न तो पूर्ण पुष्टि और न तो पूर्ण निषेध ही सम्भव है। ''उफ़्फ़...उफ़्फ़ यह दर्शन'' कहते उसका सिर चकरा गया। उसकी चेतना कुछ क्षणों के लिए दार्शनिक बोरियों से लद गयी थी। उसे यह एहसास ही नहीं था कि वह कब कमरे से बाहर निकल कर शहर के बीचोबीच रमना मैदान पहुँच गया। ''क्या वह पागल हो रहा है?'' उसने मन ही मन सोचा और सकुचाते हुए अपने आस-पास की चीज़ों को निहारना शुरू कर दिया। उसे डर था कि उसके इस 'मानसिक दौरे' को कोई ताड़ तो नहीं रहा?

खुले मैदान में धूप खिलखिला रही थी। धूप में चलते हुए उसे छींक

आ गयी। उसने ज़ोर से छींका, छींक की बूँदें उसके मोबाइल स्क्रीन पर पड़ीं और इंद्रधनुषी होकर चमकने लगीं। उसने छींक की बूँदों में भी सौन्दर्य तलाश लिया। हद है। क्या वह स्वस्थ हो रहा है?

इस खुले मैदान में दर्जन भर झुंड पाँच-पाँच सात-सात के अनुपात में बैठे थे। ऋषभ ने नोटिस किया कि सब विद्यार्थी की तरह लग रहे हैं। इस झुंड के बारे में एक बार उसे अरूप ने ही बताया था कि बैंकिंग-रेलवे की तैयारी करने वाले ग्रेजुएटों का झुंड है यह। इसमें से एक तिहाई हर साल सफल होकर मुंबई, कलकता, पूना, बैंगलोर में नौकरी पा लेते हैं। इस झुंड के संस्थापक सदस्य वे सफल परीक्षार्थी थे जो असम, मुंबई और बैंगलोर में कई बार रेलवे की परीक्षा देने गये और वहाँ के स्थानीय राजनीतिक संगठनों ने इन्हें दौड़ा-दौड़ा कर पीटा था। उन राजनीतिक संगठनों का मानना था कि उनके राज्य के छात्रों की सम्भावित नौकरियाँ ये बाहरी छात्र छीन लेते हैं। इस तरह इस झुंड के संस्थापक सदस्य पूरे देश के कई हिस्से में पिटते रहे, परीक्षाएँ देते रहे और अन्ततः सफल भी रहे। वे माटी से जुड़े थे और सचमुच माटी पर बैठकर ही पढ़ते थे—ज़िद्दी साले। उन्हीं मार खाकर सफल हुए कठकरेज पुरखों की याद में यह झुंड आज भी यहाँ बैठकर पढ़ता रहता है। वैसे इस तरह के झुंड को राज्य के सभी छोटे शहरों में टिड्डी-दल के रूप में देखा जा सकता है।

कहते हैं कि अगर कोई शख्स अपने जीवन से ऊब गया हो तो बस उसे इन झुंडों के पास एक बार जाकर ज़ोर से नारा दे देना चाहिए, ''शिवसेना ज़िंदाबाद'', फिर उस शख्स को कुछ और नहीं करना होगा।

हाँ, मोछुआ जबतब दारू पीकर इधर से गुज़रता है तब वह शिवसेना और राज ठाकरे दोनों के पक्ष में नारे लगाता है—झुंड से हँसी के फव्वारे फूट पड़ते हैं। फिर गालियों की असंख्य किस्में हवा में तैरने लगती हैं, वीर मोछुआ सबको तर करके चला जाता है-फ्री में।

ऋषभ मैदान को बीचोबीच पार करने लगा। उसने आस-पास के झुंड पर नज़र दौड़ाई तो यह भी साफ़ हो गया कि सब पढ़ने के लिए ही नहीं बैठे हैं, कुछ पत्ते खेल रहे हैं तो कुछ गांजे को हथेलियों से मल रहे हैं, बाकी सब सचमुच पढ़ रहे हैं। शहर का एक यथार्थ यह भी है जो कुछ भी निश्चित कर

देने वाले उपकरणों की नज़रों से ओझल था। इसे किसी ने नोटिस नहीं किया। हाँ, अरूप ने बताया था कि पुलिस इन झुंडों को 'नोटिस' ज़रूर करती रहती है।

मैदान पार करके उसने रिक्शेवाले को रोका और बैठ गया, "स्टेशन।" रिक्शेवाला बिना कुछ कहे चल पड़ा। कुछ दूरी पर जाकर चौराहा आया जहाँ की लगभग दुकानें बन्द थीं या फिर उनके शटर बन्द हो रहे थे। वह एक बार चौंका। 'अभी तो सुबह के नौ ही बजे हैं...आज छुट्टी है क्या?' उसने मन ही मन सोचा। चौराहे पर कुछ अजनबियों का समूह खड़ा था। ऋषभ को लगा कि वे सब उसे ही घूर रहे हैं। रिक्शा उनके बगल से गुज़रा तब एक अजनबी ने रिक्शेवाले को डाँटा, "भोंसड़ीवाले उधर कोहराम मचा है, कहाँ ले जा रहा है इन्हें?" फिर अजनबी ऋषभ से मुखातिब हुआ, "उधॅर मत जाइए सर...ख़तरा है।" ऋषभ इस 'क्लाइमेक्स' पर कुछ सोच पाता उसने देखा कि मोछुआ सामने की सड़क से भागते-हाँफते चला आ रहा था। उसके पैर लड़खड़ा रहे थे, वह नशे में धुत्त था। उसके शरीर की बेचैनी गालियों के रूप में फूट रही थी। बीच-बीच में ऋषभ ने उसको यह भी कहते सुना, "भाग रे भाग धर्मेंदर, जितेंदर, जीने नहीं दूँगा, ख़ून भरी माँग, आग ही आग।" ऋषभ इससे पहले कुछ समझता बास मारता मोछुआ उसके रिक्शे के पास से होता हुआ एक गली में घुस गया। अजनबी के चेहरे पर शिकन गहरा गयी, उसने ऋषभ को इतना ही कहा, "जल्दी जाइए सर....उ लोग इधर ही आ रहा हैं" और चौराहा खाली हो गया। चौराहे के अचानक खाली होने का असर सबसे पहले रिक्शेवाले पर हुआ उसने हाथ जोड़ दिये, "सरकार हमको छोड़ दीजिए...।" उसकी झुर्रियों में कातरता भरी हुई थी। ऋषभ ने जेब में हाथ डाला और रिक्शे से नीचे उतर गया। उसने पाँच का नोट बढ़ाया कि रिक्शेवाले ने फिर हाथ जोड़े, "ना हुजूर...पईसा ना चाही," और रिक्शा लेकर भागते हुए ओझल हो गया। अब चौराहे पर ऋषभ एकदम अकेला था। "क्या हो गया है अचानक?" उसने मन ही मन सोचा, फिर न चाहते हुए भी उसके भीतर डर जैसी चीज़ का जन्म हुआ और बिना सोचे वह भी एक गली में घुस गया। गली में घुसते-घुसते उसने खुद को कोसा, "कायर....डरपोक!"

पर कायदे से वह अभी तक शहर के भूगोल को नहीं जानता था, गलियों

की समझ तो दूर की कौड़ी थी। भटक गया ऋषभ। वह गली दर गली घुसता चला गया। बीच-बीच में वह महसूस करता गया कि ये गलियाँ नहीं चक्रव्यूह हैं जिनमें न तो वह घुसना जानता है और न बाहर निकलना। फिर भी वह उनमें घुसता गया। कुछ देर बाद ऋषभ को सन्देह हुआ कि कोई उसका पीछा कर रहा है, उसने अपनी चाल और तेज़ कर दी। प्रतिक्रिया में पीछा करती हुई चटर-पटर की आवाज़ भी तेज़ हो गयी। ऋषभ का दिल ज़ोरों से धड़का, वह रुका और झटके के साथ पीछे मुड़ा। "महाकाल?" उसकी साँसें चढ़ गयीं।

सामने वही विशालकाय जोगी चट्टान की तरह खड़ा था। चटर-पटर की आवाज़ उसी के खड़ाऊँ से आ रही थी। जटाएँ वैसे ही खुली हुई थीं जो उसकी बलिष्ठ भुजाओं को लगभग ढके हुए थीं। माथे पर लाल रंग का त्रिपुण्ड पसीने में बहकर नाक पर फैल गया था। आँखें वैसी ही रक्तिम्। सुनसान गली में अब केवल ऋषभ था और वह काली चट्टान। ऋषभ अपने धड़कते दिल को काबू में लेना चाह रहा था, पर जोगी की 'डकैत' वाली पृष्ठभूमि उसे याद आ गयी। उसके पैर क्षणभर के लिए पत्थर हो गये। फिर भी ऋषभ के पास अब अनुभव नाम की शक्ति थी जो उसने हाल में ही अर्जित की थी। उसी के सहारे और बिना समय गँवाए ऋषभ मुस्कुराया। तीर निशाने पर लगा और बदले में जोगी भी मुस्कुराया और बोला, "वही तो कहूँ कि कहीं देखा है अरूप बाबू के साथ..." ऋषभ सहज हो गया और उसकी मुस्कान की लम्बाई कुछ इंच और बढ़ गयी। जोगी बोला, "पर बाबू इ बवंडर के टाइम में कहाँ घूम रहे हैं...तुरन्त निकलिए इधर से।" जोगी की मुस्कुराहट अब गायब हो चुकी थी। पर ऋषभ ने छूटते ही सवाल दाग दिया, "पर हुआ क्या है?"

"अरे उ मुखिया जी को सुबहे गोली मार दिया कौनो..." जोगी ने सहज जवाब दिया।

"कौन मुखिया?"

जोगी को जैसे उसकी मासूमियत पर शक हुआ बोला, "बे महाराज....इ भी मज़ाक का टाइम है?" ऋषभ को बात बुरी लगी, वह कुछ कठोर होकर बोला, "मैं एक अरसे से इन गलियों में गुम होकर भटक रहा हूँ, क्या मेरी हालत मज़ाक करने वाली है?"

जोगी का चेहरा सख़्त हो गया, उसने जवाब दिया, ''तो मुखिया चालीसा बाद में जान लीजिएगा, अभी यहाँ से तुरन्त घर भाग जाइए। पूरा शहर जल रहा है।'' ऋषभ भी यहाँ डेरा डालने से रहा पर इन गलियों से निकलेगा किधर? जोगी भाँप गया, बोला, ''देखिए, आप अगली गली से दाहिने मुड़िएगा फिर बाएँ, फिर बाएँ, फिर दाएँ। आप रमना मैदान पहुँच जायेंगे, वहाँ अभी कुछ नहीं हुआ होगा। जाइए जल्दी।'' इतना कहकर जोगी खटर-पटर करते हुए वापस जाने लगा। ऋषभ का मन हुआ कि जोगी से पूछे, ''अरूप कहाँ है?'' पर कुछ सोचकर वह चुप हो गया। उसे दाहिने, बाएँ-बाएँ फिर दाहिने जाना था।

रमना मैदान पहुँचकर उसने देखा कि इतनी ही देर में मैदान खाली हो चुका था। पढ़नेवालों के झुंड कौओं के साथ कहीं उड़ गये थे। अधिकांश दुकानों के शटर गिर गये थे और पुलिस के सायरन से आस-पास की धरती काँप रही थी। वह तेज़ क़दमों के साथ अपने कमरे की ओर बढ़ गया।

वह घर पहुँचते ही टी.वी. खोल कर बैठ गया। टी.वी स्क्रीन पर पत्रकार चीख-पुकार मचाए हुए था। नेशनल चैनल से लेकर लोकल तक इस शहर को 'कवर' कर रहे थे। स्टेशन रोड, कतिरा मोहल्ला, पकड़ी चौक, जापानी फ़ॉर्म, शहर के इन सब चौराहों पर सार्वजनिक-निजी गाड़ियाँ धू-धू करके जल रही थीं। क्रोधित भीड़ 'मुखिया जी अमर रहें' का नारा बार-बार लगा रही थी। इस दृश्य को लोमहर्षक किसी भी तरह से नहीं कहा जा सकता था। वरिष्ठ पत्रकारों का एक दल इस हत्या के सामाजिक परिणामों पर उलझ गया था। ऋषभ मन ही मन सोचता गया, 'यह कौन मुखिया था इस शहर का जिसे वह अब तक नहीं जान पाया था? अरूप ने भी तो कभी कुछ नहीं कहा।' तभी टी.वी. पर पत्रकार ने उस नाम का खुलासा किया, ''हम दर्शकों को बता दें कि बिहार के एक शहर में रणसेना के संस्थापक अध्यक्ष जीवेश्वर मुखिया को आज तड़के ही कुछ बदमाशों ने गोली मारकर हत्या कर दी। जीवेश्वर सिंह उनहत्तर साल के थे। उनकी हत्या के बाद शहर प्रतिशोध के भाव में जल रहा है। कई सरकारी-ग़ैर सरकारी गाड़ियों को उत्पाती भीड़ ने आग के हवाले कर दिया है। भीड़ बेकाबू हो चुकी है। राज्य के मुख्यमंत्री ने इस हत्या की निन्दा की है और लोगों से संयम बरतने की अपील की है। हम दर्शकों को बता दें

कि पुलिस डी.जी.पी. शहर में बस कुछ ही देर में पहुँचने वाले है।'' ऋषभ टी.वी. स्क्रीन पर अपना मुँह धँसाए सब कुछ देखता-सुनता रहा।

जीवेश्वर मुखिया लगभग साल भर पहले लम्बी जेल-यात्रा से लौटे थे। उनके जेल जाने की वजह 'रणसेना' की स्थापना और संचालन था। यह तब की बात है जब राज्य में इस रणसेना की स्थापना से वर्षों पहले आई.पी.एफ. नाम से एक सशस्त्र वामपंथी सेना का गठन हुआ था। बाद में कई विचारधारात्मक और राजनीतिक दबावों से इसका लोकतंत्र में भरोसा जगा और वह 'माले' के नाम से जानी गयी। गरीब-गुरबों के समर्थन से कई बड़े ज़मींदारों के खेतों पर लाल झंडे लहराने लगे। ग़ैर मजरुआ भूमि भूमिहीनों की हुई, मज़दूरी और मेहनताने ज़ैसी चीज़ अब जाकर अस्तित्व में आयी—बेगार बन्द होने लगे। समाज में इससे कोलाहल फैलने लगा। सबसे ज़्यादा असर शहर पर नहीं बल्कि शहर के सौ किलोमीटर के रेडियस में रहने वाले ज़मींदारों पर पड़ा। फिर अक्सर अख़बारों में वर्ग-संघर्ष के क़िस्से छपने लगे जिसे कइयों ने जाति-संघर्ष के रूप में देखा। इस तनाव ने एक पृष्ठभूमि तैयार की और ज़मींदारों ने सामाजिक-आर्थिक न्याय के जवाब में एक स्थानीय फ़ौज खड़ी कर दी। कहना न होगा कि इस बेल्ट की शायद ही कोई ऐसी दबंग जाति थी जिसका समर्थन इसे नहीं मिला। सब शामिल थे। शहर इस फ़ौज को 'रण सेना' के नाम से जानने लगा। संघर्ष तेज़ हो गये। बेलरू नाम के गाँव में एक चिंगारी भी फूटी, फिर जल्दी ही बुझ गयी।

उसी समय शहर के इस कोलाहल से दूर एक दूसरे राज्य बंगाल के पुरूलिया में किसी पुष्पक विमान से आग्नेयास्त्रों का जखीरा गिर पड़ा। इन आग्नेयास्त्रों की तादाद इतनी ज़्यादा थी कि सैकड़ों ग्रामीणों द्वारा उन्हें लूट लेने के बावजूद भी भारत सरकार ने जितना ज़ब्त किया उसे गिनने में दो दिन लगे। देश उस पुष्पक विमान को अब एन्तोनोव एन-26 एयरक्राफ़्ट के नाम से जानता है। देश और दुनिया में हड़कम्प मच गया था। तब चौबीस गुने सात वाले मीडिया का ठीक से जन्म नहीं हुआ था फिर भी यह घटना अखिल भारतीय विस्फोट की तरह थी। फिर धीरे-धीरे इस घटना को देश भूलता गया पर यह शहर नहीं। यह शहर पुरूलिया को बहुत पास से जानता

है, इतने पास से कि कुछ शहरवाले दावे के साथ कह सकते हैं कि पड़ोस वाला शहर पटना नहीं पुरूलिया है।

लोग कहते हैं कि इस घटना के साल भर के भीतर ही गंगा उल्टी दिशा में बहने लगी। यह शहर गंगा के जिस घाट पर बसा है, शहरवाले उसे 'गांगी' कहते हैं। लोग कहते हैं कि सन् सत्तावन के बलवे के समय बाबू कुँवर सिंह इसी गांगी के किसी घाट को पार करते वक़्त घायल हो गये थे। अंग्रेज़ों की एक गोली उनकी बाँह में धँस गयी थी। ज़हर को फैलने से रोकने के लिए उन्होंने घायल बाँह काटकर गांगी को अर्पित कर दी—"ले गांगी...सँभाल।"

पर पुरूलिया के बाद लोगों ने देखा कि गंगा बनारस से चलकर इस शहर को छूते हुए बंगाल जाने की जगह बंगाल से बनारस बहने लगी। यह शहर तो दो राज्यों के बीच में उसी तरह स्थिर रहा पर गांगी की दिशा उलट चुकी थी। इसी गांगी के घाट पर जत्थे के जत्थे पुरूलिया में गिरे वो अजनबी किस्म के आग्नेयास्त्र उतरने लगे।

गंगा की उल्टी धारा के साथ-साथ ये आग्नेयास्त्र बनारस, देवरिया, गाजीपुर, गोरखपुर, आज़मगढ़ तक बहाये गये। तब इस शहर के कई तबकों ने कई कारणों से उसकी मुँहमाँगी रकम चुकाई और देखते-देखते ये आग्नेयास्त्र सामाजिक मान्यता के चिह्न बन गये। इस शहर में विदेशी बारूद की गंध बस फैलने ही वाली थी। शहर ने पहली बार गर्मियों में 'बड़ों' के निजी जलसों और सांस्कृतिक कार्यक्रमों में इन आग्नेयास्त्रों के फूटने की आवाज़ें भी सुनीं और इन आग्नेयास्त्रों के नाम थे सेमी ऑटोमेटिक, ए.के-47। ए.के-47 सोवियत यूनियन का अब तक का सबसे कारगर हथियार था। तब भी इस शहर के आस-पास वर्ग-संघर्ष थमने का नाम नहीं ले रहा था।

फिर वह दिन भी आया। शहर से साठ किलोमीटर दूर दक्षिण के इलाक़े को अरवल जिला कहा जाता है। उसी जिले में सोन नदी के किनारे दिसंबर की पहली तारीख आ गयी। जाड़े की ठिठुरती अँधेरी रात में वहाँ की दलित बस्तियों ने भी पहली बार उन हथियारों के ज़ोरदार धमाके सुने। ये धमाके इतने ताकतवर थे कि दुधमुँहे बच्चे डरकर अपनी माँओं की गोद में हमेशा के लिए सो गये। माँएँ भी बाद में हमेशा के लिए सुला दी गयीं उन बच्चों के

पिताओं और दादाओं के साथ। सब चिथड़े में लिपटे सो गये, बच्चे माँओं की गोद में, माँएँ आँगन में, बूढ़े खाट पर, जवान खेतों और रेतों में। उस रात जो जहाँ था दिन में वहीं पाया गया—बस साँसें बन्द थीं। दलितों की उस बजबजाती बस्ती को लक्ष्मणपुर-बाथे के नाम से जाना गया।

विदेशी पत्रकारों ने पूरी बस्ती और घरों का कोना-कोना छान मारा। कहीं रेशमी वस्त्रों का भंडार नहीं मिला, सोने-चाँदी की ईंटें कहीं नहीं दबी थीं, अनाजों वाले मृद्भांडों में छिपकलियाँ पायी गयीं। थककर बी.बी.सी. के पत्रकार ने अपनी हैरानी ज़ाहिर की, "ये भिखमंगे किस्म के लोग जिन्हें हिन्दुस्तान हज़ारों वर्षों से दलित कहता आ रहा है अचानक किसी के लिए ख़तरा कैसे बन गये?"

अगले ही दिन बी.बी.सी. समेत सभी राष्ट्रीय-अन्तरराष्ट्रीय ख़बरों में मुखिया और मुखिया की सेना सर्वकालिक दिलचस्पी का विषय बन गयी। शहर के दबंग जाति के कुछ बुद्धिजीवियों ने दबे मन से इसे 'ऐक्ट फ़ॉर बैलेंस' कहा। सरकारी आँकड़ों में मरनेवालों की संख्या अट्ठावन बतायी गयी। हालाँकि सब जानते थे कि सरकार को ठीक से गिनती नहीं आती, एक बार फिर वह गिनती में कच्ची निकली और सैकड़े में हुई हत्याओं को दहाई में दिखाकर अपना शोक संदेश दे डाला।

तब से लेकर आज तक लक्ष्मणपुर बाथे पर हज़ारों देशी-विदेशी रिपोर्टिंग हुईं, सैकड़ों शोध-प्रबंध लिखे गये, दर्जनों किताबें छपीं लेकिन सब मिलकर भी मुखिया और मुखिया की सेना का घंटा नहीं कुछ उखाड़ पायीं। हाँ, रणसेना की गतिविधि कुछ समय के लिए मंथर हो गयी, लेकिन वर्ग-संघर्ष जैसी कोई चीज़ अगर इस इलाक़े में थी, और जहाँ जिस हालत में थी, रुक गयी, हमेशा के लिए।

पर इच्छाशक्ति नाम की भी एक चीज़ होती है। जल्दी ही देश और राज्य की राजनीतिक इच्छाशक्ति से सेना की गतिविधियाँ एक बार फिर बढ़ गयीं। अंडरग्राउण्ड हो चुके मुखिया ने सेना की कमान एक बार फिर सँभाली। सेना के सैनिकों के लिए भावुक शहर ने चंदा भी दिया पर जिस बीमारी के लिए फ़ौज पुनः तैयार हुई थी वह बीमारी ही खत्म हो चुकी थी। सेना अप्रासंगिक

होने लगी। कुछ वर्षों बाद राज्य की भीतरी राजनीति में कई उलटफेर हुए और बड़े नाटकीय ढंग से मुखिया को गिरफ़्तार कर लिया गया। अदालत ने फाँसी की सज़ा सुनायी।

पर कहते हैं कि मनुष्य और राजनीति इन दोनों की कोई पूर्व परिभाषा नहीं, कोई पूर्व व्याख्या नहीं। अन्त-अन्त तक पता नहीं चलता कि विपरीत स्थिति में दोनों कौन-सा क़दम उठाने जायेंगे? कुछ वर्षों बाद राज्य की राजनीति और सरकार दोनों बदल गये। राज्य सरकार ने मुखिया के गिरते स्वास्थ्य, बढ़ती उम्र एवं जेल में सदाचार अपनाए जाने की ठोस वजहों से फाँसी की सज़ा को रिहाई में तब्दील कर दिया। इस विपरीत परिस्थिति में शहर के लोगों ने मुखिया का नया अवतार देखा। जेल-यात्रा के बाद मुखिया अब अक्सर दार्शनिक भाव लिये गुमसुम से रहते थे। उनका अचानक हृदय परिवर्तन हो गया था। कुछ लोगों ने अपने कानों से उन्हें यह कहते हुए सुना—"हिंसा का जवाब हिंसा नहीं है।" बस इतना सुनना था कि शहर के पुराने राजनेता सदमे में चले गये। मुखिया के इस हृदय परिवर्तन से राजनीतिक अखाड़े के पुराने पहलवान लंगोट कसने लगे। कइयों की परेशानियाँ यकायक बढ़ गयीं।

ऋषभ टी.वी. पर आँखें गड़ाए देर तक जलते हुए शहर को देखता रहा। भीड़ उग्र से उग्र होती जा रही थी, आधा शहर धू-धू करके जल रहा था। 'मुखिया जी अमर रहें' के नारे मानो अब पड़ोस से आ रहे हों। किसी राष्ट्रीय चैनल का टी.वी एंकर एक ही फ़ुटेज बार-बार दिखा रहा था जिसमें राष्ट्रीय चैनलों के पत्रकारों पर धड़ाधड़ थप्पड़ पड़ रहे थे—"साले मुखिया जी के नाम पर खाली लक्ष्मणपुर-बाथे याद आता है।" ऋषभ देख रहा था किस तरह उग्र भीड़ ने राज्य के डी.जी.पी. को कॉलर से पकड़ लिया। एक स्थानीय विधायक का भीड़ ने सिर फोड़ दिया है। एक और विधायक को भीड़ ने टाँग लिया है और उसे काट कर कुएँ में डालने की बात हो रही है। सुरक्षा कारणों से बिहार के किसी भी मंत्री को इस शहर में आने से रोक दिया गया। दबंग जातियों के मंत्री बेचारे छटपटाकर रह गये।

भीड़ जितनी हड़बड़ी में ऊधम मचा रही थी उससे कहीं दुगनी हड़बड़ी से टी.वी. का एंकर अपने न्यूज़रूम में ऊधम मचाए हुए था, उसके शब्द आपस

में उलझ रहे थे। ऐसा दृश्य ऋषभ ने अपने होश में पहली बार देखा था। ब्रेक के बाद चैनल का पत्रकार फिर हाज़िर हुआ, कुछ नए दृश्यों के साथ। मुखिया के क्रुद्ध अनुयायी शहर के अंबेडकर छात्रावास का गेट तोड़ रहे हैं। कैमरा जब 'ज़ूम' हुआ तो छात्रावास के भीतर बेतहाशा भागते-दौड़ते दलित छात्रों की टोलियाँ दिखीं। चारों तरफ़ अफ़रातफ़री का माहौल था। कई छात्र छात्रावास की छत पर चढ़कर डर के मारे चीख रहे थे, कुछ भीड़ की तरफ़ हाथ जोड़े रो रहे थे, कुछ तो हॉस्टल के पीछे खेतों की ओर छलांग लगाते दिखे। पता नहीं क्या हुआ होगा उनका?

अब टी.वी. एंकर बार-बार संकेत कर रहा है कि इस हत्या के पीछे राजनीतिक प्रतिशोध की पूरी गुंजाइश है। 'रणसेना' और 'माले' के पुराने संघर्ष को एंकर ने याद किया और कहा कि एक बार फिर वही संघर्ष सतह पर आ रहा है। "माले में ज़्यादातर निचली जातियाँ शामिल हैं, संभवतः बहुत सोच-समझकर भीड़ ने अंबेडकर छात्रावास पर हमला किया है।" अब छात्रावास का गेट टूट चुका था। फिर, चीख-पुकारें, अफ़रातफ़री, आँसू और लाठियाँ। इसी बीच किसी ने कैमरे पर लाठी दे मारी। सारा दृश्य ओझल हो गया, पर कैमरे से निकलती अजीब तरह की चीखें टी.वी पर सुनी जा सकती थीं। एंकर उखड़ी हुई साँसों के साथ बड़बड़ाता रहा, ऋषभ ने चैनल बदल दिया।

ऋषभ के दिमाग में अंबेडकर छात्रावास अब भी नाच रहा था। उसी छात्रावास के पीछे की दीवार से वीर कुँवर सिंह विश्वविद्यालय का अहाता शुरू होता है। कुँवर सिंह ने सत्तावन के बलवे में अपनी एक बाँह खोयी थी पर आज़ादी के पैंसठ साल बाद यहाँ के दलित छात्र अपने हाथ, पैर, पीठ, कमर, कन्धे, सिर एक-एक करके खो रहे थे।

दूसरे स्थानीय चैनल पर ऋषभ को मुखिया का शोक-संतप्त परिवार दिखाई दे रहा है। सिसकियाँ चारों ओर फैली हैं। इसी बीच कोई बूढ़ा कैमरे से मुखातिब होता है—"सुबह-सुबह टहलने का आदत था मुखिया जी को।...चाय भी नहीं पिए थे। बोले कि टहल कर आते हैं तब पिएँगे। हम तो कुछ नहीं देखे पर लोग बताया कि काला मोटरसाइकिल पर दूगो लौंडा बैठा था। उ लोग पहले पड़नाम (प्रणाम) किया फिर गोली मार कर भाग गया।" फिर कुछ और

लोग कैमरे में दिखे, लगातार चीख रहे थे। इसी बीच टी.वी. स्क्रीन पर राज्य के एक केन्द्रीय मंत्री का बयान आया, ''मुखिया जी महात्मा गाँधी के नये अवतार थे।'' ऋषभ इस बयान पर पहले चौंका फिर अपने जबड़े कस लिये।

कुछ लोगों का मानना था कि जिस तरह से नाथूराम गोडसे ने गाँधी जी को प्रणाम किया फिर गोली मारी लगभग उसी 'पैटर्न' पर मुखिया जी की हत्या हुई थी। गाँधी जी ने गोली लगने के बाद 'हे राम' कहा था। पर जीवेश्वर मुखिया ने क्या कहा, अभी तक पता नहीं चला। पता भी कैसे चलता, टी.वी. बन्द हो गया था, ऋषभ कमरे में अँधेरा करके औंधे मुँह लेट गया। गुमसुम। शहर जलता रहा, ऋषभ सोता रहा।

जब उसकी आँख खुली तो रात ढल चुकी थी। उसने बत्ती जलाई और प्रिंसिपल महावीर जैन को कॉल करने लगा। प्रिंसिपल साहब ने सूचना दी कि स्कूल अगले एक सप्ताह के लिए बन्द रखने का फ़ैसला लिया गया है, साथ ही उन्होंने अगले दो दिन तक ऋषभ को बाहर न निकलने की सख़्त हिदायत दी। महावीर जैन की बातचीत हमेशा आदेशात्मक और औपचारिक होती है फिर भी ऋषभ उन्हें खूब पसन्द करता है। मुस्कुरा कर उसने प्रिंसिपल साहब को कहा, ''ठीक है सर, नहीं निकलूँगा बाहर, आप चिन्ता न करें... धन्यवाद।''

कुछ खा-पीकर ऋषभ टी.वी. खोलने की जगह किताब खोलकर बैठ गया। पढ़ते हुए कुछ वक़्त निकल गया तब उसने अपनी गर्दन की अकड़ ढीली की और सिर को दाएँ-बाएँ घुमाने लगा। वह मार्खेज़ की लेखन कला पर मुग्ध था। *लव इन द टाइम ऑफ़ कॉलरा* अद्‌भुत रचना है। आधी वह पढ़ चुका है, आधी आज रात में पढ़ लेगा। उसने सिर को एक बार फिर घुमाया और उसकी नज़र शेल्फ़ में पड़ी उस डायरी पर पड़ गयी—''ऋषभ माने बैल, ऋषभ तुम बैल हो।'' उसके हाथ अनजाने में डायरी तक पहुँचे और डायरी टेबल पर आ गयी। उसने एक बार फिर डायरी पर हाथ फेरने शुरू किये तो मन ने उसे याद कर लिया—''तन्वी, तुम कहाँ हो ?'' तब उसकी दाहिनी आँख के कोर में पानी की बूँदें उग आयीं।

बहुत देर बाद वह फिर उठा और खाना खाकर वापस कुर्सी पर बैठ गया। मार्खेज़ उसका ही इन्तज़ार कर रहा था। वह पढ़ता गया। रात गहरी हो

गयी, तो दरवाज़े पर किसी ने हौले से दस्तक दी—"थप्प-थप्प।" ऋषभ चौंकना छोड़ चुका था, वह उठा, "कौन है?...एक मिनट।" दरवाज़ा खुला तो अरूप का सूखा हुआ चेहरा सामने था, वह झट से भीतर घुसा और खुद ही किवाड़ बन्द किया। कमरे का मौसम बदल गया।

वह बैठा भी नहीं, खड़े-खड़े बोला, "मुझे आज ही रात में शहर छोड़ना है ऋषभ।" बस इतना कहकर वह ऋषभ से लिपट गया और रोने लगा। रुलाई में सिसकियाँ नहीं थीं। वह फूट-फूट कर रो रहा था। ऋषभ सुन्न हो गया, 'क्या आफत आ गयी फिर इस पर?'

ऋषभ ने ही पूछा, "अब क्या हो गया?"

"मुखिया के मर्डर में छबीला का नाम आया है।"

"?"

"मुखिया के आदमी छबीला से पहले मुझे ढूँढ़ रहे हैं," बताते हुए अरूप काँपने लगा। उसके चेहरे पर खौफ़ की छाया दिखी। मामला खतरनाक मोड़ पर था। पता नहीं क्यों छबीला का नाम सुनकर ऋषभ के शरीर में आग लग गयी, बोला, "तो क्या ज़रूरत थी उस अपराधी को स्पेस देने की?" ऋषभ इस प्रकरण से आजिज़ आ चुका था। उसके खुद के माथे पर शिकन आ गयी। अरूप ने आँसू पोंछते हुए जवाब दिया, "भाई, मैं झूठ नहीं बोल रहा, हथियार रखने भर से कोई हत्यारा नहीं हो जाता।"

"पर परिस्थितियों का क्या? हथियार होगा तो चलेगा भी।"

अरूप ने आँखें मिचमिचा दीं। उसके पास जिरह के लिए बिल्कुल वक़्त नहीं था, कातर होकर बोला, "देख भाई, अब मैं किसी के बारे में गारन्टी से कुछ नहीं कह सकता। मुझे अपनी जान बचानी है।"

"छबीला है कहाँ?" ऋषभ अब भी सच जानने पर आमादा था।

"हफ्ता भर पहले मिला था, रो रहा था। बोला कि भइया जी हमको बचा लीजिए, हम कुछ नहीं किये हैं। मैंने कहा कि सरेंडर कर दो तो बिदक कर बोलने लगा कि भइया जी जब हम कुछो किये ही नहीं हैं तो जेल काहे जायें? भइया जी, सब लोग काहे हमरे ही पीछे पड़ा है? कहकर वह फिर रोने लगा।"

ऋषभ को रत्तीभर भी भरोसा नहीं हुआ, उसने अरूप पर फिर बाण

चलाया, "ये सब बताकर क्या साबित करना चाहते हो अरूप?"

अरूप सवाल बर्दाश्त नहीं कर पाया, टूट कर जैसे बिखर गया—"भाई रे माफ़ कर...हम कह ही रहे हैं कि हम अब किसी की गारन्टी लेने लायक नहीं बचे हैं।" अरूप ने ऋषभ के आगे हाथ जोड़ दिये। ऋषभ हड़बड़ाकर पीछे हट गया। दोनों सिर ज़मीन निहारने लगे।

"अब?" ऋषभ ने गम्भीर होकर पूछा। इस 'अब' के सवाल ने अरूप को फिर रुला दिया। उसकी साँसें चढ़ने लगीं। आँसुओं में डूबी हुई आँखें और काँपते हुए सूखे शरीर के साथ वह लड़खड़ाते हुए बोला, "भाई...लगता है छबीलवा के साथ-साथ हमको भी आयरन देवी का शाप लग गया है।" तभी दरवाज़े पर 'खट्' की आवाज़ हुई, अरूप की साँसें खौफ से टँग गयीं। पर कुछ नहीं बिल्ली थी। दोनों की साँस में साँस लौटी। बहुत पहले अरूप ने ही बताया था कि डर इस शहर का स्थायी भाव है। लोग या तो डर कर जीते हैं या फिर डरा कर। यह बात कहते वक़्त अरूप बिल्कुल निडर दिखा था। पर आज हालात बदल गये हैं।

अरूप जाने की हड़बड़ी करने लगा, उसने ऋषभ की टँगी शर्ट को अपने उसी पुराने झोले में बिना पूछे ही ठूँस लिया और बोला, "यहाँ तुमको दर्शन देने नहीं आये हैं, पैसा चाहिए, जो भी है दे दो।" उसके पूरे कथन में निर्लिप्तता थी। ऋषभ पर तब तक स्थितियों का गहरा असर हो चुका था। उसने झट से पर्स निकाला, "साढ़े तीन सौ ही हैं।"

"इससे क्या होगा?"

पहली बार ऐसा हुआ कि पर्स में कम पैसे रखने पर ऋषभ को शर्मिंदगी हुई, वो भी तब जब अरूप माँग रहा हो। एकबारगी उसका भरोसा खो चुका था। उसने तुरन्त अपने बाएँ हाथ की सोने की अँगूठी निकाल ली और अरूप की ओर बढ़ा दी, "दो हज़ार से कम की नहीं, इसे रख लो।"

अरूप भन्ना गया, "बेचने का टाइम कहाँ है, बस तीन सौ ही दे दो, जल्दी करो।"

पैसे जेब में भरकर अरूप ने दरवाज़े को पहले हल्का-सा खोला, फिर मुंडी निकालकर आस-पास झाँकने लगा, रास्ता साफ़ था। वह मुड़ा और एक

बार फिर ऋषभ से लिपटकर रोने-रोने को हुआ। पर वक़्त नहीं था। अपनी साँसें संयत करके बस इतना ही बोल पाया, "आज हम राजपूत, भूमिहार या यादव होते तो देखते कि कौन साला हमको हाथ लगा लेता...हम श्रीवास्तव हैं इसीलिए न सब हमको सप्तभंगिन्याय के लिए ढूँढ रहे हैं।" यह बात सहमे हुए स्वर में निकाली फिर वह तेज़ क़दमों के साथ अँधेरे में गुम हो गया। पर जाते-जाते अरूप ऋषभ को एक अजीब पेसोपेश में डाल गया। क्या पेशे की मज़बूती जातियाँ तय करती हैं? पहली बार ऋषभ को अरूप की जाति का भी पता चला। सप्तभंगिन्याय अरूप का 'पसन्दीदा' शब्द था। जब कोई बलवान किसी कमज़ोर के दोनों पैर, दोनों हाथ, कूल्हा, गला और सिर सातों तोड़ दे तो उसे वह सप्तभंगिन्याय कहता था। अरूप चला गया पर ऋषभ के हिस्से में ढेरों सवाल और खालीपन छोड़ गया। छबीला प्रकरण पर शायद उसका 'विरेचन' हो रहा था।

ऋषभ देर तक मार्खेज़ को किनारे रखकर सोचता रहा। एक बार फिर वह कहीं नहीं था, शून्य में भी नहीं। उसके दिमाग में बहुत सारी चीज़ें थीं पर मौजूदगी एक की भी नहीं थी। रात गहराती गयी।

अब वह सोने की तैयारी ही कर रहा था कि दरवाज़े को आँधियों ने धड़धड़ाना शुरू कर दिया। उसे हैरानी हुई कि 'मौसम तो साफ़ ही था आज'। वह उठा कि दरवाज़ा धड़धड़ाकर टूटने जैसा हो गया। जब तक वह खड़ा हुआ दरवाज़ा "भड़ाक्" की तगड़ी आवाज़ के साथ टूट गया और लोहे की कुंडी उखड़ कर फ़र्श पर नाचने लगी। कई आँधियाँ सशरीर कमरे में घुस गयीं। ऋषभ के कुछ सोचने से पहले ही किसी भीमकाय का पंजा उसके गले से चिपक गया। "कहाँ है रे भोंसड़ीका अरूपवा.....बोल?" ऋषभ की आँखें बाहर की ओर निकलती चली गयीं। उसकी साँसें थमने लगीं। 'गोंगों' की आवाज़ के साथ बस इतना ही बोला, "मुं.. हे क्य..पत?" फिर कमरे में चक्रवात ने अपना तांडव शुरू किया। कुर्सी, टेबल, किताबें, शेल्फ, बिस्तर, सभी चीज़ें एक-एक करके उड़ने लगीं। पलक झपकते ही चक्रवात थमा पर ऋषभ का गला वैसे ही उस पंजे में झूल रहा था। पंजेबाज़ ने ऋषभ की खौफ़जदा आँखों में अपनी आँखें गड़ा दीं और अपनी फँसी हुई आवाज़ में

बोला, "मिले तो बोल देना, माधड़चो...को, उसका अउर छबिलवा का पिंडदान कर दिये हैं हम लोग, अब मुक्ति लेने में काहे देरी कर रहा है?" फिर उस पंजेबाज़ ने ऋषभ को पीछे की ओर उड़ा कर फेंक दिया। ऋषभ का सिर दीवार से टकराया और वह फ़र्श पर बेसुध होकर गिर पड़ा।

इस शहर के नास्तिक-फास्तिक

बतप्रपंची : *'वेद प्रामाणिक नहीं हैं। आत्मा अनश्वर है पर ईश्वर नहीं है।'*

अगली सुबह जब ऋषभ की आँख खुली तब वह फ़र्श पर नहीं बल्कि अपने कमरे के बिस्तर पर पड़ा था। उसके सिर का पिछला हिस्सा दर्द से फटा जा रहा था। उसने अपनी आँखों के सामने एक बच्चे को पाया जो अपनी फटी हुईं आँखों से ऋषभ को ही घूर रहा था। ऋषभ की चेतना लौटने लगी। टेबल, कुर्सियाँ, किताबें, कपड़े, बुक-शेल्फ जो रात के चक्रवात में अपनी जगह से उखड़ गयी थीं उन्हें ज्यों का त्यों सजाने की किसी ने असफल कोशिश की थी। ऋषभ के बिस्तर के ठीक सामने एक आदमी कुर्सी पर बैठा अख़बार पढ़ रहा था। कोई औरत अपनी चूड़ियाँ बजाते हुए ऋषभ की रसोई में कुछ पका रही थी। मेथी, घी, हींग और तेजपत्ते की खुशबू से कमरा भर गया था।

आँखें फाड़े हुए ही वह बच्चा धीरे-धीरे ऋषभ के करीब आ गया और अपनी नन्ही उँगलियों से ऋषभ की कलाई खुरचने लगा। यह वही स्कूली बच्चा था जो रोज़ कोहराम मचाने के बाद ही स्कूल-कैब में धक्के के साथ बैठाया जाता था। ऋषभ ने उसकी नन्ही उँगलियों को पकड़ लिया, बच्चा डर कर चिल्लाया, "पापा होऽऽ...इ ज़िन्दा हो गईल।" हड़बड़ाकर बच्चे के पिता ने अख़बार मोड़ते हुए बच्चे को ही ज़ोर से डाँटा, "भाग ससुरा...ऐसे बोलते हैं जी....यही सीखता है स्कूल में?" अपने बच्चे से शर्मिन्दा हुआ पिता ऋषभ की ओर मुड़ा और उसके माथे पर अपनी हथेली रख दी, "ऽऽ...कैसे हैं रीसभ जी?...बुखार तो है नहीं।" आदमी कुछ-कुछ निश्चिन्त हुआ।

ऋषभ कुछ नहीं बोला। पिता से डाँट खाकर चुप हुए उस बच्चे की नन्ही गर्म उँगलियाँ अब भी ऋषभ के हाथ में फँसी थीं। ऋषभ ने उसकी उँगलियां छोड़ कर उसके गाल छू दिये और मुस्कुराते हुए पूछा, "आज स्कूल

नहीं गया?" बच्चे की आँखें चमक उठीं। किसी छुपी खुशी के मारे इतराते हुए बोला, "हें, स्कूले (स्कूल) बन्द हो गया।" ऋषभ को हँसी आ गयी। कोई तो है इस शहर में जो जी जान से खुश है। ऋषभ ने बच्चे को उसी की आवाज़ में कहा, "हें, मेरा भी बन्द हो गया।" दोनों मुस्कुराने लगे।

रसोईघर में बच्चे की माँ जान गयी कि ऋषभ जग गया है। वह बड़बड़ाते हुए रात में आये उन दर्जन भर चक्रवातों को गालियाँ परोसने लगी। बच्चे के पिता ने उसे भी डाँटा, "अब चुप हो जा।"

फिर औरत माथे पर घूँघट डाले चाय लेकर आयी और टेबल पर रख दी। अपना आँचल सँभालते हुए ऋषभ से बोली, "नाश्ता-खाना सब बना दिये हैं...टाइम से खा लीजिएगा," और बच्चे का हाथ पकड़कर कमरे से बाहर चली गयी। जाते वक़्त वह बच्चा मुड़ कर ऋषभ को ही देख रहा था।

कमरे में चुप्पी पसर गयी। ऋषभ चाय पीने लगा और बच्चे का पिता फ़र्श पर निगाह टिकाए कुछ सोचने लगा। तभी सीढ़ियों पर खटर-पटर की आवाज़ आनी शुरू हो गयी। यह बच्चे की दादी थी जो लाठी टेकते हुए कमरे में दाखिल हो गयी। उसकी सीढ़ियाँ चढ़ने से साँसें उखड़ रही थीं। बच्चे का पिता नाराज़ हो गया, "अब तुम का करे आयी हो माई..?" पर दादी का शरीर ज़र्जर था, आवाज़ नहीं, उल्टे बच्चे के पिता को ही डाँट दिया, "अरे चुप कर....तू का जाने माई का मन...।" बूढ़ी दादी काँपते पैरों से ऋषभ के बिस्तर तक आ गयी। "करमकूट, दाढ़ीजार सब। बारह जना मिल के लइका के मारे आइल रहन सब, मऊगा (नामर्द) सब," कहकर उस दादी ने अपने झुर्रियों से लदे दोनों हाथों को ऋषभ की ओर बढ़ा दिया। झुर्रीदार हाथ ऋषभ के शरीर को टटोल-टटोलकर ज़ख्म तलाशने लगे। दादी के हाथ जब निश्चिन्त हो गये कि शरीर पर कहीं गहरा ज़ख्म नहीं है तो वे सिर की ओर बढ़ गये। ऋषभ के सिर में ही नहीं बल्कि उसकी पूरी क्षत-विक्षत आत्मा में एक मखमली एहसास भरने लगा। उसकी आँखें भर आयीं। ये आँसू छुप नहीं पाये और टपकने लगे।

बच्चे का पिता ऋषभ की सकुचाती आँखों को पढ़ गया, बोला, "माई अब जा तू।" उसकी माई कुछ नहीं बोली, बस अपने आँचल में कुछ ढूँढने

लगी। उसके आँचल के कोर में कुछ बँधा हुआ था। काँपते हाथों से उस माई ने उस छोटी गठरी को खोला और ऋषभ की हथेली खोलकर उसमें अपना आँचल पलट दिया। ऋषभ की हथेली में मीठे चावल के दाने प्रसाद बनकर गिरने लगे। उस माई ने ऋषभ के ललाट को एक बार फिर सहला दिया। फिर बिना कुछ कहे लाठी टेकती हुई चली गयी। सीढ़ियाँ उतरते वक़्त फिर खटर-पटर की आवाज़ हुई और धीरे-धीरे सब शान्त हो गया।

बच्चे का पिता अब जाकर कुर्सी पर से उठा। वह काफ़ी देर से कुछ कहना चाहता था। खड़े होकर उसने पहले कमरे की खिड़की खोल दी, फिर गम्भीर होकर बोला, "हम लोगों को जब पता चला तब तक उ भोंसड़ीवाला सब भाग चुका था, मतलब कि जैसे ही यहाँ हुड़दंग शुरू हुआ तब लगा कि सब डकैत हैं। जब कुर्सी-टेबल टूटने जैसा आवाज़ हुआ तब लग गया कुछ और बात है। इधर से हम लोग चार-पाँच आदमी चढ़े तब तक उ लोग उधर का सीढ़ी फाँद कर गायब हो गया। हम तो हवा में फ़ायर करना चाह रहे थे कि पड़ोसी मधुबन बाबू हमको रोक दिये।" अन्तिम वाक्य कहते हुए बच्चे के पिता ने अपनी शर्ट को पेट तक उठा दिया। बच्चे के पिता की कमर में बँधी स्टील जैसी कोई सख़्त चीज़ चमक उठी। ऋषभ की जगह इस शहर का कोई भी शख्स होता तो बता देता कि यह सख़्त चीज़ 'नाइन एम.एम माउज़र' के नाम से जानी जाती है। यह महँगा विदेशी हथियार था और इसे पास रखने वाले को इस पर उतना ही भरोसा रहता था जितना कि 'शोले' फ़िल्म में जय और वीरू को आपस में था।

बहरहाल, बच्चे के पिता ने अपनी शर्ट ठीक की और लम्बी साँस छोड़ दी। वह अब बाहर जाने की तैयारी में था। जाने से पहले उसने ऋषभ को सम्बोधित किया, "रीसभ जी...ज़रूरत पड़े तो हम एनी टाइम हाज़िर हैं, बस फ़ोन घुमा दीजिएगा।" बच्चे का पिता दरवाज़े तक पहुँचकर फिर मुड़ा, कुछ सोचा, तब बोला, "फर्स्ट टाइम इ मोहल्ला में ऐसा हुआ है, पूरा मोहल्ला आपके साथ है। बूढ़ा, बच्चा, अउरत सब लोग खौल गया है। आप जैन हैं तो का हुआ, कोई भी कुछ भी कर लेगा? इ अब मोहल्ला का नाक का सवाल है।" सीढ़ियों पर धबधब की आवाज़ के साथ बच्चे का पिता चला गया।

बच्चे का पिता तो चला गया पर उसकी कही अन्तिम बातें ऋषभ को चुभ गयीं। पिटा वह और मोहल्ले की नाक सूज गयी?

उसने सोचा भी न था कि लोग इस हादसे को भला इस तरह से देख रहे हैं? हद है! यह शहर न जाने कैसे सोचता है? पलक झपकते ही निर्बल को सबल और सबल को निर्बल बना देता है? अजीब जादूगर है यह शहर? ऋषभ की हथेली पर मीठे चावल के छोटे-छोटे दाने पसीजने लगे। मुट्ठी खोलकर उसने उन दानों को देखा तो बूढ़ी माई का चेहरा याद आ गया। इतनी देर में उसे आभास ही नहीं हुआ था कि उसके माथे का दर्द अब गायब था। बूढ़ी माई भी जादूगर है? उसने चावल के उन दानों को बड़े जतन से प्लेट में रखा और फुर्ती के साथ गुसलखाने में घुस गया।

वह कमोड पर बैठा तो खिड़की से उस बूढ़ी माई के गीत गाने की आवाज़ आ रही थी। बीच-बीच में उठती स्कूली बच्चे की उन्मुक्त हँसी ऋषभ के कान सहलाने लगी। बैठे-बैठे ही उसने खिड़की को ज़रा-सा आगे की ओर सरका दिया। दृश्य साफ़ था। बूढ़ी माई झुर्रीदार हाथों से तालियाँ बजा-बजाकर गा रही थी। माई ने उस बच्चे के पैरों में शायद घुँघरुओं वाली पायल बाँध दी थी। बच्चा पैर पटक-पटक कर माई के गीत पर नाच रहा था। उसके दोनों हाथ कमर पर थे और चेहरे से मोती झर रहे थे। 'स्कूल कितने खराब होते हैं?' ऋषभ ने सोचा और भूमंडल की सारी हवा खींचकर उसने अपने पेट में भर ली। फिर वह मुस्कुराते हुए ध्यानमग्न हो गया।

शाम को प्रिंसिपल ऑफ़िस में महावीर जैन ऋषभ का ही इन्तज़ार कर रहे थे। शहर में आगजनी पर तो काबू पाया जा चुका था पर आसमान में उठते बीते कल के धुएँ और लोगों के भीतरी कोलाहल को कोई ईश्वरीय शक्ति ही नियन्त्रित कर सकती थी। वैसे इस शहर का अब कोई ईश्वर नहीं था। फिर भी डरते हुए जीवन शहर की पटरी पर लौटने की कोशिश कर रहा था। एक कोशिश प्रिंसिपल ऑफ़िस में भी होने लगी। ऋषभ अपने शहर लौटना चाहता था, हमेशा के लिए। महावीर जैन देर तक बौखलाए ऋषभ की जिरह सुनते रहे। ऋषभ ने इस शहर के बारे में एक बार फिर वही राय रखी जो मैकाले की हिन्दुतानियों के बारे में थी। मैकाले और ऋषभ में बस इतना ही अन्तर

था कि ऋषभ ने मैकाले की तरह 'व्हाइट मैन्स बर्डेन' की भूमिका अपनाने से इनकार करते हुए इस देश (शहर) को सभ्य बनाने की कोई नैतिक ज़िम्मेदारी नहीं ली। उल्टे उसने कह डाला कि यह सड़ा हुआ शहर उसे अब बर्दाश्त नहीं।

उसकी बातें सुनते-सुनते अचानक प्रिंसिपल साहब उठे और कई खिड़कियों वाले अपने इस ऑफ़िस की सबसे बड़ी खिड़की खोल दी। खिड़की से आसमान में कुछ दूर धुएँ का एक गोला दिख रहा था। उस काले गोल धुएँ का सम्बन्ध कल की घटना से था। धुएँ की नाभि से निकला हुआ नाल शहर के उस हिस्से की धरती को छू रहा था जिधर कल हत्या हुई थी।

महावीर जैन ने एक गहरी साँस ली और बोले, "ऋषभ...देश वही है जहाँ जीविका हो...'सदेशो यत्र जीव्यते'।" यह महाभारत की कोई पंक्ति थी। प्रिंसिपल साहब की आँखें अभी भी काले धुएँ के उस गोले पर फँसी थीं। वे ऋषभ की ओर मुड़े और अपनी साँस खीचकर बोले, "चीज़ें....कमोबेश हर जगह वैसी ही हो रही हैं अब।" वे खिड़की से वापस आकर फिर अपनी कुर्सी पर बैठ गये। उनकी नज़र अब टेबल पर रखे काँच के गोल पेपर-वेट पर टिक गयीं। प्रिंसिपल साहब ने उस गोले को मुट्ठी में भर लिया और उसकी तली में झाँकने लगे। मानो सत्य कब से यहीं छुपा था और जिसे उन्होंने अभी-अभी खोज लिया हो।

ऋषभ जब प्रिंसिपल ऑफ़िस से बाहर आया तब तक उसका माथा मथा जा चुका था। महावीर जैन ने उसका इस्तीफ़ा फाड़कर टोकरी में फेंक दिया था और ऋषभ के सम्यक् चरित्र के पुनःनिर्माण हेतु पन्द्रह दिन की छुट्टी दे डाली थी। साथ में उन्होंने यह भी सूचना दी थी कि ऋषभ के पिता से उनकी बात हुई है और ऋषभ चाहे तो तीन महीने की अग्रिम तनख्वाह अपने पिता के इलाज के लिए एकमुश्त ले सकता है। ऊपर से असफल ऋषभ जब प्रिंसिपल ऑफ़िस से जाने को हुआ तो प्रिंसिपल साहब ने उसे पकड़कर उसके मगज़ में एक श्लोक ठूँस दिया—

हंसः श्वेतो बकः श्वेतो को भेदो बकहंसयोः।
नीरक्षीरविवेके तु हंसो हंसो बको बकः॥

अर्थात् हंस सफ़ेद होता है, बगुला भी सफ़ेद होता है—रंग की दृष्टि से

दोनों में कोई भेद नहीं। किन्तु नीरक्षीर के विवेक में हंस समर्थ होता है, बगुला नहीं। तभी तय हो जाता है कि हंस हंस ही है और बगुला बगुला।'' प्रतिक्रिया में ऋषभ कबूतर की तरह फड़फड़ाकर रह गया, उसके मन में आया कि बोल दे, ''वो दिन अब गये बुढ़ऊ।'' पर वह कुछ नहीं बोला, बस अपने गुस्से का आभास कराकर बाहर निकल गया। 'बको बक:' की बक-बक से उसके मन में प्रिंसिपल के लिए जो धारधार शब्द खदबदा रहे थे वे उसके लिए भी नये थे और इसी शहर की माटी के थे।

वह रात मानव-जीवन के इतिहास की सबसे लम्बी रात थी, ऋषभ के लिए। उसने अपना ज़रूरी सामान एयर बैग में ठूंस लिया था। इस शहर से उसके शहर जाने वाली ट्रेन अगली सुबह थी, ठीक नौ बजकर बारह मिनट पर। उसे कोफ़्त इस बात की थी कि उसे फिर यहीं लौटना है। उफ़्फ़...कहकर वह करवट बदलता है। पर इससे भी चैन नहीं। उसे बायीं करवट में तन्वी दिखायी देती है, दायीं करवट में अरूप संग छबीला। वह पीठ के बल सोता है तो सफ़ेद छत तोड़ती हुई दर्जन भर आँधियाँ कमरे में घुस जाती हैं। इस बार वह पेट के बल सोया। उसे लगा कि बूढ़ी माई उसके ज़ख्मों को टटोल रही है। फिर वह पेट के बल ही सोता रहा, सुबह होने तक।

स्टेशन के पास वह रिक्शे से उतरा तो आस-पास पहले वाली गहमागहमी नदारद थी। पर कुछ लोग थे वहाँ। ज़्यादातर दुकानें बन्द थीं। बन्द दुकानों के कई दरवाज़े टूटे-फूटे से दिखे। कइयों के लोहे के शटर बीच से फटे पड़े थे। विजय प्रसाद चायवाले की दुकान गायब थी। वहाँ मलबा और कूड़ा फेंका जा रहा था। कैसा उपद्रव रहा होगा वह? बस दातुन बेचनेवाले ही साहसी थे जो बोरियाँ बिछाकर चुपचाप दातुन बेचने में लगे थे। आसमान का रंग साफ़ था और सूरज चमक रहा था। आस-पास की सड़कों की सफ़ाई हो चुकी थी।

वह सीधे प्लेटफ़ार्म नम्बर एक के वेटिंग रूम में घुसा। लोग थे वहाँ। कुछ गरीब किस्म के मुसाफ़िर कुर्सियों की जगह ज़मीन पर बैठे हुए थे। शायद उन गरीब मुसाफ़िरों को आभास था कि यह ए.सी. फ़र्स्ट क्लास का वेटिंग रूम है, जहाँ सब 'अलाऊ' नहीं। उसने एक कुर्सी पर अपना बैग पटका और

दूसरी कुर्सी पर बैठ गया। मुसाफ़िरों ने अपनी एक नज़र ऋषभ पर फेरी और फिर सबकी नज़र दूसरी ओर घूम गयी। वहाँ के आकर्षण का केन्द्र छत्तीस इंच का टी.वी. था जिस पर भोजपुरी गाने अपना कहर बरपा रहे थे। सबकी नज़र उसी पर टिकी थी। टी.वी. को कोने के एक टूटे सरकारी टेबल पर सहेजकर टिकाया गया था। इस वेटिंग रूम में टी.वी. छोड़कर सारी चीज़ें मध्ययुगीन सी दिख रही थीं। टी.वी. का टेबल भी साबुत नहीं था। उसके केवल दो अपने पैर थे, शेष दो पैरों की जगह ईंटें सजाई गयी थीं। टेबल आधा अपने स्तभों पर और आधा ईंटों पर टिका था। भोजपुरी गीतों के बोल ऐसे थे जिनका अनुवाद बस रीतिकाल के आचार्य कवि ही कर सकते थे। ऋषभ झेंपने की जगह उठा और प्लेटफ़ार्म से कोई पत्रिका खरीदकर वापस आ गया। वह पन्ने पलटते हुए टी.वी. पर चलते सांस्कृतिक कार्यक्रमों की लगातार अवहेलना करता रहा। गाने के बोल और उस पर ठुमकती हुई प्रथुल हीरोइन दोनों जब मर्यादाभाव के चरम पर पहुँच गये तब ऋषभ को बर्दाश्त नहीं हुआ, वह फटा, "अरे यार, आवाज़ कम कर दो...या चैनल बदल दो।"

"रीमोट स्टेशन मास्टर के पास है।" यह आवाज़ भद्र मुसाफ़िरों में से ही किसी की थी जिसे ऋषभ का सुझाव बिल्कुल अच्छा नहीं लगा। ऋषभ खीझ कर उठा और टी.वी. का मेन स्विच बन्द कर दिया।

"हें...इ का किये?"

ऋषभ ने दाँत पीसते हुए कठोर आवाज़ निकाली, "मुझे दिक्कत हो रही है।"

"पर हमें नहीं।"

"टी.वी. नहीं चलेगा या फिर चैनल बदलो।"

"स्टेशन मास्टर यहाँ चैनल बदलने के लिए थोड़े ही नियुक्त हुए हैं।" भद्र मुसाफ़िर ने टिटकारी मार दी। सभी हँस पड़े। वे गरीब किस्म के मुसाफ़िर भी हँसे जो सहमे-सहमे से यहाँ टी.वी. देखने के लालच में बैठे थे। तभी किसी काम से स्टेशन मास्टर हाज़िर हुए। वेटिंग रूम के पासवाले कमरे में उन्हीं का ऑफ़िस था। तोंदियल स्टेशन मास्टर के हाज़िर होते ही उस भद्र मुसाफ़िर ने सिफ़ारिश की, "देखिए न सर ई साहेब टीबिए (टी.वी.) बन्द कर दिये।"

प्रत्युत्तर में स्टेशन मास्टर ने कुछ नहीं कहा, बस चश्मे के भीतर से एक निगाह ऋषभ पर डाली और टी.वी. चालू कर दिया। टी.वी. से भोजपुरी गानों के शब्द फड़फड़ाकर उड़ने लगे, ''चुम्मा दे द करेजऊ, जियरा लूट ल, दरदिया जान मारे, अगिया लागल बा, बथता...।'' स्टेशन मास्टर भी इन शब्दों को सँभाल नहीं पाये, हड़बड़ा गये, ''अरे...हम तो न्यूज़ चैनल लगाकर गये थे... ई साला...।'' फिर उन्होंने अपने काले कोट की जेब से पॉलीथिन में लिपटा रिमोट निकाला और एक न्यूज़ चैनल को टी.वी. स्क्रीन से चिपकाकर बाहर चले गये। टी.वी. की आवाज़ वैसे ही तेज़ बनी रही।

ऋषभ कुर्सी पर वापस आकर पत्रिका के पन्ने पलटने लगा। उसका चेहरा पत्रिका में ही धँसा रहा पर कानों में न्यूज़ चैनल की ख़बरें दनादन गिर रही थीं, यह न्यूज़ चैनल फटाफट फिफ्टी दिखा रहा था। देश और राज्य की श्रेष्ठ पचास ख़बरें, बस पाँच मिनट में। ऋषभ ने महसूस किया कि फटाफट पचास ख़बरें पढ़ने वाली आवाज़ कुछ सुनी-सुनी सी लगती है। उसने टी.वी. स्क्रीन की तरफ़ मुँह उठाया तो निराशा हुई, न्यूज़ एंकर गायब थी और ख़बरों की 'फुटेज' दिखायी जा रही थीं। फिर वह दिखी, वही थी—तन्वी। उसकी आँखें टी.वी. स्क्रीन पर 'फ्रीज' हो गयीं। उसके मन ने बिल्कुल नहीं कहा, ''तुम कहाँ थीं तन्वी, अब तक?'' बस वह देखता रहा।

तन्वी का शरीर कुछ भर आया था, आँखों में मोटा-मोटा काजल था और आँखें चमक रही थीं। चपटे गाल अब हल्की आँच में पके हुए पूए की तरह चिकने होकर फूल गये थे और लिबास 'एथनिक लुक' का था। यह राज्य का सबसे नामी न्यूज़ चैनल था। आख़िरकार वह वहाँ पहुँच ही गयी जहाँ चाहती थी। उसके पतले-पतले होंठों से एक-एक शब्द मोतियों की तरह टपक रहा था। ऋषभ उसके चमकीले मज़बूत दाँतों का पहले से ही दीवाना था। वह तन्वी को अक्सर छेड़ता था, ''राजू, तुम्हारे दाँत तो मोतियों जैसे चमक रहे हैं,'' तन्वी हँस कर जवाब देती थी, ''क्यों न हों मास्टर जी, मैं नीम की दातुन जो करती हूँ, रोज़, आधे घंटे।'' और तन्वी ऋषभ की कलाई पर अपने दाँत गड़ा देती थी। ऋषभ के ज़ख्म हरे हो गये, मानो उसकी कलाई में अब जाकर दर्द उठा है।

ऋषभ ने अपने विस्फारित नयनों को सहज किया जैसे उसे देखते हुए कोई देख न ले। फटाफट फिफ्टी के बाद तन्वी ने घोषणा की, "अब हम दर्शकों को उस शहर में ले चलते हैं जो पिछले तीन दिनों से जल रहा है। हम दर्शकों को यह भी बता दें कि आज हमारा चैनल सबसे बड़े सच का पर्दाफाश करने जा रहा है। मुखिया का हत्यारा कौन? किसने की हत्या? कब की? कैसे की? इन सभी सवालों का जवाब एक ब्रेक के बाद।" ऋषभ सहम गया। सुधी दर्शकगण बातें करने लगे, "उहे मारा है अउर का—छबिलवा। इ का सच दिखाएगी?" ऋषभ की धड़कन हल्की तेज़ हो गयी। जिस नाम को वह हर हाल में भूलना चाहता था वह नाम बार-बार उसके आगे आ जाता था। नाम आते ही उसे उस रात उसके कमरे में सोया हुआ वह लड़का याद आ जाता था जिसकी पीठ पर गहरे ज़ख्म थे, जो सोये में मुँह से लार टपकाता था और...।

तन्वी आयी और धमाके के साथ टी.वी. स्क्रीन पर तीन दिन पहले वाला यह शहर दिखा—जलता हुआ। उसकी पूरी बातचीत ऐसी थी कि इस शहर के लोगों को छोड़कर बाकी देश यह मान सकता था कि शहर अब भी वैसे ही जल रहा है। ऋषभ को कोफ़्त ने घेर लिया। जीवेश्वर मुखिया उर्फ मुखिया के जीवन का सार-संक्षेप खत्म हुआ तो इस शहर के इतिहास का पन्ना शुरू हो गया। शहर की कवरेज करने वाला पत्रकार और न्यूज़ रूम में बैठी तन्वी की जुगलबन्दी शुरू हुई। पत्रकार की इतिहास दृष्टि कुछ-कुछ सब्लटर्न वाली थी। उसने यह कहीं नहीं बोला कि इस शहर को जैन मुनियों ने बसाया, फिर मुगलों ने सहेजा, फिर कुँवर सिंह ने अंग्रेज़ी राज में आत्मसम्मान जगाया। दरअसल पत्रकार की इतिहास दृष्टि शहर के कुख्यात अपराधियों से शुरू हुई, जो मारे जा चुके थे या फरार थे या फिर जेल में बन्द थे। दाढ़ीजार पत्रकार की भाषा ऐसी थी कि देश की जनता सहज ही भरोसा कर लेगी कि इस शहर की माँएँ बेटों के साथ-साथ उनकी रक्षा के लिए कवच-कुंडल के रूप में एक देशी कट्टा और कम से कम दो गोली ज़रूर पैदा करती होंगी।

ऋषभ जिस हिसाब से इस शहर से नफ़रत करने लगा था उस हिसाब से उसे खुश होना चाहिए था। पर ऋषभ को अचानक हो क्या रहा था?

टी.वी. रिपोर्टर की हर बात पर वह मन ही मन नाराज़ होता चला गया।

तभी हादसा हुआ। हादसे को तन्वी ने ही अंजाम दिया, "हम दर्शकों को बता दें कि जीवेश्वर मुखिया की हत्या का सन्देह जिन लोगों पर किया जा रहा है उनमें से एक कुख्यात नाम छबीला सिंह का भी है, हमारे संवाददाता ज्ञानरंजन आगे की जानकारी दे रहे हैं...हाँ ज्ञान, बताएँ।"

ज्ञानरंजन के थोबड़े से पहले एक जेल जैसी चीज़ कैमरे से दिखी। फिर मुख्यद्वार दिखा जिसके ऊपर की सफ़ेद पट्टियों पर काले रंग से लिखा था 'बल सधार गह।' दरअसल वहाँ लिखा गया था, 'बाल सुधार गृह' पर राज्य सरकार के पैसे की तंगी से उन अक्षरों में से खड़ी पाई, छोटा उ और ऋ की मात्राएँ पलास्टर सहित झड़ गयी थीं और उनका कभी सुधार नहीं हो पाया। जो राज्य अपनी राजभाषा की मात्राएँ नहीं सुधार सकता वह वहाँ कैद बालकों को क्या सुधारेगा? ख़ैर! ज्ञानरंजन ने बड़े दार्शनिक अन्दाज़ में मुस्कुराते हुए कहा, "हम दर्शकों को बता दें कि यह जेल नहीं बाल सुधार गृह है जहाँ भटके हुए नौनिहालों को सुधरने का अवसर दिया जाता है। यह हमारी कानून-व्यवस्था की वह महत्तम उपलब्धि है जहाँ संगीन-से-संगीन अपराध करने वाला भी यदि 'जुवेनाइल' हो तो उसे यह छत नसीब हो जाती है। छबीला सिंह...उम्र से निर्दोष था पर अपनी आदतों से नहीं। आइए अब हम इस सुधार गृह के भीतर चलते हैं," कैमरामैन के साथ ज्ञानरंजन भीतर दाखिल हुए। "ये हैं बैजनाथ सिंह—बाल सुधार गृह के सुपरिंटेंडेंट...क्या हुआ था उस रात?"

बैजनाथ सिंह ने तुरन्त अपनी टोपी उतार दी और कैमरे से अपनी गंजी खोपड़ी चिपका दी, "इ देख रहे हैं न सर...यहाँ...अब तो टाँका कट गया है... यहीं मारा था छबीला सिंह हमको...सोल्लह ठो टाँका पड़ा था।" फिर बैजनाथ ने आवाज़ दी, "आओ रे बच्चा लोग बताओ तो छबीला के बारे में।" फिर खुद ही बाल-अपराधियों की शर्ट पीठ तक उठा दी, "इ देखा जाय सर...इ बड़ा-बड़ा निशान....पिशाच था छबीला....बच्चा लोग को पीटता था।"

"फिर आप यहाँ किसलिए थे?" रिपोर्टर थोड़ा सख़्त हो गया। पर बैजनाथ सिंह वैसे ही नम्र बना रहा, "अब हुज़ूर, बच्चा लोगों पर हाथ उठाने का हम लोगों को एकदम आदेश नहीं, अलाऊ ही नहीं है...फिर उसको सिंगल

कमरा में रखा हमने...नाश्ता, खाना सब कुछ टाइम से जाता था सर—एकदम पौष्टिक...उस रात अपनी कोठरी में चीखने लगा कि पेट दर्द है। फिर जैसे ही हम उसका दरवाज़ा खोले, खोलते ही हमको इतना कस कर धक्का दिया कि मेरा कपार (सिर) खम्भा से लड़कर फट गया। फिर वह इस परछत्ती से उस परछत्ती पर होते हुए इमली का गांछी का डार पकड़कर छेदवाली पर चढ़ा और उस पार टप गया।'' छबीला के भागने की कथा की अन्तिम देशज पंक्तियाँ ऋषभ के अनुवाद कला के बूते की न थीं। ऋषभ की आँखें टी.वी. स्क्रीन पर थीं पर आँखों के भीतर कहीं दूर स्मृतियों में बैजनाथ के चंगुल से छूटकर छबीला भाग रहा था—एकदम नंगा। फिर ऋषभ के कान बजे, ''भइया जी...भइया जी हम भिखारी नहीं हैं भइया जी...।'' उसने तुरन्त अपनी आँखें बन्द कर लीं और ज़ोर से सिर झटक दिया। शब्द और स्मृतियाँ दोनों गायब हो गयीं। पर कुछ भी 'क्लियर' नहीं था यहाँ।

ऋषभ फिर उलझ गया। वह एक निश्चित निष्कर्ष चाहता था, हर चीज़ का निश्चित निष्कर्ष। निष्कर्ष के अभाव में बेचैन हो जाने की उसकी पुरानी आदत थी। आदत अब बीमारी का रूप ले चुकी थी। एक बार फिर वह सोच की सूखी नदी में गोते खाने लगा—अनुभूति, सत्य, यथार्थ, धर्म, दर्शन, अध्यात्म, तकनीक, मीडिया, पत्रकार सब साले निकम्मे हो गये, कुछ भी ठोस नहीं, कुछ भी साफ़ नहीं। चूतिया सब। और उसके मुँह से अनजाने में निकल पड़ा, ''भाऽऽग स्साला...।'' यह आवाज़ चीखने जैसी थी। ए.सी. फ़र्स्टक्लास का वेटिंग रूम हल्के से गूँजा, तन्वी की मधुर ध्वनियों के बीच। अपनी ही आवाज़ से ऋषभ सकपका गया और अपनी झुकी नज़र उठा ली। आँखों के आगे वही भद्र मुसाफ़िर बैठा था, उसका चेहरा लाल हो गया था और उसकी आँखें बाहर की ओर लुढ़कने वाली थीं, वह गरजा, ''का बोला बे हमको?'' गहरी सोच में डूबे हुए दार्शनिक के भाषायी अपशिष्ट को जाहिल मुसाफ़िर ने 'पर्सनली' ले लिया। ऋषभ ने सफ़ाई दी, ''हम तुमको नहीं बोले हैं।'' प्रतिक्रिया में वह मुसाफ़िर खड़ा हो गया, ''नहीं, नहीं, हम कब से तुमको देख रहे हैं, बहुत एंगल दे रहे हो...।'' बात सँभालने के लिए ऋषभ उठा तो उस मुसाफ़िर के पीछे बैठे दो और मुसाफ़िर खड़े हो गये। पहले वाले मुसाफ़िर को

थोड़ा बल मिल गया। फिर उस गुस्साये मुसाफ़िर ने ऋषभ के गले पर हाथ रख दिया। कहना चाहिए कि उस मुसाफ़िर ने गले पर नहीं बल्कि बिजली की नंगी तार पर हाथ रखा था, जिसमें पिछले दो दिन से हाइपर वोल्टेज में बिजली दौड़ रही थी।

दृश्य बदलने लगा, बाद वाले दो मुसाफ़िर डरकर पीछे खड़े हो गये, गुस्साया मुसाफ़िर अब बिजली की तार में फँसी पतंग की तरह फड़फड़ाने लगा फिर वह पतंग झटका खाकर उड़ी और टी.वी. के टेबल के चौथे स्तम्भ पर जा गिरी। चौथे स्तम्भ की ईंटें सरक गयीं और बोलती हुई तन्वी टी.वी. समेत धरती पर गिरी—मानो वह सीता की तरह धरती में समाना चाहती हो। टी.वी. 'भड्डाम' की आवाज़ के साथ फट पड़ा। तनया कुमारिका अपनी आवाज़ समेत अन्तर्ध्यान हो गयी। सन्नाटा फैल गया।

जब भी कोई हादसा होता है तब गरीब सबसे पहले भागता है। गरीब किस्म के वो चार-पाँच मुसाफ़िर जो टी.वी. देखने के लालच में फ़र्श पर बैठे हुए थे सबसे पहले तेज़ी से भाग खड़े हुए—उन्हें डर था कि इल्ज़ाम उनके सिर पर आ जायेगा। हड़कंप मच गया पर शेष भद्र समाज वहीं डटा रहा, लगा गालियाँ बरसाने। 'हूह' सुनकर स्टेशन मास्टर का चपरासी पहले आया फिर स्टेशन मास्टर। फटी हुई पतंग ने अपनी दयनीयता दिखायी और सारा दोष ऋषभ पर आ गया।

ए.सी. फ़र्स्ट क्लास के वेटिंग रूम से रेलवे प्रोटेक्शन फ़ोर्स का मज़बूत सिपाही ऋषभ को लगभग घसीटते हुए ले गया। अपने गिरेबान सहित घिसटते जा रहे ऋषभ को प्लेटफ़ॉर्म पर जोगी का वह बच्चा दिखा जो कि एकदम नंगा था। बच्चा अभी-अभी सार्वजनिक नल्के से नहाकर आया था और अपनी गीली हाफ़ पैंट को दोनों हाथों से हवा में लहराकर सुखा रहा था। जब दिगंबर की निगाह ऋषभ पर पड़ी तो दिगंबर मुस्कुरा उठा। जवाब में ऋषभ ने उत्साही मुस्कान बिखेर दी और अपनी दायीं आँख ज़ोर से दबा दी। दिगंबर हँसने लगा। ऋषभ बेपरवाह था कि लोग उसे देख रहे हैं। उधर '2410-डाउन' तिनसुकिया एक्सप्रेस के प्लेटफ़ॉर्म नम्बर तीन पर आने की घोषणा हो रही थी।

इस शहर में मोक्ष-वोक्ष

बतबुझ्झी : *'निर्वाण तभी सम्भव है जब आत्मा के प्रति अखंड भक्ति हो।'*

यह शहर जिस देवी को 'आयरन देवी' के नाम से पुकारता है उसका शुद्ध उच्चारण दरअसल 'अरण्य देवी' है। प्राचीन भारत में जब जैन मुनि अहिंसा के प्रचार में पूरे भारत का तूफ़ानी दौरा कर रहे थे तब वे इस इलाक़े से भी गुज़रे। गांगी के किनारे बसे इस अरण्यक पर मुनिजन मोहित हो गये। जैन मुनियों की एक टोली ने यहीं पर बसने का फ़ैसला कर लिया और यहाँ देखते-देखते एक नगर बसने लगा—जो 'अरण्य नगरी' के नाम से मशहूर हुआ। 'अरण्य' शब्द से ही मिलते जुलते शब्द से अब इस शहर को पुकारा जाता है।

उसके बहुत बाद शायद मध्यकाल में यहाँ के बाशिंदों को अचानक एक आपरूपी देवी के प्रकट होने की सूचना गांगी के मल्लाह ने दी। देवी ने गरीब मल्लाह को साक्षात् दर्शन दिये थे। पूरा नगर देवी-स्थान पर पहुँच गया और गाजे-बाजे के साथ देवी का नामकरण किया गया 'अरण्य देवी'। कहते हैं कि देवी पर अखंड श्रद्धा रखकर कुछ भी माँग लो, देवी निराश नहीं करती। सन् सत्तावन में बूढ़े कुँवर सिंह को इच्छामृत्यु का वरदान इसी देवी ने दिया था। कुँवर सिंह देवी के प्रचंड भक्त थे। गदर के समय में वीर कुँवर के लम्बे समय तक टिके रहने के मूल में यह देवी ही थी। अंग्रेज़ी राज के ढलते वर्षों में भी इस इलाक़े के कई क्रांतिकारी देवी के चरणों में देशी पिस्तौल रखकर वरदान माँगते थे। वरदान में अक्सर ये लोग अंग्रेज़ अधिकारियों की जान माँगते थे। देवी माँ भवानी की अवतार ठहरीं, निराश कैसे करतीं? इस वरदानी देवी का आतंक अंग्रेज़ अधिकारियों को रात में चैन से सोने नहीं देता था। इन्हीं कारणों से इस इलाक़े के अंग्रेज़ गुप्तचरों ने इस देवी को डरते-डरते 'आयरन डेवी' कहा। देश आज़ाद हो गया।

आज़ादी के बाद इलाक़े के क्रांतिकारी एक-एक करके स्वर्ग सिधार गये पर उनकी देशी पिस्तौलें यहीं रह गयीं। शहर की अर्थव्यवस्था तेज़ी से पनपी और साथ-ही-साथ उसके नए हिस्सेदार भी पनपे। कुछ हिस्सेदार बिना मेहनत किये ही हिस्सा चाहते थे, व्यापारियों ने उन्हें 'रंगबाज़' कहा। शहर अपनी गरिमा

को खोता गया और 'अरण्य-नगरी' के व्यापारी नए तरह का 'टैक्स' देने के लिए मजबूर किये गये। यह 'टैक्स' अंग्रेज़ी राज के 'टैक्स' से कई गुना ज़्यादा था। फिर रंगबाज़ों के भी कई गुट बने और शहर ख़ून की होली खेलने लगा। लेकिन इस ख़ूनी खेल में रंगबाज़ों की नहीं व्यापारियों की बलि चढ़ने लगी। शहर के बड़े व्यापारी एक-एक करके या तो दुनिया छोड़ने लगे या फिर शहर। शहर का भद्र समाज और व्यापारियों का पूरा हुजूम एक बार फिर सरकार के बदले अरण्य देवी की चौखट पर बिलखता हुआ जा पहुँचा। उस व्यापारी दल में प्रिंसिपल महावीर जैन के परदादा भी थे। व्यापारियों के हाहाकार से मंदिर की घंटियाँ बज उठीं। उनके आँसुओं से देवी-स्थान डूबने लगा।

तभी आसमान में बादल छा गये, ज़ोर से बिजली कड़की और एक हुंकार के साथ लाल आँखों वाली देवी प्रकट हुई। 'त्राहिमाम्-त्राहिमाम्' करके रोते व्यापारियों का दर्द देवी से देखा नहीं गया, देवी की आँखों से आँसू की जगह ख़ून टपकने लगा। देवी का गुस्सा प्रचंड हो गया और उन्होंने शहर के 'रंगबाज़ों' को शाप दे डाला, "जा...तीन साल, बस।" इतना कहकर देवी अंतरधान हो गयी। व्यापारी देवी के जयघोष के साथ वापस व्यापार करने लौट गये। अब कोई भी 'रंगबाज़' इस शहर के व्यापारी को परेशान नहीं कर पायेगा, अगर कर दिया तो समझो कि अब उसके पास जीने के लिए बस तीन ही साल हैं। इन्हीं कारणों से ये व्यापारी देवी-स्थान के आस-पास अपनी दुकानें सजाने लगे। व्यापारी फिर फलने-फूलने लगे। व्यापारियों के इस नए व्यापारिक-गढ़ को आज शहरवाले 'आयरन चौक' के नाम से पुकारते हैं। बहरहाल।

गांगी की एक धारा इस इलाक़े से होते हुए सोन नदी में मिल जाती है। सोन नदी इस इलाक़े के दूसरे छोर पर है। सोन नदी हिन्दुस्तान की एकमात्र ऐसी नदी है जिसकी धारा दक्षिण से उत्तर की ओर बहती है।

हालाँकि अब भी इस शहर में बिजली की स्थिति बहुत बुरी थी फिर भी अन्य दिनों की तरह ही एक दिन यह सूचना बिजली की गति से दौड़ी कि कोईलवर पुल के नीचे सोन नदी के तट पर रेत में दबी एक सड़ी हुई लाश मिली है, पर दावे के साथ कोई नहीं कह सकता था कि यह लाश किसकी थी। भाऽऽऽआग स्साला।

लादेन ओझा की हसरतें

हालाँकि यह कुछ-कुछ गाँव जैसा ही है। लेकिन गाँववाले इसे गाँव मानने के लिए तैयार नहीं हैं, क्योंकि शहर अपना आकार बढ़ाकर इसके सीवान तक पहुँच गया है। यह बात अलग है कि शहरवाले आज भी इसे 'गँजहा' गाँव ही कहते हैं। नाम को लेकर गाँव और शहर के बीच कई बार मारपीट भी हो चुकी है।

शहरवालों का मानना है कि बहुत समय पहले हाईवे के इस गाँव से गाँजे की तस्करी होती थी, इसलिए अपने 'इलीट' बाप-दादा की गढ़ी हुई परिभाषा को शहर के लोग तोड़ने को तैयार नहीं थे। वैसे भी अब ज़्यादा परिभाषाएँ शहर में ही गढ़ी जाती हैं। गाँव तो केवल लड़ने-झगड़ने के लिए रह गये हैं। और यहाँ झगड़ा तब शुरू होता है, जब हाईवे का मुसाफ़िर शहर के पीपल चौक के ऑटो-स्टैंड से ओझौलिया गाँव जाने वाली सड़क को भूलवश 'गँजहा मार्ग' कह बैठता है। ख़ुदा ही उसे बचाये। चूँकि शहर से बाहर निकल कर जाने वाला एकमात्र रास्ता उसी गाँव के पास से गुज़रता है, इसलिए हाईवे पर दबंगई की एकमात्र ठेकेदारी भी इसी गाँव के पास है। वह भी पुश्तैनी। धन्य हो गंगा माई, जो न तू शहर को तीन तरफ़ से घेरती और न ओझौलिया गाँव का खूँटा शहर के हाईवे पर गड़ता ।

शाम ढलने को थी। शहर का शोर अब थम रहा था—धीरे-धीरे। यही वह समय है जब एक ही शहर में लोगों को घर की ओर ले जाने वाले रास्ते शहरी और ग़ैर-शहरी की पहचान करा देते हैं। जो शहर के थे वे पश्चिम की ओर जाते दिख रहे हैं, उत्साहित, रोब में और चमकते हुए। जो पूरब की ओर जा रहे हैं—सब गँजहा निवासी हैं। इस तरह जो गंगा-जमुना दिन-भर हिलीमिली रहती हैं, साँझ होते ही एक-दूसरे को झटकते हुए अपने-अपने गो-मुखों में लौट जाती हैं।

इसमें कोई ताज्जुब की बात नहीं कि ओझौलिया की ओर जाने वाली सवारियाँ और साधन जितने अनुपात में साँझ को मिलते, उतने शहर को नसीब नहीं। इस समय शहर की कामगार 'लाइफ़ लाइनें' छुटकारा पाकर अपने गाँव की 'पाइप लाइनों' में लौटती जातीं। गाँव के रास्ते में चहल-पहल रहती। लगता कि शहर घूमकर पूरा-का-पूरा गाँव, गाँव को लौट रहा है। 'फूटहि कुंभ, जल जलहिं समाना।' लेकिन शहर? शहर का तो शहर में जाना मुश्किल हो जाता। एक ऑटो-रिक्शा नहीं मिलता शहर के भीतरी इलाकों के लिए। जिससे भी चलने को कहो, जवाब आता, "नहीं बाबू...ओझौलिया जाना है, देर हो रही है।" नागरिक सवारियाँ दाँत पीसकर रह जातीं, "साले कमाते इसी शहर से हैं और...।" कोई-कोई नागरिक तो चिढ़ जाता, "साले गँजहा गाँव को ओझौलिया कहते हो...चूउ..." ऑटो-रिक्शावाले ख़ून का घूँट पीकर रह जाते। उन्हें भी तो दिन भर शहर में रहना है।

फिर भी, यदि हम चाहें तो इसे गंगा-जमुनी संस्कृति कह सकते हैं। एक के बिना दूसरे का गुज़ारा नहीं। प्रेम और क्रोध, सहयोग और मजबूरी, पृथकता और सामंजस्य, व्यापार और वैमनस्य सभी में सब के सब साझीदार हैं। ये पारस्परिक विभाव इस गंगा-जमुनी संस्कृति में गुप्त रूप से उभरी सरस्वती ही है, जो ठीक वहीं दिखती है जहाँ गाँव और शहर के बीच साँझ की सहूलियत का बँटवारा होता है। जगह भी वही है—पीपल चौक। चाहें तो इसे भी हम त्रिवेणी या संगम कह सकते हैं।

बहरहाल, इसी संगम पर अन्तिम 'शिफ़्ट' में गाँव जाने वाले राहगीर खड़े हैं। पीपल चौक के ठीक नीचे। थोड़ा पास जाने पर दिख जायेगा कि दरअसल ये मुसाफ़िर नहीं, बल्कि ऑटो-रिक्शावालों की ही भीड़ है, जो दिन-भर की कमाई का कुछ हिस्सा ताड़ीखाने में खरच कर, धुत्त खड़ी है। बस झूनू मियाँ का इन्तज़ार है। वे आ जायें तो चल पड़ेंगे सब। "आये नहीं अभी!"

पर यहाँ किसी को जल्दी भी नहीं है। गाँव पहुँचने से पहले ताड़ी का नशा फट जाये तो और अच्छी बात है। गाँव की कुछ एक चौपालों और भद्र-बैठकियों के बीच वैसे भी ये चालक बदनाम हैं। समाज कहता है कि इन्हीं ताड़ीबाज़ चालकों ने गाँव को शहर में बदनाम कर दिया है। गाँव के

लड़के-लड़कियों को शादी-ब्याह पर भी आफ़त हो गयी है। दरअसल, गाँव प्रतिष्ठित 'ओझा' ब्राह्मणों की बहुसंख्यक आबादी का ताप लिये हुए था, इसलिए इसका नाम ओझौलिया पड़ा था। पर सब नाश हो गया। चरित्र ठीक होता तो शहरवाले गाँव का नाम क्यों बिगाड़ते—'गँजहा'। अब तो शहर के लोग गाँव की आबादी को ब्राह्मण-शूद्र और हिन्दू-मुस्लिम से नहीं, उपनाम से जानते हैं—गँजहे।

पिछले बीस वर्षों में गाँव के बिगड़े नाम पर जितनी प्रतिक्रियाएँ और उसके फलस्वरूप लाठी-डंडा हुआ है, ठीक उससे दुगने अनुपात में यह उपनाम 'ब्राँड' के रूप में प्रचलित हो गया था। 'गँजहा ब्राँड'। मतलब—अक्खड़, मूडी, ज़िद्दी, लापरवाह, ताड़ीबाज़ और गुस्सैल। शहर के लौंडे तो नामकरण में अपने बाप-दादाओं से भी आगे निकल गये थे। वे गँजहों को 'ब्राँड' कहकर बुलाते हैं। "ऐ ब्राँड सुनो...चलोगे।" समझदार नागरिक मुस्कुरा कर रह जाते हैं। शहरी नागरिकों को अपनी नयी पौध पर फ़ख्र है—"ब्राँड!"

ख़ैर, रात हो गयी मगर झूनूमियाँ नहीं लौटे। दोस्तों की मंडली निराश होकर पीपल चौक से लौट गयी। आज तमाशा देखने से महरूम रह गये सब। झूनूमियाँ हद कर दी तुमने।

शहर के छोर पर जहाँ ओझौलिया गाँव था, उससे ठीक पहले चालीस-पचास मुसलमान परिवारों के भी घर थे। ये भी अपने इलाक़े को गाँव मानने को तैयार नहीं थे। आख़िरकार यह इलाक़ा ओझौलिया के अनुपात में शहर के थोड़ा और करीब था। इसका अपना कोई आज़ाद नाम नहीं है। लोग इसे 'डेरा' कहते हैं। कुछ 'ओझौलिया डेरा' तो कुछ 'गँजहा डेरा' तो कोई-कोई इसे 'मियाँ डेरा' कहता है।

हालाँकि तीनों नामों के पीछे अपने-अपने पूर्वाग्रह हैं। जो शहरवाले हैं वे इसे 'गँजहा डेरा' कहते हैं, खुद इस डेरे के लोग इसका सम्मानित नाम 'ओझौलिया डेरा' देते हैं। पर ओझौलिया गाँव के लोग इसे 'मियाँ डेरा' कहते हैं। तीनों नामकरणों के पीछे क्रमशः हिकारत, सम्मान और आदत जैसी चीज़ें काम कर रही थीं। आदतन इसलिए कि जो पास होता है उसी की आदत पड़ जाती है।

इसी डेरे में, सुबह-सुबह दरगाह के हैंडपंप से इक़बाल मियाँ की माँ पानी भर रही थीं। घड़ा अभी भरा भी न था कि उनके कान में किसी ने काँच पिघलाकर डाल दिया। अचानक। "लादेन मारा गया—अख़बार में फ़ोटो भी छपी है।"

इक़बाल मियाँ की माँ के पैर कुछ क्षणों के लिए धरती में धँस गये "या अल्लाह?" घड़ा छोड़-छाड़ कर वह तीर की तरह घर की ओर लपकी। इक़बाल नीम के दातुन पर टूथपेस्ट लगा रहा था। भागती हुई आ रही अम्मी ने उसका ध्यान खींचा। वह चौंक गया, 'क्या हो गया है इसे?'

"बाबू रे...ए...लादेनवा को मार दिया...अल्लाह रहम।" इतना कह अम्मी धड़ाम् से गिर पड़ीं। इक़बाल के हाथ से टूथपेस्ट-दातुन सब छूट गया। उसने पहले खुद को, फिर अपनी अम्मी को सँभाला, "क्या कह रही है तू? ऐसे कैसे मर सकता है? स्साला साढ़े दस बजे रात तक तो मेरा पीछा करता रहा। मुश्किल से...।" पर अम्मी की दहाड़ ने वाक्य पूरा होने नहीं दिया। हिचकियाँ खाते हुए बोलीं, "अख...अख़बार में... फ़ोटो भी छपी है।" इक़बाल का बोलना अचानक रुक गया। कई शंकाओं ने उसे अचानक ही घेर लिया। बिलखती अम्मी को छोड़कर वह फुर्ती से भाग पड़ा—ओझौलिया की ओर। पर पैर उसके भी काँप रहे थे।

इक़बाल अभी अपने डेरे के दरगाह के मुहाने पर ही था कि लादेन जैसा कुछ चमका। चमका क्या वही है। इक़बाल के कंठ ने राहत के स्वर फोड़े, "स्साला...ज़िन्दा है।"

झूनू ओझा उर्फ़ लादेन ओझा दरगाह के पीछे से ढुलकते हुए आ रहे थे। इक़बाल मियाँ का मन कुछ शान्त हुआ। दोनों ने औचक एक-दूसरे को देखा था और देखते ही दोनों के पाँव ठिठक गये। दोनों के बीच की दूरी सौ मीटर भी नहीं थी। पर यह क्या? दोनों सतर्क हो गये। पता नहीं क्यों?

गोला इक़बाल ने ही दागा, "स्स...साला वही तो कहूँ कि तुम कौन सी तोप चीज़ हो, जो मारे जाने पर ख़बर बनो और वह भी फ़ोटो के साथ।"

"हम नहीं मरेंगे रज़ा...तुम्हें मार कर ही मरेंगे," लादेन ओझा ने गोले को वापस घुमा दिया।

दोनों मित्र मुस्कुराये।

अब ओझा जी की बारी थी। इक़बाल मियाँ अभी राहत ही ले रहे थे कि ओझा जी ने पूछा, "मर्सिया पढ़ लिया तुमने?"

इक़बाल, "किसके लिए बे?"

"अरे लादेनवा तुम्हरे खानदान का था न?" ओझा जी ने मसख़री की।

"अच्छाऽऽ...अ...तोरा-बोरा वाला...वही तो कहूँ कि अख़बार का पढ़ा सुनकर अम्मी बावली सी क्यों दौड़ पड़ी।"

"क्या?" ओझा जी चौंक गये।

"क्या क्या...बहिन चो...तुम मरो न मरो...हमारी अम्मा को ज़रूर मार डालोगे। ज़रा जाकर देखो...छाती पीट रही है।"

ओझा जी तकलीफ़ में आ गये। मसख़री और अख़बार दोनों ने मिलकर बूढ़ी गँवार को रुला दिया था। अब तो ओझा जी को इक़बाल मियाँ के घर जाना ही होगा। सबूत देने। ओझा जी ने हड़बड़ाहट में कहा, "चल अभी मिलकर आते हैं चाची से।"

इक़बाल मियाँ इनकार कर गये, "न रज़ा...दूर ही रहो...तुम्हारा कोई भरोसा नहीं साले...तुम्हारी शर्त अभी ज़िन्दा है...तुम अकेले ही मिल कर आओ।"

"अबे चल ना, मारूँगा नहीं," कहकर ओझा जी थोड़ा आगे इक़बाल की ओर बढ़ गये।

"अबे कहा न कि अकेले जा," इक़बाल मियाँ जवाब देते हुए कुछ क़दम पीछे हट गये।

"अरे भाई कुछ नहीं करूँगा," ओझा जी चार क़दम फिर आगे बढ़े।

इक़बाल मियाँ अनुपात से अधिक आठ क़दम पीछे झटके से हटे, कहा, "कह रहे हैं साले, दूर रहो।"

ओझा जी भी कहाँ मानने वाले। बन्द गली में लाकर उसे घेरने की जुगत में लग गये। वे दाहिने होते तो इक़बाल मियाँ बायें, वे बायें होते तो इक़बाल मियाँ दाहिने। वे दो क़दम आगे बढ़ते तो इक़बाल दस क़दम पीछे। खेल शुरू हो चुका था। शर्तिया खेल। एक जीतना चाहता था, दूसरा हराना। गली में लोग घरों से झाँककर मज़े लेने लगे—"देखो ये हैं झूनूमियाँ। 'झूनू

ओझा और इक़बाल मियाँ'। इन्हीं में शर्त लगी है। लंगोटिया यार हैं। पर कैसे बने किसी को नहीं पता। इक़बाल तो कभी स्कूल नहीं गया और ओझा जी दसवीं जमात पास हैं। दो नाम पर माने एक है 'झूनूमियाँ'। अजीब हैं ससुरे। साल भर होने को है इनकी शर्त को। साल भर से यही हो रहा है।

तमाशा देखकर दरगाह से बूढ़े मैनुद्दीन भी निकल आये। बोले, ''मारो ओझा जी इस कमबख़्त को...कल रोज़ा तोड़ने के लिए शहर से फल लाने के पैसे दिये थे...ससुरा ताड़ी पी गया।'' बुढ़ऊ ने टिटकारी मारी। माहौल गनगना गया। इक़बाल मियाँ के पास मैदान छोड़ने के सिवाय कोई चारा नहीं था। वे दरगाह की दीवार फाँदकर खेतों में उतर गये, ''लो स्साले हम जाते हैं।'' और वे ओझौलिया की ओर बढ़ गये। गली की भीड़ हँस-हँस कर लोट-पोट हो गयी। आज फिर इनका तमाशा देखने को मिल गया। ओझा जी ने हँसते हुए ऊँची आवाज़ मारी, ''कहाँ जा रहा है बे ?''

''साले जब तक तुम हमारे घर में रहोगे, हम तो आयेंगे नहीं...जा रहे हैं तुम्हारे घर...भौजाई ने बुलाया है,'' इक़बाल मियाँ सिर हिलाते हुए पूरब की ओर बढ़ गये।

ओझा जी समझ गये कि इससे अगली मुलाकात अब पीपल चौक पर ही होगी। कुछ याद करके उन्होंने इक़बाल मियाँ को फिर आवाज़ दी, ''वहाँ से चना-चबेना ले लेना...शाम को खायेंगे।'' इक़बाल दूर से ही हाथ लहरा देते हैं, ''ठीक है।''

गली के दर्शक मज़े ले चुके थे सो अपने-अपने काम में लग गये। मैनुद्दीन और एकाध बचे रहे—सब मुस्कुरा रहे थे।

''भई, अजीब शर्त लगी है तुम दोनों में'', बात मैनुद्दीन ने उठायी। ओझा जी मुस्कुराने लगे। एकाध जो खड़े थे, उनमें से एक ने हँसी में बात थोड़ी और बढ़ाई, ''झूनू भाई...गज़ब डरता है इक़बाल आपसे। आपका नाम लेकर हम भी मज़े लेते हैं। परसों ही सुबह यहाँ चाय पी रहा था इक़बाल। अचानक किसी बच्चे ने शरारत में कहा कि लादेन ओझा आ रहे हैं...फिर क्या ? आधी चाय छोड़कर दरगाह की दीवार फाँद गया...।'' सभी हँस पड़े। ओझा जी भी।

मैनुद्दीन ने प्यार दिखाया, ''बैठो ओझा जी, थोड़ा सुस्ता लो।''

"न चचा, थोड़ी जल्दी है। चाची से मिलने जा रहा हूँ।" उनका इशारा इक़बाल की माँ की तरफ़ था। फिर रुककर कहा, "पता नहीं रो-रोकर अपना क्या हाल किया होगा?"

"क्यों भई?" मैनुद्दीन ने संवेदना जताई।

"अरे वो...बिन लादेन मारा गया न कल...बेचारी सोच रही है कि मैं मारा गया।" ओझा जी ने बुझे स्वर में जवाब दिया।

"अच्छा...अच्छा।" मैनुद्दीन समझ गये कि आधा घंटे पहले यहाँ अख़बार पढ़कर जो चर्चा हो रही थी, उसी को सुन लिया होगा इक़बाल की माँ ने। चचा ने स्थिति साफ़ करनी चाही, "अरे...वो तो पगली है बिल्कुल।" फिर थोड़ा रुककर चचा बोले, "वही तो कहूँ घड़ा भरने आयी थी और अचानक घड़ा छोड़कर वापस क्यों दौड़ गयी।"

चाची की बेवक़ूफ़ी पर दोनों जनों ने अपने होंठ एक साथ खींचे। फिर ओझा जी चलने को हुए, पर चाची का बचाव करके ही चले—गम्भीर मुद्रा में कहा, "अरे वह हम जैसा रोज़ अख़बार थोड़े ही पढ़ती है।" ओझा जी का चेहरा कस गया। मैनुद्दीन ओझा जी का मुँह ऐसे देखने लगे, मानो अख़बार पढ़ना दुनिया का सबसे बड़ा गुनाह हो और चचा गुनाहगार हो गये।

(2)

इक़बाल के घर ओझा जी जैसे ही पहुँचे, भाँप गये कि मातम का माहौल बन चुका है। चार-पाँच औरतें इक़बाल की माँ को घेर कर खड़ी थीं, बल्कि ढाढ़स भी दे रही थीं। ओझा जी ने देखा कि चाची ऊँचे स्वर में उनका मातम मना रही है। वातावरण बदलने के लिए ओझा जी ने एक ऊँची और सख़्त आवाज़ लगाई, "चाची...अभी हम ज़िन्दा हैं। क्यों छाती फाड़ रही हो?"

औरतों का झुंड बिजली की गति से आवाज़ की ओर मुड़ा। चाची ओझा को देखते ही लड़खड़ा गयीं, "आ...रे...झूनुआ...रे तू तो हमार जान लेगा।" बूढ़ी चाची दहाड़ मार कर फिर रोई। उसे भरोसा नहीं हो रहा था।

पर झूनू ओझा की आवाज़ अभी सख़्त बनी रही, "इ का पागलपन है? अख़बार में कोई और लादेन मारा गया है, ओरिजनल लादेन...असली का।"

ओझा जी मन ही मन उस मनहूस घड़ी को कोसने लगे जब नशे में धुत्त इक़बाल को वह उसके घर पहुँचाना चाह रहे थे। पर इक़बाल बिगड़े बैल की तरह रस्सी तोड़कर भागना चाह रहा था। विवश होकर ओझा जी ने ससुरे का गला पकड़ लिया और गरजे, ''साले चलो नहीं तो यहीं तुम्हें कूटेंगे... डर-लाज है कि नहीं?'' पर ताड़ीबाज़ को लाज कहाँ। उल्टे मुँहतोड़ जवाब दे मारा। ''डरें किससे बे? तुमसे?...तुम्हीं क्या साले लादेन हो कि डरें?'' बस फिर क्या, पीपल चौक की मंडली फुक्का फाड़ कर हँस पड़ी। एक घंटे तक झूनू-मियाँ आपस में बतरस करते रहे। ओझा जी हाथ पकड़ते तो इक़बाल हाथ छुड़ाकर सड़क पर लेट जाता। ओझा जी फिर हाथ पकड़ते, इक़बाल मियाँ का फिर वही हाल। चालीस पार की यह जोड़ी उस दिन तमाशा बन गयी थी। और लोगों की हँसी? वो तो रुकने का नाम नहीं ले रही थी। ताड़ीबाज़ एक ही रट लगाये हुए था, ''तुम्हीं का लादेन हो कि डरें? हम किसी के बाप से नहीं डरते।'' उस रात जैसे-तैसे इक़बाल को ओझा जी घर ले आये। पर अगली सुबह खुद ओझा जी की आँख खुली तो पाया कि वे 'गोखले' की तरह मशहूर हो चुके थे। रातोरात। पीपल चौक की त्रिवेणी पर उनका नया नामकरण हुआ था—लादेन, लादेन ओझा।

ओझा जी इस नाम के साथ साल भर से जी रहे हैं। लेकिन उन्हें क्या पता था कि इक़बाल का दिया हुआ यह नाम उसकी ही माँ का दुश्मन बन जायेगा।

घर की चौखट पर लड़खड़ाती हुई चाची को ओझा जी ने सँभाल लिया। साथ ही औरतों के जमघट को आँखों से ही हटने के लिए इशारा किया। वे धीरे-धीरे सरक गयीं।

ओझा जी ने बगल में पड़ा पानी का गिलास उठाकर चाची की ओर बढ़ा दिया। चाची सिसकते हुए पानी गटक गयीं। ओझा जी अधमरे हुए जा रहे थे। उन्हें कोफ़्त होने लगी। साला...एक उपनाम ने बखेड़ा खड़ा कर दिया। सिसकी फिर शुरू हुई तो ओझा जी ने चाची की पीठ पर हाथ रखते हुए कहा, ''चाची...अब बस करो...हम तुम्हारे बगल में हैं और तुम हमारा मातम मना रही हो। चुप हो जाओ।'' चाची अपशगुन के डर से चुप होने लगीं। सिसकी हिचकी में तब्दील होकर रुक गयी। देर तक दोनों चुप रहे। पर चाची की

आँखें गीली ही रहीं।

अब ओझा जी ने चतुराई से बात बदलनी चाही। बोले, "भूख लगी है, कुछ खिला दो, यहीं से सीधे काम पर जाना है।" चाची मातम की दुनिया से लौट चुकी थी। उसकी मानसिक शून्यता को ओझा जी की भूख ने भंग कर दिया। चाची के होंठ थोड़े फैल गये। लगता है उसको अपनी बेवकूफ़ी का एहसास हो गया। पर क्या करे? भाषा नहीं भाव हैं उसके पास। केवल भाव।

वह उठने को हुई तो ओझा जी ने सहारा दे दिया। चाची चौके में गयी और एक कटोरा ले आयी। कटोरे में दरगाह का प्रसाद था—पंजीरी। चाची ने कटोरा बढ़ाकर सफ़ाई दी, "कुछ बनाया ही नहीं—सुबह रसोई के लिए पानी लेने गयी थी कि..." उसने आधी बात कही। ओझा जी पूरी समझ गये।

कुछ देर चुप्पी के बाद चाची कुछ कहने को हुई। शायद जी हल्का करना चाहती थी। कहा, "इक़बाल भी भूखे पेट ही गया है, तुम्हें ढूँढने।"

ओझा जी ने पंजीरी फाँकते हुए चाची की चिन्ता दूर की, "हाँ मिल चुका हूँ उससे। पर फ़िक्र मत करो, मेरे घर गया है। बिना खिलाये तेरी बहू उसे भेजेगी नहीं। हम लोग पीपल चौक पर ही मिलेंगे।" ओझा जी ने अपनी पत्नी पर भरोसा जताया और बची हुई पंजीरी अपने गमछे में उँड़ेल कर गिरह बाँध दी। ओझा जी की हरकत ने बता दिया कि उन्हें काम पर जाने की जल्दी है। चाची समझ गयी। इसलिए झटके से उसने अपनी चिन्ता व्यक्त कर दी, "इक़बाल की गृहस्थी जम जाये...उसके बाद चाहे जैसे मरूँ।"

प्रतिक्रिया में ओझा जी ने अपनी छोटी आँखें और छोटी कीं और पंजीरी को मुँह में घुलाते हुए बोले, "हुँ...उँ...ताड़ीबाज़ी से बाज आये तब तो। साला, साँझ होता नहीं कि उसका कंठ सूखने लगता है।"

चाची ने कुछ जवाब नहीं दिया। भीतर गयी और पानी ले आयी। ओझा जी एक ही साँस में पानी गटक गये, फिर दूसरी साँस में बोले, "शहरी मस्जिद के सामने एक दुकानदार है, सुलेमानी मुसलमान। उसकी बेटी के लिए इक़बाल की बात बढ़ाई थी।...फिर...एक दिन उसने इक़बाल को चौक पर ताड़ी पीकर लोटते हुए देख लिया।" ओझा जी का चेहरा बिल्कुल तन गया था।

ओझा जी ने फिर विवशता जताई, "हमारी तो सुनता नहीं, कहता है कि

हम लादेन हैं, उसे डरा रहे हैं...ज़रा और सख़्त बनो तो कहता है कि मुसलमान हैं, इसलिए दबा रहे हो...साला ताड़ीबाज़...तुम्हीं बताओ चाची कि हम क्या करें?'' ओझा जी ने अपना चेहरा चाची के ऊपर गड़ा दिया। चाची ख़ामोश धरती देखने लगीं। ओझा जी बोलते गये, ''उसकी गाड़ी बहुत पुरानी हो गयी है, पता नहीं कब साथ छोड़ दे।'' कहते-कहते ओझा जी थोड़े से भावुक हो गये। ये तकलीफ़ के लम्हे थे। ओझा जी की आँखें घर के बाहर गली में टिक गयीं। मानो कुछ खोज रही हों। और चाची की आँखें ओझा जी के चेहरे पर। ओझा जी जब-जब चिन्ता करते हैं, माथे की नसें फूल जाती हैं मानो किसी ने उनमें पानी भर दिया हो।

उनकी आँखें जब गली पर से हटीं तो पाया कि चाची की झुर्रियों में चिन्ता के कई अक्षर हैं। वे अक्षरों को पढ़ने लगे। फिर कुछ सोच कर दिलासा दिया, ''देख...चिन्ता की कोई बात नहीं, आज मैं फाइनेंसर से इक़बाल के नए ऑटो के लिए बात करने जा रहा हूँ...ब्याज थोड़ा ज़्यादा लेगा पर किस्त पर गाड़ी का इन्तज़ाम हो जायेगा। फिर थोड़ी माली हालत सुधर जाये तो दुकानदार से उसकी बेटी के लिए फिर बात करूँगा...उस साले के हाथ भी तंग हैं...नौ...नौ बेटियाँ हैं...बचके जायेगा कहाँ?'' ओझा जी ने मानो गिद्ध दृष्टि से घायल जानवर को नाप-तोल लिया हो। चाची की बुझी आँखें चमक गयीं। लगा, जैसे बहू का चेहरा बुन रही हो।

चाची का उत्साह लौटा तो वह झटके से भीतर गयी और फुर्ती से बाहर आयी। उनके हाथ में एक धागा था, उसे ओझा जी की बायीं बाजू पर बाँधना शुरू कर दिया।

''क्या है?''

''तावीज़ बाँध दे रही हूँ...दो लाई थी, इक़बाल तो बँधवाता नहीं, बाँधा था तो बिगड़कर फेंक दिया...अब तुम मत फेंकना।'' चाची की आवाज़ नम हो गयी। आज सुबह चाची ने जो मातम किया था, उसी की भरपाई है यह। ओझा जी कुछ बोल नहीं पाये। चाची सुबह के अपशगुन को तावीज़ से तोड़ रही थी।

''अरे यह मटकापीर का लाल तावीज़ किसने बाँधी?'' चाची ने जैसे

ख़ज़ाना देख लिया हो।

"तेरी बहू ने...और कौन बाँधेगा।" ओझा जी ने अपनी पत्नी को लेकर झूठ-मूठ का गुस्सा दिखाया।

"अच्छा हाँ...महीने भर पहले इक़बाल मटकापीर ले गया था उसे, मैं जा नहीं पायी।...मटकापीर तुम दोनों को सलामत रखे।" बुढ़िया का दिल भर-सा गया।

ओझा जी को देर हो रही थी। वे उठे तो चाची एक बार फिर पानी लेकर आयी। गिलास बढ़ाते हुए चाची ने पूछा, "अब कितनी किस्तें बाकी हैं तुम्हरी?" चाची का इशारा ओझा जी के ऑटो की किस्तों की ओर था। ओझा जी ने पानी पीकर गिलास वापस बढ़ा दिया। गले में मानो कुछ अटका हो। गला साफ़ करके जवाब दिया, "अभी तो देना शुरू किया है चाची...आधी कमाई रोज़ उसी में जाती है, गाड़ी का तेल-पानी अलग।"

"अल्लाह सब ठीक कर देगा बेटा, वह सबकी तकलीफ़ देखता है" चाची ने हौसला बँधाया। पर ओझा जी पर मानो कोई असर न हुआ हो। उन्होंने गहरी साँस खींची और चाची से विदा ले ली, "अब चलता हूँ...देर हो गयी।"

ओझा जी जब चार क़दम बढ़ गये तो कुछ सोचकर जल्दी में कहा, "तू इक़बाल की चिन्ता मत कर...कुछ न हुआ तो भी जैसे इक़बाल ने मुझे सहारा दिया था...मेरा भी तो कोई फ़र्ज़ है...अगर इक़बाल न होता तो मैं किसी काम का होता?" यह बात ओझा जी ने दमख़म के साथ कही और उछलते हुए बढ़ गये।

चाची का दिल एक बार और भर आया। धरती नापते जा रहे ओझा को वह देखती रही। फिर चाची को भी कुछ याद आया, वह दो क़दम बढ़कर चिल्लायी, "अरे कैसी शर्त लगा रखी है तुम दोनों ने...एक आता है तो दूसरा गायब रहता है...साल भर हो गये हैं नौटंकी को...शर्त तोड़ लो तुम सब।"

ओझा जी बिना मुड़े हाथ हवा में लहरा देते हैं, "ठीक है...।"

"तुम दोनों को मेरी क़सम है...तोड़ दो शर्त।" पर चाची की यह क़सम ओझा जी ने शायद नहीं सुनी। वे बढ़ते गये। लेकिन अब एक ख़ामोश खुशी चाची के चारों ओर पसर गयी थी। "अल्लाह!"

ओझा जी धीरे-धीरे ओझल होते गये। जब उनकी काया धुँधलाने लगी तो वे चाची को बिल्कुल इक़बाल की तरह दिखने लगे।

''इक़बाल ही है क्या?'' चाची को अन्देशा हुआ।

चाची के घर से लौटते वक़्त झूनू ओझा के पैर हिरण की चौकड़ी भरने लगे। दरगाह के पासवाले रास्ते पर आते ही आदतन उन्होंने दरगाह को प्रमाण किया। मंदिर हो या दरगाह, झुकते ही आदमी के मन की कई हसरतें हिलोरें मारने लगती हैं। झूनू ओझा की हसरतें तो कई हैं, पर एक आध भी पूरी हो जायें, तो दरगाह पर पंजीरी चढ़ायेंगे। ज़िम्मेदारियों से लदे ओझा जी दरगाह के सामने साठ डिग्री पर झुक गये। अरमानों के साथ।

''कितनी मुरादें हैं झूनू भाई...?'' एक आवाज़ हवा में तैर गयी और ओझा जी का ध्यान भंग हो गया। यह बन्ने मियाँ की आवाज़ थी। उम्र साठ को छूती हुई। अरब में रहते हैं। साल-दो साल बाद लौटे हैं। ओझा जी ने जवाब नहीं दिया। बस मुस्कुरा कर रह गये। बन्ने मियाँ ओझा जी की निगाह पढ़ने लगे और बोले, ''हज़ारों ख्वाहिशें हैं आपकी आँखों में झूनू भाई...मैंने सब पढ़ लिया।''

झूनू ओझा सचमुच झेंप गये। जवाब देना ही पड़ा। पर सीधा नहीं दिया। ''समझ लो इक़बाल के लिए माँगा है, बस एक बार दरगाह के पीर मेरा साथ दे दें और वह यहीं मेरे हत्थे चढ़ जाये...फिर देखना...'' बात आधी छोड़ दी ओझा जी ने।

बन्ने मियाँ हँसमुख आदमी। हँसते हुए ही बोले, ''भई हमें भी तो बताओ...वह कौन सी शर्त है जिसके लिए इतनी सनक के साथ मुरादें माँगी जा रही हैं।''

ओझा जी सिर खुजाते हुए बोले, ''छोड़िए बन्ने मियाँ...किस ताड़ीबाज़ की बात कहें। बहिन चो...कहता है कि मुसलमान हैं इसलिए दबाते हो... साला पागल।''

''लो खुद ताड़ीबाज़ कह रहे हो और उसकी बात पर रोष भी खा गये हो,'' बन्ने मियाँ ने तर्क दिया।

''नहीं बन्ने भाई, बात यह नहीं है...मैंने भी क़सम खाई है कि उसे कूटूँगा तो 'मियाँडेरा' पर ही...एक दिन का मामला हो तब तो...रोज़ शाम को चढ़ा

लेता है और जलील होता हूँ मैं,'' ओझा जी की बातों में थोड़ा रोष उभर आया।

बन्ने मियाँ उसी तरह मुस्कुराते रहे। फिर बोले, ''छोड़ो भी यार...तुम तो जानते हो उसे...बिना बाप की औलादों में आवारगी आ ही जाती है...फिर तुम्हारी तरह वह पढ़ा-लिखा थोड़े ही है।''

बन्ने मियाँ ने फिर बात ही बदल दी, ''और सुनाओ कैसी चल रही है?''

ओझा जी को अब बहुत देर हो चुकी थी। शहर में कई काम पड़े हैं। जल्दी में ही जवाब दिया, ''ठीक है बन्ने भाई...तुम तो मज़े में हो न?''

''बस कट रही है मियाँ...अपना मुल्क अपना होता है, पराया पराया।'' बन्ने मियाँ खास उत्साह में नज़र नहीं आये। ओझा जी ने घड़ी देखी नौ बज रहे थे। ''चलता हूँ भाई,'' कहकर ओझा जी पश्चिम की ओर लपके। बन्ने मियाँ उसी तरह मुस्कुराते हुए हाथ हिला देते हैं।

ओझा जी ने एक बार फिर घड़ी देखी, ''उफ़...नौ बजकर पाँच मिनट'' कुछ दूर चलकर सोचा, ''सचमुच देर हो गयी।'' रास्ते में उन्होंने महसूस किया कि चाची ने तावीज़ ज़रा कसकर बाँध दिया है। तावीज़ छूकर उन्होंने आँखें बन्द कीं। फिर याद से मटकापीर का तावीज़ भी छू लिया। लाल तावीज़ छूते ही उन्हें पत्नी की याद आ गयी। फिर मुन्नी की। ''उसके लिए काँच की छोटी-छोटी चूड़ियाँ भी लेनी हैं...बहुत काम है आज।'' चाल और तेज़ हो गयी उनकी। आदमी सचमुच हसरतों का मारा होता है।

(3)

इधर पूरा का पूरा शहर ओसामा बिन लादेन की मौत की ख़बर सुनता-देखता रहा। अद्भुत, रोमांचक, मनोरंजक और प्रदर्शनकारी। जितनी ख़बरें उतनी बातें। ''बताओ तो...साला पाकिस्तान में छुपा था। इस्लामाबाद के पास।...साले के कम्प्यूटर के हार्ड डिस्क में पैंतीस पर्सेंट बी.एफ. लोड था। एक कमसिन लड़की उसकी नयी बीवी थी...हरामज़ादा अय्याश था।'' राष्ट्रीय-अन्तरराष्ट्रीय ख़बरों पर चटखारे लेना केवल मीडिया की बपौती नहीं थी। शहरवाले भी इसमें उस्ताद थे। ''उसने उस दिन छह नए पाजामे मँगवाये थे...कैपसिटी देखो साले की...ही...ही...।''

और भी कई-कई बातें बहती रहीं शहर में, जेठ की लू की तरह गर्म और सायँ-सायँ। मसलन, ओसामा, पाकिस्तान, आतंकवाद, मुसलमान। किसी नेता ने ओसामा को 'जी' कह दिया था, लोग इस पर भी भड़क गये थे। 'एपीज़मेंट की ऐसी की तैसी।'

हालाँकि इस शहर में कभी दंगा नहीं हुआ। पोपल चौक के पश्चिम में जहाँ शहर का सबसे बड़ा बाज़ार था—गोपाल चौक—वहाँ मस्जिद निर्माण को लेकर थोड़ा-बहुत तनाव ज़रूर था। लाठी-डंडे की नौबत नहीं आयी, पर नगर-सेठों का कहना था कि मस्जिद बड़ी बन जायेगी तो मुसलमानों की भीड़ यहाँ जमने लगेगी। तब शहर के ग्राहक यहाँ आने से कतराने लगेंगे। मुस्लिम आबादी के बीच आम तौर पर लोगबाग बाज़ार नहीं करना चाहते। हालाँकि यह बात नगर ने कभी नहीं कही, बल्कि नगर-सेठों ने कही थी। मस्जिद के इमाम का कहना था कि दुकानें तो मुसलमानों की भी हैं तो क्या उन्हें ग्राहकों का खयाल नहीं?" बस बतरस इतने पर ही रुकी थी। दो साल से। ओसामा के मारे जाने के बाद इस रगड़े-झगड़े पर कुछ असर हुआ होगा, मन मानने को तैयार नहीं। दंगा होने की कोई सम्भावना नहीं। सचमुच।

लेकिन इन आँखों का क्या करें, जिनमें कभी-कभी अजनबीयत उभर आती हैं? शहर कुछ कह नहीं रहा था। बस आँखों से इशारा कर रहा था आज। चुभने वाले इशारे। दिन-भर के थपेड़े में पठान सूट और लखनवी चिकनकारी वाली टोपी पहने इक़बाल मियाँ आज कई दफ़े ऐसी आँखों को देख चुके थे। चिरपरिचित अजनबीयत। जर्जर हो चुके ऑटो में कई बार वह पीपल चौक से गंगा घाट तक कई सवारियों को लाद-उतार चुके थे। सवारी पैसे देती और चली जाती। पर कुछ ऐसे थे जिनकी आँखों में कुछ-कुछ उभर आया था। जिन्हें इक़बाल मियाँ चोर नज़रों से झाँक लेते थे, 'कमाल है, साला...ये ऐसे क्यों देख रहे हैं?' वे मन ही मन सोचते।

इक़बाल मियाँ पूछ बैठते, "क्या बात है भाई?" तब देखनेवाला हड़बड़ाकर भागने की तरह चल देता, "कुछ नहीं-कुछ नहीं।" हिंसा शहर में बिल्कुल नहीं दिखी। पर आँखों में उसकी परछाईं; अब दिखी कि तब। इक़बाल मियाँ उस कुछ-कुछ को पकड़ना चाहते थे, पर साली भाग जाती थी..."फुर्र फुर्र...।"

इधर शहर की आँखों से बेपरवाह झूनू ओझा भी दिन-भर ऑटो हाँकते

रहे। रास्ते में एक बार इक़बाल का ऑटो भी दिखा। सोचा, बची हुई पंजीरी उसे दे दें। पर सवारी सिर पर चढ़ी हुई थी, फ़ुर्सत नहीं मिली। तब तक इक़बाल भी ऑटोसहित ओझल हो चुका था। 'अच्छा एक चक्कर और लगा लूँ फिर रिचार्ज़ कूपन लेकर फ़ोन करूँगा', ओझा जी ने मन ही मन में कहा। फिर गंगाघाट की ओर बढ़ गये। मौसम सही में गर्म हो गया था और चिपचिपा भी।

शाम को चार बजे तो मौसम थोड़ा ठंडा हो गया था, पर अंधड़ उठने के पहले जैसी हवा चल रही थी। बारिश होने के भी आसार थे। पीपल के पेड़ के पत्ते हवा के तेज़ झोंकों से अचानक खड़खड़ा गये। पास ही सोया हुआ कुत्ता इससे अचानक डर कर खड़ा हो गया, फिर कुछ क़दम भागा भी, फिर एकदम रुककर ज़ोर से भौंकने लगा। मानो अचानक पैदा हुए इस डर पर उसने विजय प्राप्त कर ली हो। तभी एक उड़ती हुई हरे रंग की पन्नी उसके इर्द-गिर्द चक्कर काटने लगी। वह हड़बड़ाकर और ज़ोर से भौंकने लगा। उड़ती हुई पन्नी कुत्ते को नचाने लगी।

इक़बाल मियाँ चुपचाप इस दृश्य को देख रहे थे। चूँकि अभी पूरी साँझ नहीं हुई थी, इसलिए पीपल चौक पर ऑटोवालों का अभी जमावड़ा भी नहीं हुआ था। एक आध ऑटो को छोड़कर सब शहर की गिरफ़्त में थे। एकदम व्यस्त। हवा जब रुकी तो पन्नी भी नीचे गिर गयी। कुत्ता गुस्से से दाँत और पंजों के बीच उसका पोस्टमार्टम करने लगा।

नहर की ढलान से एक सफ़ेद संगमरमर लहराता हुआ आ रहा था। सफ़ेद साड़ी में। यह ताड़ीवाले सोमारू की बेटी थी। उसके हाथ में एक बहुत बड़ा प्लास्टिक का डब्बा भी दिखा। ताड़ी उसी में है। संगमरमर कभी दाहिने हाथ से तो कभी बायें हाथ से उस डब्बे को उठाये इधर ही बढ़ रही थी। थक गयी थी शायद। हवा तेज़ हुई तो साड़ी का पल्लू उड़ने लगा। साड़ी के फड़फड़ाने की आवाज़ इक़बाल मियाँ भी सुन रहे थे। चुहलबाज़ को बस मौका मिलने की देर थी। फिर इक़बाल मियाँ ने कांड किया, ''तकलीफ़ हो रही है तो मैं उठा लूँ?'' लड़की चुपचाप चलती रही। इक़बाल मियाँ थोड़ा आगे बढ़ गये और डब्बे को अपने हाथ से उठा लिया। लड़की ने रोकना चाहा पर बदतमीज़ हवा इक़बाल के साथ हो ली। उसका पल्लू फिर उड़ने लगा और वह सँभालती रही।

इक़बाल मियाँ चौकड़ी मारते हुए गंतव्य पर पहुँच गये, ताड़ी के साथ। पीछे से लड़की भी आ गयी और पसीना पोंछते हुए इक़बाल से कहा, ''मियाँ इसे अभी दुकान के पीछे रख दो।'' मियाँ ने अनुशासित बच्चे की तरह वही किया।

संगमरमर अब सुस्ताने लगा, पर पसीने की बूँदें उसके माथे पर रह-रह कर उभर आतीं। बूँदों में भी अपनी चमक होती है। इक़बाल मोतियों को देखने लगे। फिर इधर-उधर देखकर जेब से रूमाल निकाला और धीरे से लड़की के माथे पर सटा दिया। लड़की को जैसे करंट लगा, वह झटके से पीछे हटी, ''हटो भी मियाँ...कोई देख लेगा।'' लड़की का दिल ज़ोरों से धड़कने लगा।

इक़बाल को हँसी आ गयी, ''अरे...किससे डरती हो...साला कोई बोल करके देखे।'' इक़बाल मियाँ ने जोश में छाती चौड़ी कर ली और आस-पास की चीज़ों को घूरने लगे। पर कोई हो तब न। किसे फ़ुर्सत है।

दोनों देर तक चुप रहे।

फिर, ''ताड़ी के पैसे कब दे रहे हो मियाँ...महीने से ऊपर हो गया...एक-दो दिन फ़ाज़िल...'' लड़की ने सख़्त आवाज़ में आधी बात कही।

पर इक़बाल मियाँ मूड में थे, ''नहीं देता...जा बोल देना अपने बाप को।'' ठंडे पड़ रहे मौसम में इक़बाल मियाँ ने लड़की का पारा चढ़ा दिया, ''बाप पर मत जाओ...मुँह नोच लूँगी।'' लड़की की आवाज़ सख़्त ही बनी रही।

इक़बाल मियाँ पर कोई फ़र्क नहीं पड़ा। बस नज़रें गड़ाए उसे घूरते रहे। आज वे गोरकी से मामला रफ़ा-दफ़ा करके मानेंगे। गोरकी इसी लड़की का नाम है। ताड़ी की दुकान में अपने बूढ़े बाप की मदद करती है। कहते हैं इसी वज़ह से ताड़ीखाना गुलज़ार रहने लगा है। इक़बाल इसी से ब्याह करना चाहते हैं।

इक़बाल ने जब देखा कि गोरकी का पारा नीचे नहीं लुढ़क रहा, तब उन्होंने बात घुमाई, ''तेरे लिए घंटे भर से खड़ा हूँ। बीसेक सवारियों को मना कर चुका हूँ और तेरी आत्मा ताड़ी के पैसे में अटकी है।''

लड़की बिल्कुल शर्मिंदा नहीं हुई, उदास ज़रूर थी। ''मियाँ घर में भूँजी भांग नहीं है...सब ऐसे मसखरी करेंगे तो कैसे चलेगा...पुलिसवाले अलग ही...'' लड़की ने फिर अधूरा वाक्य ही कहा। पर अबकी आवाज़ सख़्त न थी।

इक़बाल मियाँ मुग्ध खड़े रहे। कुछ-कुछ समझा भी। उनकी जेब में

जितने भी रुपये-सिक्के थे, सारे बिना गिने ही मुट्ठी में भरकर लड़की की ओर बढ़ा दिये।

अबकी लड़की मुस्कुराई; पर रुपये नहीं लिये। कहा, "जिसे गरिया रहे हो उसे ही दे देना...बाबा आते ही होंगे।" लड़की का आशय अपने पिता से था।

"बुड्ढा अभी ही आयेगा क्या?" इक़बाल मियाँ हड़बड़ी और डर दोनों से घिरकर बोल गये।

लड़की फिर बिदक गयी, "ऐ...मेरे बाप को...।" आँखें चौड़ी हो जाती हैं गुस्से से।

पर इक़बाल इन्हीं आँखों पर लट्टू हैं। चुपचाप ताड़ते रहे आँखों को-आँखों से। चालीस पार के इक़बाल की यह आशिक़ी लड़की सँभाल नहीं पायी। उसे हँसी आ गयी। इक़बाल भी हँसने लगे। फिर दोनों मिलकर हँसने लगे। गोरकी जब हँसती है तो चाँदी झरती है। ऐसा इक़बाल सोच रहे थे।

अचानक उनकी जेब के मोबाइल ने फ़िल्मी धुन छेड़ी, "हुड दबंग-दबंग...।"

"किसका फ़ोन है?"

झल्लाते हुए उन्होंने कुर्ते की जेब से मोबाइल निकाला। "साला लादेन... साले पर कोई बम क्यों नहीं फेंकता...मज़ा किरकिरा कर दिया," इस तरह गरियाते हुए इक़बाल मियाँ ने मोबाइल का हरे रंग का बटन दबा दिया। इससे पहले मियाँ कुछ कहते ओझा जी ने हमला बोल दिया, "कहाँ है बे साले... दिन भर ढूँढते रहे हैं पंजीरी लेकर।"

"नरक में हैं...साले, जब तक तुम हो हम क्या सुख भोग सकते हैं?" मानो इक़बाल का दर्द उभर आया।

ओझा जी बेपरवाह अपनी धुन में थे, "तू चौक पर है न?...मैं अभी आ रहा हूँ।"

"कोई ज़रूरत नहीं है...तुम उधर ही मरो..." इक़बाल मियाँ ने हिदायत दी, पर वह सुनी नहीं गयी। ओझा जी ने बैलेंस बचाते हुए फ़ोन काट दिया। इक़बाल मियाँ निराश हो गये। साला रंग में भंग डालने आ रहा है लादेन। उधर गोरकी का बाप भी आ ही जायेगा।

इधर झूनू ओझा भी समझ गये कि ताड़ीबाज़ ताड़ीखाने में डेरा डाल चुका है, समय से पहले। ऑटो का अभी दस चक्कर तो लगा ही सकता था। साले को बिज़नेस करना नहीं आता। लौंडिया के चक्कर में सब चौपट हो जायेगा। ओझा जी सब जानते थे।

गोरकी का पिता आ चुका था और गोरकी ताड़ी पीने के कप को धोने-पोंछने में लग गयी। शाम हो गयी। ग्राहक जुटने वाले हैं।

(4)

''मियाँ मियंडी
जेब की अंटी
ले जा...ये...गा लादेन''

पता नहीं इस टेक को किसने रचा था। पर शहर के कुछ शरारती लड़के बूढ़े मैनुद्दीन की झूलती दाढ़ी को देखकर यही गा रहे थे। गा क्या रहे थे, पीछा भी कर रहे थे। मैनुद्दीन कभी गुस्से से, कभी लाज से, डाँटते तो कभी मुस्कुराते, गोपाल चौक से आगे बढ़ रहे थे। चौक के दुकानदारों का अपना शटर गिराने का वक़्त हो गया था। कुछ दुकानदार अपना शटर गिराकर ताला भी मार रहे थे। सबने उन लड़कों को देखा, पर रोका किसी ने भी नहीं। बच्चों की हरकतें जब बर्दाश्त नहीं हुईं तो बूढ़े ने अपने सहारे की छड़ी पीछे घुमा दी। एक लड़के के पैर में लग गयी। लड़का ''माँ'' कहकर चिल्लाया और रोने लगा। दुकानदारों ने रोते लड़के को देख लिया, पर बोला कोई नहीं।

वहीं 'चौरसिया पान भंडार' पर कुछ नौजवान खड़े थे। एक ने पीक थूककर मैनुद्दीन को आवाज़ मारी, ''क्या बुढ़ऊ...बहुत गर्मी है तुम्हारे भीतर?'' मैनुद्दीन सन्न रह गये। पलटकर उन्होंने जवाब दिया, ''क्या तरीका है यह?...आप देखते नहीं, ये कमबख़्त क्या कर रहे हैं?''

''तो क्या जान ले लोगे?'' दूसरे युवक ने मैनुद्दीन को ताव दिखाया।

''नहीं जनाब...'' मैनुद्दीन दूसरे ही क्षण अफ़सोस में पड़ गये। उन्हें अपने किये पर कोफ़्त होने लगी। ख़्वामख़ाह बात न बढ़े, वे आगे बढ़ गये।

पर यह राष्ट्रवादी युवा मंडल का ख़ून था। ऊपर से उनका ख़ून दिन

भर के दृश्यों और ख़बरों से कई बार मुख़ातिब भी हो चुका था। तिलकधारी युवा से रहा नहीं गया। वह गरजा, ''सालो, लादेन मारा गया। अब तो होश में आओ।''

बात बुज़ुर्ग के कान से होते हुए छाती में घुस गयी। छटपटाकर खड़े के खड़े रह गये मैनुद्दीन। तभी एक दूसरे युवक ने विषबाण मारा, ''सालो...कश्मीर में उसकी मौत पर मातम मना रहे हो?''

मानो पत्थर से चोट लगी हो। मैनुद्दीन लड़खड़ा गये। पर गिरे नहीं। अब उनसे रहा नहीं गया। वे मुड़े और तीर की तरह दुकान पर आ भिड़े—''क...क्या मतलब यह कहने का?...क्या समझकर यह बात कही आपने?'' बुज़ुर्ग का कमज़ोर शरीर गुस्से से काँप रहा था।

''मतलब क्यों नहीं है बे?...तुम लोग साले चंदा इकट्ठा करके उसकी फंडिंग करते थे...ये बच्चे ग़लत थोड़े ही गा रहे हैं।'' यह तीसरा तीर था। बात बिगड़ चुकी थी। राष्ट्रवादी युवामंडल अब 'तू-तड़ाक' पर उतर आया। मैनुद्दीन ने भी शरीर की सारी ताकत झोंक दी बहस में। कई सारे शब्द, अधूरे वाक्य हवा में उछलने लगे।

युवामंडल, ''थाली, छेद, एहसान फ़रामोश, ग़द्दार, फंडिंग, लादेन, अलक़ायदा, कश्मीर, पाकिस्तान, मुसलमान, कट्टर, क्रूर, आतंकवादी, हिन्दू-द्रोही, जनसंख्या विस्फोट...''

बुज़ुर्ग मैनुद्दीन, ''सफ़ाई की ज़रूरत नहीं, हम भी हिन्दुस्तानी हैं, मस्जिद का आतंकवाद से क्या रिश्ता, ज़ुल्म, दोयम नागरिकता, पिछड़ा, अत्याचार है यह, हमें क्यों...'' और बहुत सारे शब्द।

फिर कुछ देर बाद, ''रहम...रहम...रहम।''

ये आख़िरी शब्द थे मैनुद्दीन के। उनके होंठों के कोर थूक से सन चुके थे। अन्तिम शब्द बोलकर बिलख पड़े और हाथ जोड़ लिये। करुणा और क्रोध से वातावरण भर गया।

इसे केवल संयोग ही कह सकते हैं। लादेन ओझा उधर से ही गुज़र रहे थे। ऑटो की तेज़ रफ़्तार में भी उन्होंने बूढ़े मैनुद्दीन को देख लिया। यह भी देखा कि किसी नौजवान ने बुज़ुर्ग का कॉलर पकड़ रखा है। ओझा जी समझ गये। गड़बड़ी थी...भयानक। उनकी नसें फूल गयीं और ऑटो का गियर तीन

नंबर में डालकर सीधे भिड़ा दिया दुकान में।

बहसतलब और गाली-गलौज में फँसी मंडली को अन्दाज़ा न था कि ऐसा होगा। पर हो गया। ऑटो की टक्कर से दो नौजवान लड़खड़ाकर दूर जा गिरे। ओझा जी फुर्ती से उतरे और सीधे 'तड़ाक्।' मैनुद्दीन का कॉलर छोड़कर वह लड़का अपने गाल से चिपक गया। उसे सदमा लगा था। बाकी लौंडे भी अवाक् थे। युवाओं के बीच यह जंगली कौन आ गया? लादेन? ब्राँड?

माहौल तेज़ी से बदल गया। ओझा जी गरजे, "भोंसड़ी के...कॉलर कैसे पकड़ लिया बे?" भीड़ ने कोई जवाब नहीं दिया। 'ब्राँड' से उलझने की ज़हमत कौन करता।

तभी मैनुद्दीन ने ओझा जी की कलाई पकड़ ली, कहा, "बस करो ओझा जी...कुछ नहीं हुआ...चलो यहाँ से।" बुज़ुर्ग डर गये थे। दुनिया उन्होंने देखी थी। देख भी रहे थे। पर ओझा जी की छाती फटी जा रही थी, "रुको चचा...एक मिनट।"

मैनुद्दीन ने रोनी सूरत बना ली, "मैं कह रहा हूँ कुछ नहीं हुआ...चलो यहाँ से।"

बुज़ुर्ग के कातर स्वरों ने पता नहीं क्यों युवामंडल की बुझी आग को हवा दे दी। मैनुद्दीन के 'ओझा' सम्बोधन से लौंडे समझ चुके थे कि यह 'ब्राँड' ही है...गँजहा। राख ताव मारने लगी। पर पूरा नहीं। एक गँजहा दस पर भारी पड़े। पर यह शाम का वक़्त था। सूरज अब ढला कि तब। शहर गँजहों से लगभग खाली हो चुका था। यह वह भी समय था जब शहर के लोग गँजहों की दिन-भर की नाफ़रमानियाँ याद करते हैं, और हिसाब चुकता करते हैं। यह बदला लेने का वक़्त था। दिन का बदला साँझ से। बदला ब्राँड से और बूढ़े देशद्रोही से भी।

पहल एक शहरी राहगीर ने की। पचास की उम्र होगी उसकी। बोल पड़ा, "यह गुंडागर्दी अपने गँजहों के बीच दिखाओ...यह शहर है, देहात नहीं।" इशारा ओझा जी की ओर था। आग में घी डालकर भद्र पुरुष राष्ट्रवादी युवा मंडल की आँखें पढ़ने लगे। उन्हें कुछ उम्मीद थी। नागरिक समर्थन को देख मंडली की राख धधक उठी। तिलकधारी युवा के गाल सूज गये थे, पहले तो

वह चुपचाप कसमसाता रहा। फिर, ताव खाकर उसने ही वीर गर्जना की, ''हाथ कैसे उठाया बे मादर...। मारो ब्राँड को।'' इस गरज का असर हुआ। अधेड़ राहगीर ने भी हामी भर दी। देखते-ही-देखते युवा मंडल दंगल कर बैठा। धूल उड़ने लगी। पैरों से। कोई ऑटो-रिक्शा नहीं था सड़क पर कि अकेले गँजहे की मदद करे। सड़क पर भी धूल उड़ने लगी। अचानक मौसम में ठंडक बढ़ गयी। आँधी-पानी। लगा शहर ही उखड़ जायेगा। इधर भीड़ बढ़ती गयी। दुकानों से भी दो-चार लाठियाँ खींच ली गयीं। पता नहीं ये कब से छिपी बैठी थीं।

तब ज़ोर की बारिश हुई, तेज़ आँधी के साथ। लेकिन पलभर ही। धरती कामभर गीली हो चुकी थी। काम भर। उसमें थोड़ा सा ख़ून भी मिल गया था। मैनुद्दीन और ओझा जी धरती पर पस्त गिरे थे। उनके बगल में काँच की छोटी चूड़ियाँ टूटकर बिखर गयी थीं। बादल बूँदें उँड़ेल कर हल्के हो गए थे। शहर का आसमान तो साफ़ हो चुका था पर क्षितिज पर अभी भी काली घटाएं घुमड़ रही थीं। उनका रंग एकदम स्याह था। अंधेरा उतर रहा था। धीरे-धीरे।

नया ज़फ़रनामा

अब तो इसे अनंत पर्वत बोलते हैं। पता नहीं जी, इसका नाम अनंत कैसे पड़ा। छोटा-सा तो इलाक़ा है। पर्वत क्या कूड़े का पहाड़ है अब। रंग-बिरंगी पन्नियों का पहाड़। शहर जो फेंकता है, वह यहाँ चमकता है। लोग भी रहते हैं इधर। अब लोग होंगे तो दुकानें भी होंगी। टायर की दुकानें, गोश्त और मुर्गियों की दुकानें, रेहड़ी, ठेले, टूटे हुए शौचालय...बदबू से नाक फट जाती है जी। हैं जी? मकान नहीं झुग्गियाँ हैं यहाँ! झुग्गियाँ-ही-झुग्गियाँ। जैसे होते हैं न 'रिश्ते ही रिश्ते,' 'बिस्तरे ही बिस्तरे,' 'रजाइयाँ ही रजाइयाँ।'

मतलब यह वह इलाक़ा है जिससे दुनिया में भारत की पहचान बनी है। अब पहचानवाले के पास कौन नहीं जाता भई! सो दुनियावाले यहाँ आते-जाते रहते हैं। कई-कई एन.जी.ओ. की नज़रें पड़ीं इस पर। कुछ आये और चले भी गये। चले क्या गये, भाग गये जी! आप तो जानते ही हो, इन बस्तियों का 'फ़िगर' ही ऐसा है, थोड़ी सी छेड़छाड़ करो तो लोगबाग बुरा मान जाते हैं।

यहाँ भील भी रहते हैं जी। इसलिए लोग इसे भील बस्ती भी कहते हैं। दिल्ली की भील बस्ती। बाहरियों के आने से इलाक़ा बड़ा हो गया तो भीलों की आबादी छोटी लगती है अब। भील तो जानते होंगे जी! आदिम प्रजाति है! चूँकि यहाँ एक बड़ी झील हुआ करती थी, वैसे है तो अब भी पर छोटी हो गयी है, तो लोग इसे झील बस्ती भी कहते हैं और भील बस्ती भी। हाँ जी। इसी झील की कथा है।

तो इसका 'फ़िगर' कुछ इस तरह तैयार होता है कि एक तरफ़ अनंत पर्वत, बीच में झील और झील के परली तरफ़ छोटे-छोटे पहाड़ जिनके नीचे अब और झुग्गियाँ बन गयी हैं। झील की वजह से यहाँ का नक्शा गोल हो

गया है। झील सबको जोड़े हुए है। लोग भी यहाँ काफ़ी हिले-मिले हैं। इतने हिले-मिले हैं कि रात के वक़्त सोते हुए आदमी का पैर अनजाने में बगल की झुग्गी में घुस जाता है। बलवा हो जाता है जी।

झील से एक रास्ता पद्मनगर की ओर जाता है। कुछ लोग वहाँ मन की बात लिखने का इलाज करते हैं। पता नहीं क्या देते हैं वहाँ। कहते हैं कि दिल्ली सहित आदमी हैं वहाँ! अब इलाज का क्या है जी? वो तो चौराहे पर भी करते हैं लोग। 'बाबा आदमखां—गुप्त रोगों का शर्तिया इलाज, नहीं तो पैसे वापस,' 'शराब छुड़ाएँ—बिना बताये,' 'रोते हुए आओगे—हँसते हुए जाओगे।' ख़ैर! मुझे क्या?

अब झील की तरफ़ देखो जी। भील बस्ती के पास ही बिहारी बस्ती और फिर सड़क के बिल्कुल परली तरफ़ हरिजन बस्ती। ना जी ना...यहाँ गाँधीजी कभी नहीं ठहरे! अब कहानियों का देश है जी, क्या पता उन्हें ठहरा भी दें। एक कहानी तो बलवे से भी जुड़ी है। कहते हैं कि सत्तावन के बलवे में कुछ सिपाही इसी झील पर टिके थे। यहाँ नए लोगों को तो पता नहीं होगा पर बूढ़े भील अपने बाप-दादाओं की सुनी-सुनाई बातें बताते हैं। वे कहते हैं कि सिपाही रात में बलवा मचाकर दिन में यहीं छुपते थे। अंग्रेज़ों को कई दिनों तक भनक नहीं मिली। भील उन्हें पानी में छिपा देते थे। अब अगला पानी में कैसे छुपेगा? भीलों के पुरखे क्या जादूगर थे? अब भइया भीलों से कौन पूछे? बाप-दादा के नाम पर लड़ पड़ते हैं। बूढ़ा भील कानू आज भी झील के पासवाले सूखे कुएँ में लोटा भर पानी डालता है। कहता है कि इसमें आत्माएँ हैं। ऐसा पुरखे कह गये हैं। अब कोई पूछे कि झील के पास कुआँ बनाने का क्या मतलब था? कथा-कहानियों का देश है भइया! तकनीक पर कोई बात नहीं करेगा। क़िस्से चाहे जितनी मर्ज़ी कहलवा लो! क़िस्से तो कानू भील भी कहता है। कहता है कि अंग्रेज़ों को जब पता चला कि बलवे के सिपाही झील में छुपे हैं तो आस-पास की सारी बस्ती जला दी उन्होंने। भील भी भाग खड़े हुए पर सिपाही नौ दिनों तक लड़ते रहे—भूखे-प्यासे। गोरों ने झील के पासवाली इमारतें उड़ा दीं। उन्होंने सिपाहियों को आग के हवाले कर इसी सूखे कुएँ में जलता फेंक दिया। सिपाही चिल्लाते रहे, "पानी-पानी,"

तब से कानू के पुरखे कुएँ में पानी डालते रहे हैं। वो जी...भीलों में प्यासे को पानी न देना पाप होता है न!

वैसे अख़बारों ने बलवे पर भी खूब लिखा था जी—पिछले सालों में। झील की तो चर्चा नहीं हुई थी। बस इतना पढ़ा था कि ग्यारह मई को सिपाही मेरठ से दिल्ली में दाख़िल हुए थे और महीनों लड़ते रहे। अक्टूबर से पहले मतलब सितंबर के तीसरे हफ़्ते में फिरंगियों ने फिर से क़ब्ज़े में ले लिया दिल्ली को। यह भी तो एक कहानी ही है जी! कई कहानियाँ झूठी होती हैं और कुछ क्षेपकों की कलाबाज़ी से झूठी पड़ जाती हैं। अब झील को ले लो। कानू की बात पर कौन भरोसा करे? उसके पास तो 'कहानियाँ ही कहानियाँ,' 'क्षेपक ही क्षेपक' हैं। लेकिन फिर झील को देखने पर थोड़ा भरोसा भी होने लगता है। भइया यहाँ झील है, कुआँ भी और कुएँ के पास दो छोटे कमरों का खंडहर भी। एक कमरा तो टूटकर चबूतरा बन गया है। लोग उसे झील-चबूतरा कहते हैं। पास में नीम का पेड़ है जी! भूतिया माहौल है ज़बर्दस्त। इसी डर से इस इलाक़े का 'फ़िगर' थोड़ा साफ़ भी रहता है। कई लोग यहाँ आने से डरते हैं। सचमुच!

समय बीतता गया साहब और झील भरती गयी। छोटी हो गयी भरकर। इतनी छोटी कि म्युनिसिपैलिटी ने झील को अब नाला घोषित कर दिया। सरकारी आँखों से देखें तो यहाँ डेंगू, मलेरिया-चिकनगुनिया न जाने क्या-क्या फैलाने वाले मच्छर पाये जाते हैं। क्या कहते हैं उन्हें—हाँ, एडिस मच्छर। कमाल है जी, जहाँ बलवा होकर न्याय और आज़ादी जैसे जीवाणु पैदा हुए वहाँ अब एडिस पैदा होते हैं! अंग्रेज़ों ने भी कुछ ऐसे ही देखा था झील को। एडिस न्याय? एडिस आज़ादी? अब मज़ाक करने की आदत है जी, बुरा न मानना। बस ये समझ लो कि झील के पास रेहड़ी-रिक्शेवालों की और भी झुग्गियाँ बन गयीं। कथा कहने-सुनने वाले लोग नहीं हैं यहाँ। अब तो लोग सीरियल देखते हैं-सास-बहू। और भीलों के ये नए लौंडे—"खाओ-पियो-जियो, टी.वी.-फ्रिज-एन.जी.ओ.।"

समय का फेर है मालिको! रिक्शे, ठेले, रेहड़ीवाले, पटरी पर दुकान लगाने वाले तो आ ही गये थे, अब तो हिजड़े और कंजरियाँ भी रहने लगीं।

पता नहीं ये कहाँ-कहाँ से खेपों में आती हैं। पहले झुग्गी किराये पर लेती हैं फिर खरीद लेती हैं। ये हिजड़े...भाई साहब क्या बतायें, ताली ठोंक कर इतना कमा लाते हैं कि अगला सात दिन की मजूरी में न कमाये। कंजरियों के भर जाने से अब बहुत ग़ल्त काम होने लगे हैं। पहले तो चोरी-चोरी था सब कुछ। पर अब खुल्लम-खुल्ला। कमा सब लेते हैं बस्ती में। रिक्शे-ठेले वाले, गोश्तवाले, ज़मादार, भील, कंजरियाँ, हिजड़े सब। यहाँ तक की मौजू भी। दो दिन का छोकरा! लीडर हो गया जी अब तो। नहीं तो बचपन में...मौजू चाय ला दे, मौजू पान, मौजू बीड़ी लेते आइयो...मौजू ये...मौजू वो...। मौजू सबके लिए था जी। चवन्नी लेकर काम करता था। शातिर तो बचपन से था। लोगों ने लीडर बना दिया।

सच है कि लीडरों की कोई जात नहीं होती। मौजू की भी कोई जात नहीं है। आज भी साले पर शर्तें लगती हैं कि मौजू हिन्दू है कि मुसलमान? साले को चूहों ने ऐसी-ऐसी जगह कुतरा था कि पूरी दुनिया 'कन्फ्यूज़' है। वहीं झील पर मिला था—गुदड़े में लिपटा। घंटे भर की पैदाइश नहीं होगी जी कि किसी ने फेंक दिया था उसे। शाहिदा और तुलसी न होते तो उसी रात मर जाना था इसे। हँसी आती है बन्दे की किस्मत पर। पाला भी तो कंजरियों और हिजड़ों ने। तुलसी छक्कों की मुखिया है और शाहिदा? अब जाने भी दो साहब! शाहिदा की एक बेटी भी है—शब्बो। मौजू से सात-आठ महीने बड़ी ही होगी। बड़ा लाड़ है इनमें। कहते हैं कि शब्बो ने मौजू के लिए अपने हिस्से का दूध छोड़ दिया था छुटपन में। वैसे दोनों ने एक ही माँ का दूध पिया है जी। भाई-बहन हुए कि नहीं? घोर कलयुगी ज़माना है साहब! इन्हीं दोनों के बड़े चर्चे हैं आजकल।

बस्ती की ज़िन्दगी हिन्दुस्तान की ज़िन्दगी की तरह ही थी अब तक। एकरस और मंद गति। लेकिन मौजू की लीडरी ने जी...। क्या कहें? बस्ती में आज अफ़रा-तफ़री मची है। जग्गी का एक्सिडेंट हो गया है। म्युनिसिपल हस्पताल में पड़ा हुआ था। मौजू ही ले गया लोहिया हस्पताल। उसकी पहुँच है वहाँ। जब बस्ती के लौंडे जग्गी की ख़बर लेकर आये तब मौजू पार्टी कार्यालय में था। तीर की तरह पहुँचा वहाँ। डॉक्टर के तो होश उड़ गये। उसने ऐसी सूरत

देखी ही नहीं होगी! मौजू है ही ऐसा जी। छह फुटिया गोरे डील-डौल के चेहरे पर सुरंगें बनी हुई देखीं डॉक्टर ने। नाक के ऊपर का कुछ मांस और दाहिने कान का आधा हिस्सा गायब है। अजीब-अजीब चेहरे ही लीडर बनते हैं। पर नाम सुन रखा था डॉक्टर ने। हाथ जोड़ दिये उसने, "भाई साहब...मरीज़ की हालत ठीक नहीं...रेफ़र कर दिया है लोहिया में...एडमिट करा लो।" मौजू ने तुरन्त पार्टी कार्यालय में प्रधान से बात की। प्रधान बोला, "मौजू अब मुझ पर नहीं अपने बाजुओं पर भरोसा रख। ले जा बस्ती से पचास-साठ लौंडे। वहाँ का हेड एम.एस. (मेडिकल सुपरिंटेंडेंट) होता है। सीधे बात कर। ना माने तो नारों से हिला देना बिल्डिंगें।" मौजू ने ठीक वही किया। हेड के पसीने छूट गये। वह मिन्नतें कर बैठा, "देखो भाई साहब। हमने एडमिट तो कर लिया न! अपने लोगों को ले जाओ, बाकी मरीज़ों को परेशानी होगी।" वो तो हरिजन बस्ती के कुछ लौंडे हैं वहाँ—स्वीपर, समझाने-बुझाने लगे, "मौजू भाई! आप जाओ। हम सँभाल लेंगे। मौजू तैयार न था। पर जग्गी का पूरा कुनबा मानो मौजू को चबा जायेगा। मौजू ने भी तूल नहीं दिया। भारी क़दमों से लौट गया जी। दिल छोटा हो गया था उसका।

कुछ लोगों का मानना था कि न मौजू जीवनलाल का साथ छोड़ता, न पुलिस जग्गी के पीछे पड़ती। कसूर मौजू का है। जब से मौजू ने जीवनलाल से पंगे लिये तभी से पूरी बस्ती के लौंडों के काम-धंधे चौपट हो गये हैं। नहीं तो क्या मज़ाल कि लीडर-सीडर, पुलिस-ठुल्ले इस बस्ती के लौंडों से आँख मिलाते? पहले बस्ती के लौंडे दूर-दूर से हाथ मार कर आते थे—कोई धर-पकड़ नहीं मचती थी। घड़ी, पर्स, चेन, मोबाइलें रोज़ इनके ढेर लगे रहते थे बस्ती में। पर इसकी लीडरी ले डूबी सब कुछ। रोज़ पुलिस गश्त लगाती है अब। कल सभी कंजरियों को ले गये पुलिस वैन में। क्या बूढ़ी, क्या जवान, क्या बच्चियाँ। नंगी-अधनंगी जिसे जैसे पाया, सबको ले गये। शाहिदा और शब्बो को भी। और अब ये जग्गी!

दाहिना हाथ था बस्ती का और मौजू का भी। जग्गी छुरीबाज़ को कौन नहीं जानता? उसने पहली बार इसी मौजू के लिए ब्लेड मारी थी। वो भी एक ठुल्ले को। छर्रर्रर्र....ख़ून निकला था उसका। जग्गी दाहिने हाथ की दो उँगलियों

में ब्लेड फँसा ले तो समझो कि शामत आयी अगले की। ब्लेड की इतनी बारीक चाल बस्ती का कोई लौंडा नहीं चला पाया। आज उसी हाथ का पता नहीं! कीमा हो गया है बस से कुचलकर। बेचारा होश में तो अभी तक नहीं आया। मौजू और उसके लौंडों ने ख़ून दिया है। जग्गी का बाप मना कर रहा था। "मेरे लौंडे को तेरा ख़ून नहीं चढ़ेगा। तेरी वजह से उसके धंधे बदले। पुलिस पीछे पड़ी। तेरी लीडरी...नहीं तो सैनी की मज़ाल कि मेरे लड़के को बस के आगे धक्का दे।" साँसें चढ़ गयी थीं बुड्ढे की। सैनी हेड कांस्टेबल है जी! कल तक जग्गी और वो मिल-बाँट कर खाते थे।

आज अरसे बाद मौजू ने चरस पी है। जग्गी की ख़ून से नहाई देह बार-बार सामने आती है। मौजू अब बदला लेकर रहेगा। पार्टी कार्यालय में आँखें लाल किये बैठ गया है। सामने प्रधान जी और पार्टी के कुछ लोग हैं। प्रधान कुछ कहना चाहता है। पहले से मौजूद अपने लौंडों को मौजू ने आँखों से इशारा कर दिया। वे बाहर चले गये। प्रधान ने गला साफ़ किया, "देख मौजू! बस्ती की किस्मत अब तेरे हाथ में है। पहले जिनके हाथ में थी तूने उनसे छीन ली। अब तेरे हाथ से छीनने के लिए इसके पुराने दावेदार कुछ न कुछ तो करेंगे ही। जीवनलाल की ताकत हम भी जानते हैं और तू भी।" प्रधान थोड़ा रुका। मौजू ने चेहरा उठाकर अपनी आँखें गड़ा दीं उस पर। प्रधान फिर शुरू हुआ। "जब से इस इलाक़े में हमने कार्यालय खोला है तब से लेकर अभी तक तूने सब देखा है। पहले हम दोनों मुंशी जीवनलाल के इशारे पर नाचते थे...अब हम अलग हैं। क्यों?" प्रधान ने सवाल किया और बिना जवाब के ही बोलता गया, "इसलिए कि हमें बस्ती की किस्मत सँवारनी है। यह पार्टी भी यही चाहती है। पैसेवाली पार्टियाँ झुग्गियों में कार्यालय नहीं खोलतीं। मेरे कहने पर यह पार्टी यहाँ आयी। तेरे सामने हुआ सब।" प्रधान मानो हामी सुनना चाहता था मौजू से। पर मौजू चुप रहा। प्रधान बात जोड़ता गया, "अब समय आ गया है कि हम तख़्ता पलट करें। बस्ती के एक-एक बच्चे, एक-एक औरत-मर्द, बूढ़े-बुज़ुर्ग को तैयार कर। हम थाने पर हल्ला बोलेंगे। और यह सब होगा—कल।" प्रधान ने सनसनाहट फैला दी। मौजू इसी पल के इन्तज़ार में था। चेहरे पर लाली दौड़ गयी। प्रधान मुस्कुरा कर उसे बल देने लगा। प्रधान बस्ती का नहीं

था। इसलिए बातचीत में कई बार फिसल जाता था। आज भी फिसल गया। आगे उसने मुस्कुराते हुए जोड़ा, "मौसी की टीम साथ में रखना।" बस मौजू चिढ़ गया भीतर से। तुलसी को लेकर मज़ाक उसे बिल्कुल पसन्द नहीं। भाँप गया प्रधान। उसने बात सँभालने के लिए मुद्रा बदल ली, "सुनो नेता जी! कल अपने मास्टर जी को भी ले लेना। एक पढ़ा-लिखा ज़रूरी है वहाँ।" पक्का खिलाड़ी है प्रधान। चलते-चलते खुश कर गया मौजू को। बस आज दिन भर की अनहोनियों में एक ही चीज़ सही हुई। प्रधान ने उसे "नेता जी" कहा। जब भी उसे कोई नेता कहता उसकी मुट्ठियों में ख़ून उतर आता। छाती फूलने लगती। बाज़ू भी फड़कते हैं मौजू के।

जब वह घर आया तो सूना पड़ा था घर। वह कभी-कभी ही आता है यहाँ। शाहिदा के लिए। शब्बो के लिए भी। पर आज? यह जगह तकलीफ़ देने लगी। मौजू कल्पना करने लगा कि कितने ठुल्ले आये होंगे यहाँ? क्या पूछा होगा? घसीटा भी होगा उन्हें? मौजू की मुट्ठियाँ तन गयीं। आँखें फटने लगीं। हड़बड़ाकर चरस निकालता है। आग चुपचाप सुलगने लगती है। वह भूलना चाहता है सभी को। घर के अन्दर लेटा हुआ मौजू सन्नाटा बुनने लगा। जितना ही सन्नाटा उतना ही अँधेरा। और उतनी ही बड़ी उदासी। यह चरस की अन्तिम कश थी। अब कोई चीज़ हरकत में नहीं—मौजू की साँसें भी नहीं। बस खुली हुई स्थिर आँखें थीं—अपलक बिना हरकत वह कुछ याद कर रहा था। शायद अक्की को! अक्की इसी तरह ख़ून देकर आया था—देकर नहीं बेचकर! उसने फिर चरस खरीदी और सारी पी गया। बस क्या! खत्म! रोगी भी था पहले का। मौजू भी खत्म हो जायेगा? नहीं! मौजू की मुट्ठियाँ तन जाती हैं। जाड़े-पाले ने नहीं मारा, झील ने नहीं मारा, साला जीवनलाल से भिड़ गया तो अब ये चरस मारेगी? मौजू की साँसें तेज़ हो गयीं। शरीर में झनझनाहट उठने लगी। तभी दरवाज़े पर एक बड़ी थुलथुल छाया उभरी।

"आ गयी घर की याद?" आते ही उसने सवाल किया। आवाज़ मर्दाना है पर शरीर?

उत्तर में मौजू चुप रहता है। वह फिर प्रश्न करती है, "नेता जी! कुछ तो बोलो।"

मौजू चिढ़ जाता है, "अच्छा होता तुझे भी ले जाते थाने।"

"तेरी माँ को ले गये न? कोई एक तो होना चाहिए। मैं रह गयी।"

मौजू को बात बुरी लगी, "मौसी! खोपड़ी न खराब कर, बोल क्या काम है?" मौजू ने जान छुड़ाई।

तुलसी मानने वाली कहाँ थी। "नेताओं की आवाज़ में नरमी होती है।" कहते हुए तुलसी बत्ती जलाने के लिए बढ़ी।

मौजू ने टोका, "लाइट नहीं है...काट दी है सालों ने।"

"क्यों?"

"मुंशी जीवनलाल...बस्ती का दलाल।" यह उसके क्यों का जवाब था। चुप्पी फिर अपना माहौल तैयार करने लगी। तुलसी के हाथ में कुछ चमक रहा था।

"क्या है?"

"कहाँ?"

"हाथ में...और कहाँ।"

"मोबाइल पर लगा रेडियम! किसी अग्रवाल का फ़ोन आ रहा है बार-बार। तेरे से बात करना चाहता है। मैं इसी काम से आयी थी।"

मौजू ऐंठ गया, "ऐं... ?"

तभी घंटी बजी। तुलसी ने मोबाइल मौजू की ओर बढ़ा दिया। मौजू निर्लिप्त रहा। उसे किसी से बात नहीं करनी।

"अबे बात तो कर ले...दस बारी फ़ोन किया है उसने...।" तुलसी परेशान हो गयी। मोबाइल बजता रहा। मौसी थोड़ी गम्भीर हो गयी, "लीडरी में ज़िद नहीं चलती...सुन तो ले...क्या कहता है वह।"

तंग आकर मौजू मोबाइल लेता है। "हाँ...कौन?...क्या काम है?...थाने की चिन्ता तुझे क्यों हो गयी...मैं तो तुझे नहीं जानता...मुद्दे की बात कर।" चरस ने मौजू के चिड़चिड़ेपने को बढ़ा दिया था। उधर से आती हुई आवाज़ मौजू की कनपटी लाल करती गयी। मौजू की आवाज़ ऊँची हुई, "ऐं...तू एन.जी.ओ. है?....फ़ोन रख कुत्ते...न...मुझे कुछ नहीं सुनना साले...तू फ़ोन रख।" मौजू ने फ़ोन काट दिया। मौजू के शरीर में फिर झनझनाहट उठी। मौसी सब

कुछ समझ गयी। उसे भी पता नहीं था। वह पानी लाकर देती है। मौजू मना कर देता है। "मुझे प्यास नहीं है।" सन्नाटा फिर पसर गया। पर मौजू के सिर में तांडव हो रहा था। उससे रहा नहीं गया, "कई बार कहा कि तू..." थोड़ा रुक गया मौजू। लेकिन फिर चालू हुआ, "मौसी...ये साले जितने भी हैं, शोर करते हैं पहले, बस्ती में ड्रग्स है चरस-गांजा है, नयी पौध नशाख़ोर है। चोर-उचक्कों और जेबकतरों का ट्रेनिंग कैंप है बस्ती। धंधा होता है यहाँ... दलाल, गुंडे, हिजड़े...सारे बीमार लोग रहते हैं...तब साले ये आते क्यों हैं?" मौजू बिदक गया था। मौसी निर्लिप्त दीया-बत्ती करने लगी। मौजू फट गया, "कहाँ रोशनी कर रही है तू...बत्ती जलाना छोड़..." बात अभी पूरी भी नहीं हुई कि मोबाइल ने फिर धुन छेड़ी।

अबकी बार भी तुलसी ने ही फ़ोन उठाया। "हाँ...कौन? हाँ...हाँ...बोलो जी...अच्छा हूँ...हूँ...हाँ जी...ठीक है...हाँ होल्ड करो।" वह मौजू की ओर मुड़ जाती है। "देख!...उसी का फ़ोन...कह रहा है कि मास्टर जी से बात हुई है अभी...मास्टर जी ने ही रास्ता दिखाया है...कह रहा है कि कल सभी छूट जायेंगे...बस कोई धरना-वरना जैसा होगा...संस्था के लोग साथ देंगे।" तुलसी का स्वभाव शान्त बना रहा।

मास्टर जी के नाम पर थोड़ा नरम पड़ा मौजू। मास्टर हरिजन बस्ती में रहता है। पद्म नगर रोड पर। अख़बारों में लिखता है। पता नहीं किस अख़बार में। बचपन में मौजू जग्गी के घर जाकर उसी से पढ़ा था थोड़े दिन। पर मौजू टिका नहीं वहाँ। मास्टर सख़्त आदमी है। कई साल पहले अचानक गिरा था बस्ती में। बड़ी बड़ी दाढ़ी-मूँछ में बावला दिखता है। पियक्कड़ एक नम्बर का। पर आदमी भला है।

मौजू तुलसी से मोबाइल लेता है, "हाँ अग्रवाल बोल।" मौजू की आवाज़ में हेकड़ी ज्यों की त्यों बनी रही। वह सुनता रहा और बोलता रहा। "बोलो!...अच्छा...पहले मैं मास्टर जी से बात करूँगा...ठीक...प्रोटेस्ट क्या?...अच्छा हाँ...यार सुनो भारी-भरकम मत पेलो। शब्दों का खेल मास्टर जी जानते हैं मैं नहीं...ठीक है...मास्टर जी ने कहा है तो आ जाना...कल... दोपहर...होर्डिंग क्या?...बोर्ड...अच्छा-अच्छा तख्तियाँ...नारे? हाँ लिख लाना...

लेकिन आगे मैं ही रहूँगा...टी.वी. वाले...बोल लेता हूँ जी...ठीक है...ओ.के. जी...।'' मौजू की हेकड़ी जाती रही। अन्त में 'जी' पर उतर आया। मास्टर जी की खोपड़ी! मौजू मास्टर का एक बार फिर फैन हो गया। मौजू के गम्भीर हो गये चेहरे पर चमक आती गयी। आँखें खुश हुईं। मौसी को एकटक देखने लगा। तुलसी ऊँट की करवट जान गयी। ''ये मास्टर न होता तो हो जाता तू लीडर?'' वह भी मौजू के साथ-साथ मुस्कुराई।

मौसी का अगला सवाल था, ''अब?''

''अब क्या?...अपनी टोली इकट्ठी कर मौसी!...थाने पर जीवनलाल और सैनी की चौकड़ी बजायेंगे। भील तैयार हैं...बस्ती भी तैयार है। शाम को घर-घर घूम आया हूँ। मोहन से भी बात हुई है...सारे रिक्शे-रेहड़ी वाले मेन रोड जाम करेंगे। कल दिल्ली की रफ़्तार रोकनी है।'' मौजू के भीतर की लीडरी ज़ोर मारने लगी। और मारे भी क्यों ना? वो तो मौजू ही है जो सबको ढोता फिरता है। मोहन आज भी एहसान मानता है। नहीं तो सेठ खूब कूटते थे उसके गाँव के लोगों को और काम का मेहनताना भी कम देते थे। जब से मौजू ने गफ़्फ़ार मार्किट के सेठों को ठोंका है तब से मज़ाल है कि किसी बेलदार को वे 'ओये' भी बोलें। धाक जम गयी थी मौजू की। रिक्शे-रेहड़ी वाले छठ पूजा के जलसे में झील पर ले गये थे मौजू को। मोहन ने वहाँ मौजू को माला पहनाई थी, ''मौजू भाई हमारे लीडर हैं।''

बस मौजू के मन में एक ही ऐंठन पड़ रही थी। हरिजन बस्ती! पूरे कुनबे को मनाना आसान नहीं। पर जग्गी तो वहीं का है। साथ देना चाहिए उन्हें। सब ख़ून के रिश्ते के हैं आपस में।

मौजू की हरकतें मौसी समझती थी। दीये की रोशनी में चिन्ता की रेखाएँ पढ़ लीं तुलसी ने। मौजू भी दिन की दौड़-धूप से थक गया था। चरस ने शरीर को आदेश दिया कि अब सो जाओ। उसे नींद आ रही है। तुलसी ने फूँक मारकर दीया बुझा दिया। सन्नाटा एक बार फिर गहरा गया। मौजू ने आँखें बन्द कर लीं।

पर जग्गी की देह ठीक से सोने दे तब तो? करवट बदल लेता है मौजू। दरवाज़े पर फिर कोई है। मौसी ही है। हाथ में दूध का गिलास। ''ले पी ले!''

मौजू फिर करवट फेरता है, ''नहीं।'' पर मौसी की ढिठाई बढ़ती गयी। उसकी आवाज़ में ही नहीं बाजुओं में भी ताकत है। बायें हाथ से पकड़ कर उठा दिया। ''चल पी......दूध से कैसा बैर? कल बहुत काम है।'' सूखी आँतें तर हुईं मौजू की। मौजू सो गया। बस दूध का स्वाद मुँह में रह गया। दूध! नशे के कई रंग होते हैं। चरस का नशा दूध की नदियाँ बहाने लगा। स्मृतियों का कोई कोना दूध के रंग से उजला होने लगा, मौजू उसमें घुलने लगा। हरिजन बस्ती की सड़क पर दूध के ट्रक ने पलटी मारी है शायद। बस्ती के लौंडों ने ट्रक के पीछे का नल्का खोल दिया। बहने लगा दूध। लौंडे उसे पन्नियों में भर-भर कर भागते। अफ़रा-तफ़री मची है। ड्राइवर गालियाँ दे रहा है। मौजू जग्गी की छत पर उसके साथ बैठा लोट-पोट हो रहा है। ''जग्गी भाई वो देखो...हो...हो।''

दोनों हँस पड़े। ठीक ऐसा ही हुआ था कुछ सालों पहले। उस दिन भी नदी बही थी—नदी। दूध की। सच्ची।

अचानक शोर उठा था। ''गणेश जी दूध पी रहे हैं!'' दिल्ली अभी जगी भी नहीं थी कि ईश्वर ने करामात दिखायी। बस्ती में मंदिर नहीं है। अब? एक पेड़ है बरगद का! धागे-वागे बाँधते हैं लोग। पेड़ दूध पियेगा? नहीं? बस्ती के लोग दौड़ पड़े मंदिर की तलाश में। ''मंदिर खोजो। जल्दी!''

उसी दिन। हाँ उसी दिन मौजू, जग्गी, अक्की सारे लौंडे निकले थे धंधे पर। जग्गी मौजू को ट्रेंड कर रहा था—बड़ा जो है जग्गी। मौजू अनाड़ी। पकड़ में आते-आते बचा। दोपहर हो गयी ट्रेनिंग करते-करते। धंधा एक भी नहीं। भूख से बेहाल थे सभी लौंडे। उमर ही क्या थी इनकी? शोर इनके कानों में भी पड़ा—''गणेश जी दूध पी रहे हैं।'' वे चल पड़े पुराने शिव मंदिर—करोल बाग।

भीड़म भीड़-भीड़म भीड़। कतारें लगी थीं लम्बी। सबके हाथ में दूध। कोई गिलास में कोई पन्नी में, कोई लोटे-बाल्टी में दूध लिये खड़ा है। अब क्या चमत्कार देखते लौंडे। निराश हो गये। मौजू ने हताश मन से कहा, ''जग्गी... भाई, मेरे को घर जाना है अब! भूख लग रही है भाई।'' जग्गी कुछ सोचने लगा ऐसे में उसकी आँखें बोलती हैं। इशारे से बताया कि मंदिर के पिछवाड़े चल। दोनों चल दिये चुपचाप। इधर का मंज़र भी अलग था। नंग-धड़ंग

जनता पन्नियों में दूध भर रही थी। मंदिर की नाली से दूध की नदी फूटी थी। भूखी जनता व्यस्त थी और उनकी आत्माएँ ईश्वर को धन्यवाद दे रही थीं। ''धन्य हो प्रभु। बड़े दिनों बाद भक्तों पर कृपा की। चमत्कार दिखाया और डी.एम.एस., पारस, अमूल, मदर डेरी सभी कंपनियों की औकात नाप दी आपने। धन्य हो।''

नंगी भीड़ पर पहला धक्का जग्गी ने मारा, ''हटो ओय! हट साले।'' दो निक्करधारी बच्चे गिर पड़े। पता नहीं कब अक्की भी आ टपका। भाट-चारण परम्परा का निर्वाहक ज़ोर से चिल्लाया, ''हटो बैण चो...जग्गी छुरीबाज़ आया है...हटो।'' दिगंबर भक्त मंडली किनारे हो गयी। जग्गी ने बहते दूध के मुहाने पर अंजुली बनाई। उसने दूध को उसी तरह उठाया जैसे अगस्त ने अंजुली से समुद्र को उठाया होगा। गर्व से उसे चखा। कोई गंदगी नहीं। जो थी वह पहले के दूध के साथ बह गयी होगी। उसने गिरोह को आदेश दिया, ''चलो सालो मुँह लगाओ यहाँ...।'' गिरोह के सदस्यों ने एक-दूसरे का चेहरा देखा। जग्गी भाँप गया। ''अबे चलो, आओ सालो...शरमाओ मत...अबे दूध बेकार हो रहा है...मुँह लगा बे!'' अक्की से रहा नहीं गया उसने पहले मुँह लगाया। फिर मौजू भी शर्माते हुए शामिल हुआ। फिर जग्गी।

अक्की ने डकार लगाई, ''भाई जग्गी! मज़ा आ गया भाई।'' जग्गी ने बात जोड़ी, ''अबे मज़ा तो तब आता जब गणेश जी रोज़ दूध पीते।'' गिरोह हँस पड़ा। तभी एक लहराता हुआ हाथ अक्की के कन्धे पर धँसा तड़ाक...। यह किसी वर्दीधारी का हाथ था। हाथ इतना तगड़ा पड़ा कि अक्की उछलकर सड़क के किनारे जा गिरा। वर्दीधारी गरजा, ''हराम के पिल्लों...मेरे इलाक़े में धंधा...सालो नींद हराम कर रखी है तुम लोगों ने।'' लौंडे दहल गये। अक्की दहाड़ मारकर रो रहा था। बस जग्गी किसी बड़े हौसले की तरह टिका रहा। ठुल्ले ने जग्गी को बालों से पकड़ा। तब अक्की और मौजू भी भिड़ गये ठुल्ले से। तीनों भरे बाज़ार में वर्दी से गुंथ गये। जग्गी की उँगलियों ने कमाल किया, छर्रर... ख़ून। यह ब्लेड की मार थी। वर्दीधारी दर्द से कराहकर ढीला पड़ा तो अक्की और जग्गी भाग पड़े। मगर ये मौजू। फिसड्डी शरीर। ठुल्ले ने मज़बूती से दबोचा था। जग्गी को लौटना पड़ा। अबकी ब्लेड नाक से होते

हुए गाल पर। वर्दीधारी ने हथेलियों से अपना चेहरा ढक लिया। मंदिर के पास हड़कंप मच गया। तीर की तरह तीनों भागे। शोर लगातार पीछा किये हुए था। भागते-भागते बेदम होने लगे लौंडे! मौजू दूध उगलने लगा, "जग्गी रुक...जग्गी...भाई...।"

हड़बड़ाकर आँखें खोलता है मौजू। सुबह हो गयी थी पर चेहरे पर बूँदें जमी हैं। नींद में स्मृतियाँ कभी-कभी इस तरह भी आती हैं। धीरे-धीरे मौजू का मन स्थिर होने लगता है। बस रात की चरस ने सिर भारी कर दिया था। उसे बहुत काम है आज। पार्टी कार्यालय? थाना? नहीं...पहले मास्टर जी के पास!

मौजू की चाल में आज वज़न है। वह तेज़ क़दमों से मास्टर जी से मिलने चल पड़ा। पूरी हरिजन बस्ती में एक ही घर था, एक मंज़िल वाला। जगदीश टम्टा का...जग्गी का। मास्टर जी इसी के किरायेदार हैं। मौजू ने पाया कि नीचे वाले कमरे में कोई नहीं। सब अस्पताल गये हैं। जग्गी की देह एक बार फिर आँखों के सामने! "उफ़्फ़...।" भारी क़दमों से ज़ीना चढ़ते हुए ऊपर आता है मौजू। "मास्टर जी..." मौजू ने आवाज़ लगाई। अन्दर प्रेशर कूकर ने जवाबी कार्रवाई की, "सीई..ऽ..।" मास्टर घर पर ही हैं।

"मास्टर जी..."

"आओ हेनीबल।"

मौजू अन्दर घुसा। उसे डर था कि सुबह-सुबह पी रखी है मास्टर ने। पर अन्दर खिचड़ी की महक थी। शराब की बोतलें नदारद हैं। उसे कुछ सुकून हुआ। मास्टर अख़बार से कुछ काटकर निकाल रहा था। उसने बैठने का इशारा किया। मौजू ने जवाब दिया, "नहीं ठीक है मास्टर जी।" पूरी बस्ती में औपचारिक वार्ताजीवी ये दोनों ही हैं। जब भी मिलते हैं गम्भीर हो जाते हैं। पता नहीं ये चाणक्य-चंद्रगुप्त आपस में ऐसा क्या पाते हैं। नपे-तुले सवाल-जवाब होते हैं इनके। लोग कहते हैं कि मौजू को पाठ पढ़ाता है मास्टर। बुद्धि माँज दी है मास्टर ने इसकी। पैना हो गया है मौजू।

मौजू ने ही औपचारिक वार्ता का दौर शुरू किया, "कल अग्रवाल का फ़ोन आया था...स्वप्निल...।" मास्टर ने बात को बीच में ही काट दिया।

"हाँ मैंने ही कहा था उसे। लम्बा साथ देगा। नयी संस्था है—स्वप्निल। महिला संगठन। बस्ती में महिला-उत्पीड़न को तूल देगी।"

"लेकिन अग्रवाल तो... ?" मौजू ने आधा सवाल किया।

"हाँ मीरा अग्रवाल का पति है। वही देखता है सब। मीरा औपचारिक अध्यक्ष है संस्था की।" मास्टर ने पूरा जवाब दे दिया।

"आप तो जानते हो...क्या खिलवाड़ करती हैं ये एन.जी.ओ. ...। जो भी आया हमें बेचकर चला गया। सब कमीने निकले।"

"ये भी निकलेगा।" अबकी मास्टर की आवाज़ सख़्त हो गयी।

"तो?"

"तो क्या? उभरती शक्तियों को पहचानो, हेनीबल! न्यू फ़ोर्सेज़। शक्ति संरचना के नए औजार हैं ये। प्रयोग करना सीखो। जीवनलाल की तरह राज्य सरकार तक सीमित नहीं हैं। अन्तरराष्ट्रीय फंडिंग चाहिए इन्हें। हाइप दोगे तो बात बनेगी।"

"मतलब तब तक साथ है जब तक कि... ?" फिर अधूरे वाक्यों का सहारा लिया मौजू ने।

"हाँ...यही समझो। लेकिन तब तक तुम यहाँ के 'बाँड' हो जाओगे। तुम इनकी मदद करो और ये तुम्हारी। अग्रवाल पक्का खिलाड़ी है...बड़ा रेकेटियर... समझे।" मौजू समझते-समझते रह गया। पर हामी भर दी उसने, "जी"। पर कुछ था जो अटका रह गया था मौजू में। उसने रुक कर मन की बात कह दी, "पर मास्टर जी...मेरे से बिना पूछे ये संस्था बस्ती में कोई काम नहीं करेगी।...बस यहाँ मैं आपकी नहीं सुनूँगा।" मास्टर ने स्वीकृति दे दी। साथ में मास्टर ने जोड़ा "बस्ती के लोग तो तैयार हैं?"

"हाँ जी।"

"तो प्रधान के साथ दोपहर में काम को अंजाम दे दिया जाये," मास्टर थोड़ा मुस्कुराया। जवाबी हामी भरी मौजू ने। मास्टर की चालें चित्त करके रहेंगी जीवनलाल को। मौजू सुकून से भर उठा। आज इम्तहान है। मास्टर से विदा लेते-लेते रुक गया मौजू। उसे फिर कुछ पूछना था सो पूछ बैठा, "मास्टर जी! ये हेनीबल कौन है?"

मास्टर हँस पड़ा, "है नहीं, था।"

चलते-चलते मौजू कुछ और भी सुनना चाहता था। मास्टर ने कथा पूरी करनी चाही, "एक योद्धा था वह। उसने रोमनों के दाँत खट्टे किये थे। हेनीबल रोमन नहीं था...लेकिन जिन पहाड़ियों से होते हुए उसने रोम पर चढ़ाई की... वह 'न भूतो न भविष्यति'।" कहते-कहते मास्टर की आँखें छत पर टिक गयीं।

रोम को कभी मौजू ने टी.वी. पर भी नहीं देखा था। बस मास्टर अपनी कथाओं में कइयों का नाम लेता रहता...सीज़र, नेपोलियन, हिटलर... मुस...स...ल...नी? पता नहीं क्या-क्या? मौजू पार्टी कार्यालय की ओर बढ़ चला।

दोपहर हो चुकी थी और...

"नहीं सहेंगे अत्याचार...

यह जनता की है ललकार...

ख़ाकी वर्दी होश में आओ

होश में आओ...होश में आओ"

माइक ने फिर नारा बुलंद किया, "यह जनता की है ललकार।", "होश में आओ होश...।" फिर थोड़ा सुधार कर, "नहीं सहेंगे अत्याचार।" थाने का घटाटोप घेराव हो चुका था। बैनर और तख़्तियों ने माहौल को रंग-बिरंगा भी कर दिया। ऊपर से गंध मारती भीड़ ने माहौल को गर्म करने में कोई कसर नहीं छोड़ी। बूढ़े, बच्चे, जवान सभी निकल आये थे आज। शायद भय लोगों को संगठित करता है। बस्ती में पुलिस की बेपरवाह दखल ने भय पैदा किया था। बस्ती को इससे निजात चाहिए थी। पर यहाँ तो एजेंडा फ़िट हो रहा था जी।

सबसे बड़ा बैनर 'स्वप्निल' संस्था का था जिन्हें खूबसूरत लड़कियों ने उठा रखा था। वे बस्ती की तो नहीं लगतीं। हाँ...मीरा अग्रवाल का खेल है सब। सफ़ेद साड़ी और महँगे चश्मे में सबसे अलग दिख रही है। थाने के बाहर माइक पर इसी की आवाज़ गूँज रही है, "ख़ाकी वर्दी होश में आओ।"

राजनीति ने खेल शुरू कर दिया। प्रधान थाने की दीवार पर चढ़ गया और मीरा से माइक लेते हुए भीड़ से मुख़ातिब हुआ, "यह अपहरण है...हमारी

माताओं, बहनों और बेटियों का अपहरण...।'' तालियाँ बज उठीं। पर मास्टर सुलग गया, ''कायदे से मौजू को यहाँ होना चाहिए था। मौजू की मेहनत पर मलाई काट रहा है।'' मगर प्रधान पक्का खिलाड़ी ठहरा, वह लगा रहा, ''भाइयो और बहनो...हमारा देश वीर सपूतों का देश है...बलिदानियों का देश है।'' भीड़ ने समझ लिया कि राष्ट्रगीत का समय आ गया। तालियाँ...। प्रधान का उत्साह बढ़ता गया। ''कोई पूछे इन पुलिसवालों से...पूछे कि अगर माँएँ न होतीं तो बलिदानी पुरुष पैदा कहाँ से होते... ?'' प्रधान की दिमागी धार तेज़ है पर भाषा नहीं। मास्टर भन्ना कर रह गया, ''साला बिना सिर-पैर के बोल रहा है। ऐसे में भीड़ ज़्यादा देर टिकेगी नहीं।'' मास्टर ने मौजू को कुछ इशारा कर दिया। मौजू कूदकर अब दीवार पर चढ़ जाता है। वह जानता है कि यहाँ सब भाषण पेलना चाहते हैं। मीरा, एम.एम अग्रवाल, प्रधान सब। पर अब बोलेगा तो मौजू ही। इधर प्रधान जारी रहा, ''साथियो...आज हम बदला लेंगे...अपनी बहनों के अपमान का बदला...।'' इसके बाद प्रधान बदले पर बदला लेता गया। भाषा लटपट हो गयी। यह मौजू के बस का नहीं कि माइक उसके हाथ से ले ले। प्रधान ने ही उसे लीडर बनाया है। भीड़ गर्मी से बेहाल होकर बिदके इससे पहले बूढ़े मास्टर ने फुर्ती दिखायी। एक लौंडे के सहारे दीवार पर चढ़ गया मास्टर। मास्टर ने तहज़ीब के साथ माइक छीन लिया, फिर बोला, ''भाइयो हमारे बस्ती के कद्दावर नेता श्री मौजू जी हमारे बीच में हैं। मौजू कुछ न कहें तो हमारा आंदोलन अधूरा है। मौजू हमारा हेनीबल है...हेनीबल।'' भीड़ ने ताली गड़गड़ा दी। मौजू गद्‌गद हो गया। यह उसकी जनता थी। अपनी जनता। उसने माइक को ठोंकते हुए गला साफ़ किया। हेनीबल शब्द उसके कान में बिजली की तरह गिरा था। फिर उसका चेहरा दमक उठा। मास्टर ने आज रास्ते में उसके कान में फूँक मारी थी। ''न्याय... समानता...आज़ादी...शोषण...उप...उपनिवेश...वाद।''

मौजू के माइक सँभालते ही जनता ने उत्साहवर्धक सीटियाँ बजायीं। मौजू मानो अभ्यस्त हो ऐसी आदतों का। उसने दोनों हाथ ऊपर उठाकर जनता को शान्त किया। मास्टर की बताई हुई अदा थी यह—काम आ गयी। उसने गम्भीरता से भीड़ के हर कोने में नज़र दौड़ाई। अब मंत्रोच्चार, ''भाइयो...बहनो...पत्रकार

साथियों।'' अन्तिम शब्द मास्टर ने दिये थे। प्रधान और अग्रवाल दंपति एक साथ चौंके। यह सम्बोधन? मौजू के? प्रेस मैनेजमेंट तो अग्रवाल दंपति ने किया था पर किसी ने उन्हें सम्बोधित नहीं किया। प्रधान अपनी बुद्धि पर थोड़ा कुढ़ गया। इधर पत्रकार नाम सुनते ही पुलिसवाले सतर्क हो गये। थाने की बालकनी में बैठा कोतवाल खड़ा हो गया, ''...ओ तेरी...पत्रकार?'' तुरन्त उसने दो कांस्टेबल दौड़ा दिये। एक भीतर हेड साहब को सूचित करने गया। दूसरा मेन गेट के बाहर दौड़ा। उसे पत्रकारों की संख्या गिननी थी। इधर मौजू का गम्भीर स्वर बूँद-बूँद विश्वास जगा रहा था, ''भाइयो...बहनो...माताओ...मैं लीडर नहीं...एक गरीब आदमी हूँ...और आपके बीच का हूँ।'' तालियाँ फिर गड़गड़ाईं। मौजू कहता गया, ''हम अपराधी हैं...यह बात मैं भी मानता हूँ।'' भीड़ में हड़बड़ी हो गयी। मौजू ने अगला वाक्य जोड़ा, ''और हमारा अपराध है...कि हम गरीब हैं।'' इस बार तालियाँ...शोर...सीटियाँ। पक्का खिलाड़ी हो गया है मौजू!

भाषण जारी रहा, ''मगर पुलिसवाले समझ लें...कि यह अत्याचार इस सरकार के ताबूत की अन्तिम कील होगी।'' ''सब मास्टर की देन है,'' अग्रवाल फुसफुसाया। मौजू चालू रहा—''सावधान।...मैं सावधान करता हूँ ख़ाकी वर्दी को...अगर यह अत्याचार नहीं रुका तो मैं यहीं...सबके सामने आत्मदाह करूँगा।'' अन्तिम वाक्य से सन्नाटा पसर गया। मीडिया के कैमरे उम्मीद से खड़खड़ाने लगे।

मगर ये क्या? मौजू ने पैंतरा बदल लिया, ''मगर मैं आत्मदाह करने के पहले...इस...इस थाने को आग लगाऊँगा...बलवा करेंगे हम सब।'' भीड़ ने गड़गड़ाहट तो की पर कुछ मिश्रण हो गया। कुछ भय से, कुछ खुशी से, कुछ बदले की भावना से तालियाँ बजाते गये। भीड़ अपलक निहारती रही मौजू को। मौजू ने अन्तिम अस्त्र चला दिया था।

मास्टर के फूँके हुए सारे शब्द एक साँस में बोल गया मौजू, ''न्याय... आज़ादी...समता...शोषण...उप...उपनिवेश...वाद।''

शब्द खत्म हो गये। अब? कहते हैं चंद्रगुप्त जहाँ खत्म होता था चाणक्य वहीं से शुरू होता था। मास्टर ने मोर्चा सँभाल लिया, ''साथियो...पुलिस के

पास अब भी मौका है...बस्ती की महिलाएँ वे छोड़ दें...हम चले जायेंगे...नहीं तो बलवा तो होकर रहेगा।'' भीड़ ने स्वर में स्वर मिला दिया।

भीड़ का उत्साह देख अग्रवाल दंपति भी मुखातिब होना चाह रहे थे। साड़ी ने परेशानी पैदा न की होती तो मीरा भी दीवार चढ़ जाती। मास्टर उनकी बेबसी समझ गया। उसने माइक दीवार के नीचे मीरा की ओर बढ़ा दिया। माइक ने अब महीन आवाज़ में संगीत पैदा किया, ''भाइयो और बहनो... हमारी माताओं-बहनों को थाने में क़ैद हुए चौबीस घंटे से ऊपर हो गये हैं... थाने में कानूनी हिसाब से चौबीस घंटे से ऊपर नहीं रखा जा सकता...पुलिस ने नारी अधिकारों का ही नहीं बल्कि नागरिक अधिकारों, मौलिक अधिकारों का भी हनन किया है...थाने में महिलाओं के लिए अलग शौचालय तक नहीं है...'' भीड़ ने ताली बजा दी। अन्तिम वाक्य से जनता ज़्यादा सहमत हुई। शौचालय तो बस्ती में भी है—टूटा हुआ ही सही। भीड़ महसूस करने लगी कि कोई कानून का जानकार भी है वहाँ। उसने राहत की साँस ली। मीरा के स्वर विरोध के स्वर थे पर भजन मुद्रा में, ''साथियो...यहाँ की सरकार के... पुलिस के...बड़े अधिकारियों के खिलाफ़ हमारी संस्था मानहानि का मुकदमा दायर करेगी। आर.टी.आई. करेगी। हम प्रधानमंत्री से माँग करेंगे कि यहाँ के रिश्वतख़ोर पुलिस अधिकारी तुरन्त बर्ख़ास्त हों।'' तालियाँ।

इधर थाने में कोतवाल को हेड साहब डाँट रहे थे। उन्होंने जीवनलाल को फ़ोन पर खरी-खोटी भी सुना दी। ''जीवन ने गुमराह किया था कि बस्ती पर उसका कब्ज़ा है। कुछ नहीं होगा। दो-चार लौंडे ही उसके विरोधी हैं। यहाँ तो पूरी बस्ती थाने को दबोचे जा रही थी। मौजू दो दिन का छोकरा नहीं लीडर है...लीडर। साला जीवन...सस्पेंड कराएगा।''

मामला नया मोड़ लेता हुआ नज़र आया। इधर कोतवाल ने अग्रवाल दंपति को बातचीत का न्योता दिया तो उधर मौजू एंड कम्पनी भी लपक पड़ी। भीड़ में उत्सुकता फैली। मास्टर ने कनखियों में पूछा, ''माज़रा क्या है?'' मीरा चहक कर बोली, ''छोड़ने को तैयार हैं...ए.सी.पी. चाहते हैं कि हम उनसे भीतर जाकर मिल आयें।'' प्रधान को प्रस्ताव में ख़तरा महसूस हुआ। बीच में ही उसने टोक दिया। ''क्यों...हमें भी ठेलेंगे क्या?'' कोतवाल ने बात को

लपक लिया। उसने व्यंग्य बाण चलाये, ''अजी हमारी क्या मज़ाल...आपकी पार्टी ने तो थाने को घेर रखा है।'' प्रधान की छाती फूल गयी। मौजू ने नया प्रस्ताव डाला, ''अपने साहब को बोलो कि बाहर आकर मिलें।'' सबने हामी भर दी। मास्टर शागिर्द के बढ़ते विवेक से खुश हुआ।

अब हुआ वही जो होना था। बड़े साहब ने बाहर आकर राजभाषा हिन्दी पढ़ी, ''बस्ती के जिन लोगों को सन्देह के आधार पर क़ैद किया गया था उन्हें छोड़ा जा रहा है। 'स्वप्निल' संस्था ने हेड कांस्टेबल सैनी के विरुद्ध जो शिकायत दर्ज़ की है, उस आधार पर जाँच होगी और दोषी पाये जाने पर कमिश्नर के यहाँ उसे पदच्युत करने की अनुशंसा की जायेगी।''

यह सीधी जीत थी। पहली बड़ी जीत। प्रधान ने माइक से जीत का इज़हार किया। भीड़ पागल हो उठी। बस्ती का खोया हुआ विश्वास लौट पड़ा। मौजू की टीम जयघोष पर उतर आयी। आज मौजू आधिकारिक रूप से लीडर बना जी।

मौजू का लीडर बनना दूसरे लीडर को पसन्द नहीं। ख़ासकर तब जब मौजू पुराने लीडर का चाकर रह चुका हो। मुंशी जीवनलाल। यही नाम है पुराने लीडर का। उसकी कोठी पर मातम की कोई छाया तो नहीं थी पर कान खड़े हो गये थे पुराने लीडर के। आज मंडली जमी है उसके पास। उसमें थाने का कोतवाल भी हाज़िर है। कोतवाल मिर्ज़ा इलाही।

''क्या कहा था मास्टर ने उस स्लमडॉग को? हॉरेबल?'' जीवनलाल एक--एक शब्द चबाकर उगल रहा था। 'स्लमडॉग' शब्द अभी-अभी पॉपुलर हुआ था सो उसकी ज़ुबान पर चढ़ गया। वह भी राजभाषा में ही विश्वास करता है। कम पढ़ा-लिखा है। पर उसके सवाल का जवाब उसके 'गेस्टापो' के पास नहीं थे जो वहीं खड़े-खड़े डर रहे थे। कोतवाल मिर्ज़ा ने जवाब दिया, ''हॉरेबल नहीं जनाब हेनीबल कहा था।'' कहते-कहते रुक गया कोतवाल। जीवनलाल की आँखें लाल रहती थीं। उसने उन आँखों को गड़ा दिया मिर्ज़ा पर, ''तेरे को बड़ा पता है।'' मिर्ज़ा ने लाज से चेहरा घुमा लिया। आज उसकी भद्द पिट रही थी।

जीवन की मुद्रा गम्भीर होती जा रही थी। मौजू एक राजनीतिक संकट था, सामाजिक नहीं। उस पर सामाजिक संकट का उतना असर नहीं होता जितना राजनीतिक संकट का। अगले साल चुनाव है और यह...। जीवनलाल की आत्मा मौजू से ज़्यादा अग्रवाल और प्रधान को याद करके कलप रही थी। "कुछ करना होगा...मौजू का भी...स्लमडॉग हेनीबल...हुँह...।" आवाज़ तैरने लगी। मंडली ने सुन लिया।

मिर्ज़ा को हँसी आ गयी, "हें...हें सही फ़र्माया जनाब...स्लमडॉग हेनीबल।" आज मिर्ज़ा की शैतान खोपड़ी शाम से ही चमक रही थी। मिर्ज़ा इलाही कहते हैं उसे। बस्ती में उसके अपने जासूसों की टीम है। पर आज जो ख़बर देगा उससे पूरी बाज़ी पलट सकती है। खोपड़ी की खलबली बाहर आ गयी, "...जनाब...एक ख़बर है...।"

जीवन अपना चेहरा ज़मीन में धँसाये कुछ सोच रहा था। उसने चेहरा उठा लिया। इशारे में पूछा, "क्या?"

"वो जी 'स्वप्निल' के खिलाफ़ सी.आई.डी. ने रिपोर्ट की थी कुछ दिन पहले...जहाँगीरपुरी थाने में केस दर्ज़ है।" आवाज़ बन्दूक की गोली की तरह चली और असर भी कर गयी। जीवन खुशी से ऐंठ गया, "ऐं...किस मामले में?"

"वो पता लगा लूँगा जी...बस बात पक्की है...हफ़्ते भर का समय दो।" राजनीतिक कील जो विरोधियों ने ठोंकी थी, उखड़ती नज़र आयी जीवन को। वह कुछ सोचने लगा। मिर्ज़ा ने उसकी सोच पर लगाम लगाई, "पर अग्रवाल की पहुँच ऊपर तक है जनाब...नहीं तो सी.आई.डी रिपोर्ट करे और मामला दबा रहे...अग्रवाल पैसे से और पैसे के लिए कुछ भी कर सकता है...वह किसी का नहीं।"

जीवनलाल ने उसे अनसुना करते हुए मोबाइल के बटन दबाने शुरू किये। थोड़ा परेशान भी था। मोबाइल में उधर से आवाज़ आयी, "हाँ जी...प्रदेश अध्यक्ष कार्यालय...।" जीवनलाल नरमी से, "हाँ...हैलो...अध्यक्ष जी हैं...अभी मिलना है...ज़रूरी है जी...नहीं-नहीं...मामला निकल जायेगा...आधे-पौन घंटे में जी?...हाँ पहुँच रहा हूँ जी...।" "बैठे-बैठे कहाँ फ़ोन लगा दिया इसने।"

मिर्ज़ा मन ही मन झल्लाया। पर जीवनलाल पुराना खिलाड़ी। वह जानता है कि जड़ में मट्ठा जितनी जल्दी पड़े उतना ही ठीक। चेहरा कुछ चमकने सा लगा उसका। उसने कोतवाल मिर्ज़ा इलाही की आँखों में आँखें डाल दीं और पूछा, "अग्रवाल और प्रधान को पता तो नहीं ही होगा कि झील पर बीस करोड़ का स्टेडियम बनना है?" ख़ाकी वर्दी को कुछ समझ में नहीं आया। वह बस जीवन का चेहरा देखता गया। जीवन ने फिर सवाल किया, "खेलों के जलसे में एन.जी.ओ. की बड़ी भागीदारी होती है...पता है?" वर्दी चुप ही रही। जीवन के एक-एक सवाल किसी दूर के शिकार पर मानो निशाना साधना चाहते हों। ज़ीवनलाल गूढ़ होता गया। मिर्ज़ा इलाही की सूचना किसी काम की नहीं क्या? मिर्ज़ा पसोपेश में पड़ा रहा। "सरकार करोड़ों खर्च करेगी विज्ञापन पर," इतना कहकर जीवन कोठी के बाहर जाने लगा, "गाड़ी निकाल ओये... जल्दी।" मंडली बैठी रही। खेलों के पहले का खेल जो उसे देखना था जी।

आल्प्स पर्वत और हेनीबल

बस्ती में चारों ओर मौजू की बातें हो रही हैं। हर कोई उसमें कुछ न कुछ जोड़ देता है। कहानियों का देश है यह। क्षेपकों की परवाह किसे है? मगर मुख्य पात्र दो दिन से गुमसुम है। बस्ती के उत्साह से अलग। रात को झील के चबूतरे पर जाने क्या ढूँढ रहा है।

परसों प्रधान ने पार्टी कार्यालय बुलाया था। ख़बर पक्की है। आधी झुग्गी उड़ जानी है यहाँ से। झील पर खेल होंगे। सितंबर तक स्टेडियम बनना तय है। मौजू की सारी समझदारी उसका साथ छोड़ रही थी। मास्टर जी का पाठ भी खत्म हो रहा है, "मौजू! ये सारी स्थिति हॉरेबल है।" मौजू ख़ून पीकर रह गया था। अब मास्टर भी क्या कर सकता है? यहाँ सभी गरीब हैं। सभी थके हैं। मौजू सन्नाटे के बीच टहलता रहा। अब दो दिन पहले वाली बात नहीं थी। बस्ती के लड़कों ने फूलों से लाद दिया था मौजू को। बस्ती की लाडली गोद में उछल आयी, "मौजू भाइया को मैं वोट दूँगी।" ग्यारह साल की बच्ची के उत्साह ने नम कर दिया था मौजू को। मौसी ने तो बस्ती में गा-गाकर अपना गला बैठा लिया था। पर सब ठंडा पड़ गया था अब।

"उफ़्फ़ यह गर्मी।" झील चबूतरे पर भी चैन नहीं मौजू को। टहलने लगा झील के किनारे। चरस का एक कश खींचा मौजू ने। कुछ ठंडक आयी। दो दिन से चरस पीकर आँतें सुखा रहा है। पुरानी लत ने फिर ज़ोर मारा था। शब्बो की दी हुई क़सम हर कश पर टूट रही थी। खुद मौजू भी। वह भीतर से हिल रहा था। लैम्पपोस्ट की रोशनी में उसकी छाया लम्बी होती हुई झील में पहुँच रही थी। ठहरी हुई झील में काँपती हुई छाया। ये लैम्पपोस्ट इधर ही गड़े हैं। तब पता नहीं था कि ये रोशनियाँ ही बस्ती को निगलेंगी। स्टेडियम की तैयारी की पहली नींव है यह। अगर भनक मिल गयी होती तो पहले ही बलवा कर बैठता वह। पूरी बस्ती में अँधेरा है और यह लैम्पपोस्ट... ? पास का पत्थर उठा लेता है मौजू।

तभी—"वाह! नेता जी!" आवाज़ में खनक थी। झील पर एक और छाया उभरती है। छोटी छाया—शब्बो? पत्थर हथेली से फिसल गया। पुरानी आदत है इस लड़की की। ऐन मौके पर रेड मारती है। छोटी छाया ने बड़ी छाया से सवाल किया, "अकेले में चरस पी रहा है न?...बोल?..." बड़ी छाया चुप रही। हिली-डुली भी नहीं।

छोटी छाया, "पी...और पी...तेरी लाश हम माँ-बेटी को ही दफ़न करनी है।" आवाज़ बहेलिए के तीर सी गयी और बड़ी छाया हिल गयी। बड़ी छाया को शायद दर्द हुआ। छोटी छाया भी रुकी रही। फिर कुछ सोचकर छोटी छाया बड़ी छाया के पास गयी...फिर...एक होकर और बड़ी हो गयी।

"राजे! ये क्या कर रहा है तू?" शब्बो की आवाज़ ने दर्द की लकीर खींची। उसे मौजू पर जब भी प्यार आता है तब 'राजे' कहती है। नहीं तो बचपन में वह भाई बोलती थी। मौजू रैपटा खींच देता था, "भाई मत बोल।" शब्बो रोते हुए मासूमियत से पूछती, "तब क्या बोलूँ तुझे...कटुए?" मौजू चुप्पी साध लेता। कुछ समझ नहीं पाता। पर कुछ पलता रहा दोनों में। शब्बो उसे चिढ़ाते हुए बोलती, "भाई" और मौजू उसे मारने दौड़ पड़ता था।

"दो दिन से तू घर क्यों नहीं आया?" छोटी छाया बड़ी छाया से अलग होते हुए पूछती है। फिर, "माँ तुझे याद कर रही थी...बीमार है...बुलाया है तुझे।"

"क्यों?" बड़ी छाया।

"क्यों क्या?" स्वर में नाराज़गी ने जगह ले ली।

"मुझे नहीं जाना।"

"आख़िर क्यों?"

"ऐंवे ही...।"

"ओये...इत्ता बड़ा नहीं हुआ तू कि घर जाने की फ़ुर्सत नहीं।" शब्बो की आँखों की डोर लाल हो गयी। लगा अभी रो पड़ेगी। मौजू समझ गया। सफ़ाई देनी पड़ी, "वो बात नहीं है।" स्वर कड़ा हो रहा था मौजू का।

"तो क्या बात है?"

"मेरी वजह से तकलीफ़ होती है तुम लोगों को," मौजू ने भरसक नरमी बरती।

"तू बोल क्या रहा है? तुम लोग मतलब?" शब्बो के सवाल ने माहौल को पेचीदा बनाना शुरू किया। मौजू बचना चाहता था। टालने की एक और कोशिश करता है वह, "मैंने चरस पी है...माँ को तकलीफ़ होगी।"

"ओहो...तुझे बड़ी परवाह है माँ की?" इसी अन्दाज़ में शब्बो उसे चिढ़ाती है, सो वह चिढ़ गया, नहीं भड़क गया, "तू खोपड़ी खराब मत कर... जा यहाँ से...रात हो गयी है।"

"नहीं! माँ ने साथ लेकर आने को कहा है।" वह तन गयी। मौजू भी तैयार बैठा था, "क्या करूँ जाकर...उसका इलाज नहीं करवा पाया आज तक...लीडरी में फँसा हूँ...पुलिसवाले मेरी वजह से ले गये तुम लोगों को... क्या मुँह..." आवाज़ टूट गयी मौजू की। पर काठ का कलेजा। दर्द दिखने नहीं दिया।

शब्बो अपनी ज़िद पर अड़ी रही, "मुझे कुछ नहीं सुनना...तू चल...वैसे भी माँ अब ठीक है। दोपहर में डॉक्टर आकर सूई दे गया है।"

मौजू थोड़ा चौंक गया, "डॉक्टर! डॉक्टर कौन?"

"मोहन लेकर आया था...अग्रवाल दो दिन से उसे बस्ती में भेज रहा है...मोहन के साथ," शब्बो ने खुशी ज़ाहिर की।

"क्यों?" मौजू ने फिर सवाल किया।

"क्यों क्या...तुझे पता नहीं। बस्ती में दो दिन से सूई-दवाई बाँट रहा है

डॉक्टर। जागो नेता जी...'' शब्बो ने चिढ़ाया। मौजू सचमुच चिढ़ गया, ''मैं देख रहा हूँ तू आजकल मुझे नेता-वेता बहुत बोलने लगी है।''

''क्यों...अभी तो तू कह रहा था कि लीडर है...अब क्या बोलूँ?''

''जो बोलती है।''

''भाई?''

''रैपटा दूँगा।''

''अच्छा चल, नहीं बोलती। खुश?''

लेकिन मौजू खुश नहीं था। बिना पूछे बस्ती में डॉक्टर जो घुस आया था। उसे पता ही नहीं, ''साले अग्रवाल को पूछना चाहिए था। मोहन भी...''

''क्या सोच रहा है?'' शब्बो ने सोच में खलल डाल दी।

''यही कि मुझे बिना बताये बस्ती में डॉक्टर कैसे आया?'' उसके माथे पर अब बल पड़ रहा था। शब्बो ने चिन्ता की रेखाएँ मिटानी चाहीं, ''तेरी खोपड़ी भी उल्टी चलती है। अरे...बस्ती में रोग फैलने का डर है, इसलिए दवाइयाँ बाँट रहे हैं। लाडली और उसकी सहेलियों को भी सूइयाँ लगी हैं।''

''क्यों?'' मौजू की चिन्ता ने जिज्ञासा का रूप ले लिया।

''कह रहे हैं कि छोटी लड़कियों में बीमारी फैलने का डर है आजकल। टीके लगाने से नहीं फैलेगी। इसलिए उनको सुई लगाई।''

''तूने भी लगवाई होगी?'' मौजू ने शरारत कर दी। पुरानी आदत है।

शब्बो, ''नहीं।''

''क्यों?''

''डॉक्टर कह रहा था कि चौदह साल तक की लड़कियों को ही लगेगी... बड़ी को नहीं।''

''तू कितने की हुई?'' मौजू ने एक और शरारत की।

''तुझसे बड़ी ही हूँ...सात महीने।'' शब्बो ने नाराज़गी दिखायी। झूठी ही सही।

''पता है...पता है।'' मौजू चिढ़ जाता है इस बात पर। बचपन से ही यह लड़की रौब झाड़ती है कि वह बड़ी है। शब्बो भाँप गयी। सही मौका है आग में घी डालने का। सो उसने डाल ही दिया, ''तब तो यह भी पता होगा

कि एक ही माँ के दूध पीनेवाले आपस में क्या कहलाते हैं?" सवाल पूछकर उसने आँखें नचा दीं।

"क्या?" मौजू अनजान बना रहा।

शब्बो ने अपनी गोल आँखें एक बार फिर घुमाईं और हौले से जवाब दिया, "भाई-बहन।"

बस फिर? लहर जैसी उठी कुछ। लपक पड़ा मौजू उसकी ओर। वह भाग खड़ी हुई। अरसे बाद लड़कपन ने अंगड़ाई ली थी। वह दूर लैम्पपोस्ट के नीचे खड़ी धपधप कर रही थी। मौजू की आँखें उसे निहारने लगीं। पीली रोशनी में नहाई छरहरी काया दमक रही थी। कोई कहेगा कि यह मासूम चेहरा मौजू से सात महीने बड़ा है। इसकी जुबान में मिर्ची न होती तो और भी प्यारी लगती। मौजू उसकी ओर बढ़ने लगा धीरे-धीरे।

"माँ से बोल दूँगी," शब्बो के लहज़े में चेतावनी थी और शायद नहीं भी। मौजू हँस पड़ा। उसे प्यार और गुस्सा एक साथ आने लगा, "तू चाहती क्या है?"

"तू घर चल," शब्बो ने मिन्नत की।

इसी समय झील पर तीसरी छाया उभरने लगी, धीरे-धीरे। बातचीत का क्रम टूटा। अब कौन होगा यहाँ? पर है। यह कानू भील की छाया थी। तीन दिन से बीमार पड़ा था। अब बीमार को क्या पता कि अनजाने में कहाँ खलल डाल दी?

बड़बड़ाता चला आ रहा है चबूतरे की तरफ़। "अब ठीक हो दद्दा?" मौजू ने सवाल दागा। उसे डर था कि बूढ़ा कोई अजीब सवाल न कर बैठे। इसलिए पहल मौजू ने कर दी। शब्बो आँखों से मुस्कुराई, "पट्ठा माहौल बदल रहा है?" कानू पास आता गया, "कौन...मौजू?...क्या कर रहा है यहाँ?" कानू भी कहाँ मानने वाला था। जिस सवाल से बचना चाहता था मौजू बूढ़े भील ने ठीक वही सवाल कर दिया। मौजू भी जवाब तैयार किये बैठा था, "टहलने आया था।"

"ये भी कोई टहलने की जगह है...लोग फारिग होने आते हैं यहाँ?" भील बड़बड़ाया। मौजू चुप ही रहा। भील अपनी रौ में था। "भूतों का डेरा

है यहाँ...रात को यहाँ नहीं आते लाले।'' भील शब्बो की ओर मुड़ जाता है ''और तू यहाँ क्या कर रही है?''

''मैं? मैं इसे बुलाने आयी थी। दो दिन से घर नहीं आया,'' शब्बो ने भील से शिकायत की और बाज़ी भी मार गयी।

''रात में यहाँ प्रेत नाचते हैं। कितनी बार कहा है कि...अब कौन समझाये इन लड़कियों को?...प्रेत किसी दिन कन्धे पर चढ़ जायेंगे?'' बूढ़े ने आगाह किया। बात कहते-कहते कानू का चेहरा सिकुड़ गया।

''इसे क्यों कहते हो दद्दा? ये तो खुद चुड़ैल है।'' मौजू हँस पड़ा। अबकी बाज़ी मौजू के हाथ।

शब्बो की जुबान चली, ''चुड़ैल होगी तेरी माँ।'' यह उसकी जीभ का असली रंग था। कानू हँस पड़ा, ''माँ तो दोनों की एक ही हुई...शाहिदा ने पैदा नहीं किया तो क्या हुआ...दूध तो पिलाया ही है।'' बूढ़े ने बात हल्के भाव में कही। पर मौजू को चुभ गयी। शब्बो को भी। बूढ़ा भील इस असर से अनजान ही रहा।

''शब्बो...तू चल। मैं अभी आता हूँ।'' मौजू थोड़ा गम्भीर हो गया। पीली काया छाया में तब्दील हुई और ओझल होती गयी। यही तो बात है शब्बो में, वह मौजू के हरेक भाव को जान लेती है।

भील कुएँ में पानी डालने लगा। शायद कुछ बड़बड़ा रहा था। मौजू फिर झील में अपनी परछाईं निहारने लगा। चुपचाप। चरस का असर तो कम हो रहा था पर कुछ और था जो भीतर-ही-भीतर गहराता गया। उसकी परछाईं के बगल में दूसरी परछाईं फिर उभरी—बूढ़े भील की। ''रोशनी में मच्छर काटते हैं...चल चबूतरे पर बैठते हैं,'' बूढ़े ने आग्रह किया। उसके शरीर को वहाँ तक जाने में सहारा चाहिए था। मौजू कन्धे से सहारा देते हुए उस ओर बढ़ गया। चबूतरा ठंडा था। कुछ राहत मिली। ''बीड़ी है?'' भील ने माँगी। ''मैं बीड़ी नहीं पीता,'' मौजू रूखा हो गया था। बूढ़ा भील भी नहीं मानने वाला था, ''तो चरस पिला दे।'' ''सँभल जायेगी,'' मौजू ने ताना मारा।

बचपन से लेकर आज तक यह कुछ न कुछ माँगता रहा है। अगला इसके शरीर की हड्डियाँ गिन ले, पर बन्दा लत नहीं छोड़ेगा।

सिगरेट की डिबिया पर चरस सुलग उठी। अब दोनों अपने-अपने हिस्से का आनन्द खींचने लगे। आग खत्म हुई तो सन्नाटा पसर गया। नशे ने ज़ोर पकड़ा। वह रूप बदलने लगा। कानू बूढ़ा था इसलिए नशे ने स्मृतियों का रूप ले लिया। मौजू जवान था इसलिए वह वहाँ सपने में तब्दील हो गयी। स्वप्न और स्मृति अपने-अपने हिचकोले खाने लगे। शायद दोनों संवाद करना चाहते थे।

स्वप्न, "तुम्हें पता है दद्दा कि अब इस झील पर स्टेडियम बनना है... तैराकी होगी।"

स्मृति, "तीन दिन से कुएँ में पानी नहीं डाला। आत्माएँ नाराज़ होंगी।"

स्वप्न, "आधी झुग्गी साफ़ हो जानी है इन जलसों में।"

स्मृति, "मौजू यहीं मिला था शाहिदा को। तब शाहिदा पेट से थी और शब्बो सात महीने की।"

दोनों अपनी-अपनी कह रहे थे। कहना जारी रहा।

स्वप्न, "हैनीबल कौन था?...मास्टर और प्रधान क्यों हैं यहाँ?...माँ मर जायेगी?...वह मेरी माँ है? शब्बो का मैं क्या करूँ?"

स्मृति, "नरक भोग रही थी शाहिदा। मुक्ति चाहिए थी। झील में समा जाने आयी थी। पर प्रेतों की लीला...शाहिदा की नज़र चूहों के झुंड पर पड़ी। डरकर भागने को हुई कि नवजात ने कराह मारी, 'अल्लाह! यहाँ तो बच्चा पड़ा है,' चीखते हुए दौड़ी वह और गोद में उठा लिया उसे, 'ज़िन्दा है। शुक्र है मालिक का।' "

"अबकी चुनाव में पलट दूँगा जीवनलाल को। मैं उसका कुत्ता नहीं हूँ," स्वप्न की मुट्ठियाँ तन गयीं।

"चूहों ने कई जगह से खा लिया था बच्चे को। नाक, कान, पैरों के अँगूठे...आज भी मौजू के जबड़ों पर खरोंचें हैं। खतना कर दिया था सालों ने। पर बच गया। आत्माओं की जैसी इच्छा," दोनों हाथ जोड़ दिये स्मृति ने।

स्वप्न को नींद आने लगी। उसे बहुत काम है कल। पर स्मृति को नींद कहाँ। वह खाँसते हुए उठी। अपनी देह की फटी चादर स्मृति ने स्वप्न के शरीर पर डाल दी। स्वप्न सोने लगा। स्मृति ज़मीन टटोलते हुए बस्ती की ओर बढ़ गयी, "आत्माएँ रक्षा करें स्वप्न की।"

सूरज चढ़ आया था। दिन की शुरुआत भी हो गयी थी। पर दिन शुरू होते-होते बेरहम हो गया। बस्ती में ख़बर आग की तरह फैली, "जग्गी मर गया ओए।" भीड़ हरिजन बस्ती की ओर दौड़ पड़ी। इस कोलाहल से दूर मौजू झील के चबूतरे पर औंधा पड़ा था। शोर उसके कानों तक पहुँचा और आँख खुल गयी, "यह शोर कैसा है?" उसे लग गया कि शाहिदा या शब्बो...। वह तीर की तेज़ी से दौड़ा। मगर लड़खड़ा गया। नशे ने साथ नहीं छोड़ा था। अब भी देह में बाकी था। मौजू ने फिर जान लड़ाई और बस्ती की ओर तेज़ चाल में चलने की कोशिश करने लगा। बस्ती पहुँचने तक ख़बर ने उसके लिए नया मोड़ ले लिया। ख़बर पक्की है। जग्गी अब नहीं रहा।

मौजू एक बार फिर लड़खड़ाया और बैठ गया। पीड़ा का वज़न इतना बढ़ गया कि बिना हरकत शरीर धरती में घुसा जा रहा था। पिछले दिनों ने जो फोड़े दिये थे सबके सब फूटकर बहने लगे, "भ...भाई...।" आवाज़ गले में रुँध कर रह गयी। वह हिचकियों में तब्दील हो गयी। उसने अब तक मातम नहीं झेला था। संताप क्रोध का रूप लेने लगा। बार-बार जग्गी की देह सामने आती। बार-बार हेड कांस्टेबल सैनी की याद आती। "सैनी बैण चो...तू तो गया रे...।" लीडर को बिलखता देख किसी ने पानी दिया। मना कर दिया मौजू ने। एक बार फिर उसने देह की ताकत झोंकी और धीरे-धीरे खड़ा हुआ। फिर सुस्त चाल से हरिजन बस्ती की ओर बढ़ चला।

तुलसी उधर से ही आ रही थी एकदम तेज़ चाल में। गली में दोनों टकराये। तुलसी ने हाथ पकड़ते हुए कहा, "मैं जानती थी तू इधर लपकेगा...चल वापसी कर...नहीं जाना है वहाँ।" मौजू की आँखें विस्मय से तुलसी पर टिक गयीं। "मौसी...तू पागल हो गयी है...भा.. भाई था मेरा," मौजू ने हाथ छुड़ाते हुए कहा। उसे समझ में नहीं आ रहा था कि मौसी कहना क्या चाहती है? मौजू उसे नज़रअन्दाज़ करके बढ़ने को हुआ कि तुलसी ने फिर उसे दबोच लिया, "तेरा ख़ून पी जायेंगे वहाँ बस्तीवाले...आग उगल रहे हैं।"

मौजू ज़िद पर उतर आया, "तू छोड़ेगी कि नहीं...चल छोड़।" मौजू लगभग चीख पड़ा। पर मौसी कहाँ मानने वाली थी। मौजू के कन्धे पर उसकी पकड़ मज़बूत होती गयी। अब देह की ताकत पर उतर आये दोनों। नशे का

मारा मौजू फड़फड़ाकर रह गया। पीड़ा और विवशता से हकला गया, ''मौसी मैं तेरे पैर पड़ता हूँ...एक बार जाने दे।'' बिलख पड़ा मौजू। मौसी की आँखें भर आयीं पर उसके हाथ बेरहम बने रहे। छोड़ा नहीं। उसने घसीट दिया मौजू को, ''नहीं जाना हरामज़ादे...तेरे को कहीं नहीं जाना...मुंशी बैठा है वहाँ... जीवनलाल।''

यह दूसरा वज्रपात था। मौजू सन्न रह गया। ''ऐं'' आँखें विस्मय से फटी रह गयीं।

मौसी, ''देख क्या रहा है? अब तेरी अर्थी सजा रहा है जीवनलाल। उस बस्ती के सभी जने उसके साथ हैं।''

मौजू उतावला हो गया, ''मैं उन्हें अभी जाकर बताता हूँ कि यह सब उसी हरामज़ादे के इशारे पर हुआ है।''

पर तुलसी मानो सारा गणित समझकर आयी हो। उसने बाण चलाया, ''बस्तीवालों को क्या पता नहीं कि सैनी जीवनलाल का कुत्ता है?...सबको सब पता है लाले...तू वापस चल।'' अब समझदारी जवाब देने लगी। मौजू कातर हो उठा। जिस बस्ती में रोज़ का बैठना-खाना था वह अचानक...।

मौसी उसकी समझ को माँजती गयी, ''सबको पता है कि झील पर स्टेडियम बनना है, आधी झुग्गी साफ़ होगी। पद्मनगर वाली सड़क चौड़ी होनी है—अस्सी फुट की। आधी हरिजन बस्ती आ जायेगी लपेटे में। जीवनलाल ने बस्तीवालों को ढाढ़स बँधाया है कि सड़क उसकी लाश पर ही चौड़ी होगी। अभी कह रहा था कि सड़क की चौड़ाई परली तरफ़ से कराने की अर्ज़ी दे दी है—कूड़ेवाले पहाड़ की ओर। वह सरकार से बात कर रहा है—झुग्गी ने बच जाना है इस तरह।'' मौसी ने एक साँस में बात रख दी। मौजू अब शान्त हो गया। एक-एक करके बदले हुए गणित को समझ रहा था शायद।

मौसी जोड़ती गयी, ''जीवन वहाँ आग में घी डाल रहा है कि मौजू जग्गी को लीडरी में न घसीटता तो ये सब नहीं होता...अब पुलिस की कोई जात नहीं होती जी—वो तो हिस्सा माँगते हैं...जग्गी कहाँ से देता?'' दाँत पीस लिये मौसी ने। मानो जीवनलाल की बढ़त ने आतंक पैदा किया हो। तुलसी मौजू का हाथ पकड़ते हुए वापस आने लगी। मौजू बिना प्रतिरोध के साथ-

साथ चलता रहा और मौसी को सुनता रहा, ''जग्गी के बापू में अब इतनी ताकत नहीं कि पूरी बस्ती से बैर मोल ले। वह गरीब सब जानता है, पर चुप है। जग्गी की बहू को म्यूनिसपैलिटी में नौकरी दिलवाना चाहता है जीवन... पार्षद कोटे से...शातिर है हरामज़ादा।'' मौजू चुपचाप सुनता रहा। धरती घूम रही थी। तुलसी का घर पास आया तो दोनों रुक गये। तुलसी ने निर्देश दिया, ''चल आराम कर ले...आगे प्रधान से बात होगी—मैं अभी आती हूँ।'' मौजू डोलती हुई धरती को नापते हुए भीतर घुसा और चारपाई पर गिर पड़ा। उसे नींद नहीं आ रही थी। रह-रह कर जग्गी की हूक उठती। करे भी तो क्या? बस बड़बड़ाकर रह गया, ''जीवन...तेरी बैण की...।'' उसके जबड़े कसते जाते। फिर जबड़े दुखने लगते। थककर करवट ले लेता है मौजू।

दिनभर सोता-जागता रहा मौजू। बस्ती से बेख़बर संताप और संघर्ष में उलटती-पुलटती रही आत्मा। दो दफ़े शब्बो आकर चली गयी। पर हिला नहीं मौजू। शब्बो को तो कानू भील की बातों पर भरोसा होने लगा है। ''कहीं कुएँ के प्रेत मौजू के कन्धे पर चढ़े तो नहीं?''

शाम का सूरज अब ढलान पर उतरना चाहता था। पर मौजू की नींद अभी उफन रही थी। बेमेल समय है यह। पर बेमेल क्या नहीं है यहाँ। बस्ती, लोग, ज़िन्दगी सबके सब बेमेल हैं। समय का फेर है साहब नहीं तो शाहिदा ने जिसे अपनी कीमत चुका कर पाला था, वह उससे मिलता तक नहीं।

बूढ़ी शाहिदा चली आयी तुलसी की ड्योढ़ी पर मौजू को देखने। रहा नहीं गया उससे। पूरी दुनिया उसके बच्चे के ख़ून की प्यासी है। हाथ फेरने लगी सोये हुए मौजू के सिर पर, ''ज़फ़र...उठ। शाम को नहीं सोते लाले।'' कहते हैं कि शाहिदा की आवाज़ में रस है—एकदम मीठी। मौजू को 'ज़फ़र' नाम शाहिदा ने ही दिया था। बहादुर ज़फ़र। मीठी आवाज़ ने असर दिखाया। मौजू के शरीर ने हरकत की। वह समझ गया, माँ बैठी है। मौजू की हिम्मत नहीं हुई कि उठे। माँ-बेटे में संवाद कम ही होते हैं। मौजू जैसे-जैसे बड़ा होता गया उसका स्नेह तो गहराता गया पर संवाद कम होने लगे। कुछ महीनों से गायब ही रहने लगा छोरा। शाहिदा ने जान लिया कि ज़फ़र जगा हुआ है। पर उसका ज़फ़र बोलने को तैयार नहीं। वह इन्तज़ार करती रही। हारकर शाहिदा

ने पूछ ही लिया, ''मेरा कसूर बता दे लाले? क्यों मुझसे गुमसुम... ?'' पूरी बात भी न कह पायी शाहिदा। आवाज़ सिसकियों में बदल गयी। मौजू के भीतर लहर सी उठी। करवट लेकर चेहरा गड़ा देता है तकिये में। काठ का कलेजा। दर्द हो भी तो दिखने नहीं देता। शाहिदा उसकी बेचैनी से अनजान अपनी रौ में बहती गयी, ''मैं बहुत दिनों तक जीने वाली नहीं...सुन रहा है? ज़फ़र...मैं तुझसे कह रही हूँ?''

सन्नाटा पसरा रहा, देर तक। साँझ ने रात का दामन पकड़ लिया था। घर के बाहर लोग पानी के नल्के पर झगड़ रहे थे। शोर बढ़ता गया। दो दिन से पानी नहीं आया था। ''पता नहीं शब्बो भरेगी कि नहीं।'' शाहिदा चारपाई के सिरहाने से उठ जाती है। मौजू बल्ब की रोशनी में उसकी परछाईं देखने लगा, निर्लिप्त। शाहिदा चौखट की ओर बढ़ी तो परछाईं मौजू के शरीर से सरकते हुए दूर होती गयी। मौजू औंधा पड़ा रहा। शाहिदा की ममता एक बार फिर जगी और उसके क़दम चारपाई की ओर वापस हुए। परछाईं ने एक बार फिर घेर लिया मौजू को। मौजू आँखें बन्द कर लेता है। उसे दायें बाजू पर कुछ कसता हुआ महसूस हुआ। ''तावीज़ बाँध देती हूँ...देर-सबेर न जाया कर झील पर। कानू भील ठीक कहता है। प्रेत रहते हैं वहाँ,'' माँ के मन ने हिदायत दी। मौजू समझ गया। सारी खुराफ़ात शब्बो की है। उसे शब्बो पर गुस्सा आ रहा है। इधर शाहिदा मौजू का सिर सहला रही है। आँखों के कोर भीगने लगे मौजू के। पर बोला नहीं। ममता आहत होती रही, हाथ फेरती रही, तावीज़ छूकर कुछ पढ़ती रही। फिर चली गयी। मौजू अकेला रह गया। सन्नाटा फिर पसर गया। देर तक।

''हरामज़ादे! लीडरी ने तुझे जानवर बना दिया है।'' आवाज़ गोली की तरह चली और मौजू की कनपटी लाल हो गयी, अचानक। यह तुलसी थी। बरसने लगी, ''बीमार औरत सुबकती हुई गयी है यहाँ से...सुना तूने... ?...तेरे लिए अपनी देह बेची है उसने...कई-कई बार।'' आवाज़ ने मानो बम फोड़ा। मौजू की पीड़ा के चिथड़े उड़ गये। घायल मौजू ने जवाबी चीख मारी, ''क्यों? क्यों उठाया झील से?'' आवाज़ गूँज गयी। तुलसी भी मानो तैयार बैठी थी। बिफर पड़ी, ''इसलिए कमीने...कि एक दिन तू बड़ा होकर सवाल पूछे कि

क्यों वह जीवनलाल की रखैल बनी?'' यह वज्र का प्रहार था। इतिहास का भी। मुट्ठियों में ख़ून उतर आया मौजू के। दम साधकर मुट्ठी पटक दी ज़मीन पर, ...तड़ाक...। उँगलियों के फूटने की आवाज़ थी यह। चमड़ी छिल गयी थी—ख़ून बहने लगा। मौजू के गुस्से ने रूप बदल लिया—वह हिचकियाँ बन गयीं। तुलसी ने छिले पर नमक छिड़का, ''मुझे मार लेता लाले...धरती से कैसा बैर?'' अबकी आवाज़ में निरीहता थी। मौजू चुप रहा। निःशब्द। सन्नाटा गहराता गया। बिजली चली गयी। तुलसी ने अँधेरे में मौजू की हथेलियाँ थाम लीं और आँचल से लपेट लिया। देर तक चुपचाप बैठे रहे दोनों।

तुलसी बत्ती करने उठी तो मौजू ने रोक लिया, ''नहीं...बैठ अभी।'' कातर स्वर थे मौजू के।

तुलसी भी नरम हो गयी। भीतर की ममता जागी तो कुछ स्वर फूटे उसके, ''बड़े लाड़ से तेरा नाम रखा था मैंने...मौजू। कितना हँसमुख था रे तू...हमारे ताल पर नाचता-गाता था...खूब हँसोड़...।'' बात बीच में ही रुक गयी। स्मृतियों का मरहम लग गया मौजू पर। उसका जी हल्का होने लगा। स्मृतियाँ उसे भी घेरती गयीं। बचपन उतर आया। ''मौजू ज़रा नच दे।'' और वह नाचता था। 'इन्हीं लोगों ने ले लीन्हा...।' शाहिदा गाती थी और मौजू सिर पर चुन्नी रखे नाचने लगता शब्बो के साथ। फिर कुछ और दृश्य उभरे। पीड़ा और अँधेरे ने आज खड़ा कर दिया—उसके बीते हुए कल को। ''भाई...माँ कहाँ गयी?'' एक थप्पड़ तड़ाक, ''भाई मत बोल मुझे,'' बालक मौजू गरजता था शब्बो पर। शब्बो रोते हुए पूछती, ''क्या बोलूँ? कटुए?'' कई-कई बार ऐसा हुआ। कई-कई बार शाहिदा गायब रही और शब्बो सवाल पूछती रही। तब तुलसी ही पालती रही।

तुलसी की आवाज़ ने मौजू को उसकी स्मृतियों से मुक्त किया, ''शाहिदा तुझसे बात करने आयी थी...शब्बो के बारे में।'' बात कहते हुए तुलसी बत्ती करने लगी। कहना जारी रहा, ''बस्ती की लड़कियों को अग्रवाल के यहाँ काम मिल सकता है, मोहन कह रहा था।'' मौजू आपे में आ चुका था। उसने गला साफ़ किया और गम्भीरता से बोला, ''पाउडर-लाली लगाकर बेच देंगे मौसी। मुझे उन पर भरोसा नहीं।'' मौजू की आवाज़ में गहरी समझदारी दिखी। अब

नया माहौल तैयार हो गया। मौसी चुप हो गयी। ज़माना उसने भी देखा है। मौजू शब्द जोड़ने लगा, "बस्ती के भीतर ही कुछ ढंग का हो...मैं बात करूँगा मास्टर जी से...और भी एन.जी.ओ. हैं यहाँ...।" मौसी ने महसूस किया कि पारा उतर गया मौजू का। पुरानी रंगत में आने लगा है वह। तुलसी ने अपनी अन्तिम बात रखी, "जो भी करना है जल्दी कर...लड़कियाँ बड़ी हो रही हैं।" तुलसी के इशारे गम्भीर थे। मौजू समझ गया।

प्रेतकथा का अन्त

समय गुज़रते देर नहीं लगती जी। सर्दियाँ आयीं भी और गुज़र भी गयीं। वैसे बहुत कड़ाके की ठंड पड़ी दिल्ली में। सब कुछ मानो जम गया था। बस अफ़वाहें थीं जिन्होंने माहौल को गर्म रखा। इंडिया का तो क्या है जी? अफ़वाहों का अजायबघर है। 'बस्ती जायेगी, बस्ती नहीं जायेगी। सड़क अस्सी फुट की होनी है, नहीं साठ फुट की होगी!' कई लोग कई बातें। कोई कहता कि हरिजन बस्ती की पटरीवाली दुकानें उड़ जायेंगी। तो कोई बिहारी बस्ती के बारे में कहता, 'यह उड़ी ही समझो।' भील अलग से बलवे की फिराक में हैं। पुश्तैनी इलाक़ा उजाड़ देना आसान नहीं होगा। स्टेडियम का काम भी शुरू नहीं हुआ। हाँ, झील की सफ़ाई दो दफ़े ज़रूर हो गयी। एक दफ़े कागज़ पर और एक दफ़े सचमुच में। पर बस्ती से अभी छेड़छाड़ नहीं हुई।

इन सर्दियों में बस तीन बातें नयी गुज़रीं। पहली थी कि अब झील चबूतरे पर बड़ा-सा होर्डिंग टँग गया है। स्टेडियम का नक्शा चिपका है उस पर। साथ में बाघ की तस्वीर भी लगी है जी। कानू भील रोज़ निहारता था उसे। कानू से याद आया कि दूसरी घटना यह हुई कि बस्ती से प्रेतकथा का अन्त हो गया। वो जी कानू भील सर्दियाँ नहीं झेल पाया। बेचारा! इधर कुछ ज़्यादा ही बड़बड़ाने लगा था। कहीं से सुन लिया था कि खेलों से पहले कुएँ की भराई होनी है। तब से देर-रात तक कुएँ के पास ही बैठने लगा—एकदम उदास। कोई उधर से गुज़रता तो उस पर पिल पड़ता, "जल्दी भाग...बाघ आने वाला है।" लोगों का क्या जी? वे मज़े ले-लेकर पूछते, "और तुम दद्दा?" बूढ़ा ओज रस टपकाता, "मेरे सिपाही हैं यहाँ।" तब लोग ठट्ठा करते, "तो

दिखाओ।'' बूढ़ा पत्थर उठा लेता, ''ज़्यादा सवाल न कर...परे हो...वे सो रहे हैं।'' बस क्या था जी इसी हँसी-ठट्ठे में बावले को शीतलहर ने चपेट में ले लिया। दिल्ली की ठंड तो आप जानते हो जी! कहते हैं कि अन्तिम रात कानू ने लोटे में पानी भरके रस्सियों से लटका दिया था कुएँ में।

और तीसरी बात यह है मालिको कि बस्ती इधर साफ़-सुथरी रहने लगी। नालियों के किनारे आये दिन सफ़ेद पाउडर डालते हैं। छिड़काव होता है। हर गली में चमकीले पोस्टर-ही-पोस्टर, बैनर-ही-बैनर। लाल, हरे, नीले, पीले, काले। सब जगह लिखा है जी—'जनहित में जारी।' पीले रंग पर 'पोलियो रविवार—दो बूँद ज़िन्दगी की।' गुलाबी रंग 'नाको' का है—'एड्स, जानकारी ही बचाव है।' फिर 'लाडली—एक सरकारी योजना,' 'स्कूल चलें हम,' 'भागीदारी'। पटे पड़े हैं जी चारों ओर—'जननी-सुरक्षा', 'हम दो हमारे दो', 'रक्तदान-महादान', 'डेंगू रोकें! पानी जमा न होने दें'। अब तो रेडियो पर भी सरकारी गाने शोर करने लगे—'दिल्ली है मेरी जान।' बस्ती के लौंडे इसकी धुन पर झुंड बनाकर नाच रहे हैं।

बस्ती में ये होर्डिंग तो बच्चों के खेल का सामान हो गया है जी। झुंड का एक बच्चा 'लाडली' पोस्टर पर निशाना साध रहा था, ''इसकी दायीं आँख पर मारूँ?'' दूसरा चिल्लाता है, ''नहीं-नहीं...ख़ून के निशान पर मार...दूसरी तरफ़।'' तीसरा पोलियो वाले बैनर पर निशानेबाज़ी की तैयारी करने लगा। मौजू चुपचाप उस झुंड के नटखटपन को ताड़ता रहा। डेंगू वाले पोस्टर में उन्होंने छेद कर दिया। 'मच्छर पैदा न होने दें' का 'न' किसी ने फाड़ दिया है। इतना तो पढ़-लिख गये हैं। लाडली खड़ी-खड़ी बच्चों को गालियाँ बक रही है, ''ओये...मेरे नाम के पोस्टर पर क्यों मारा।'' झगड़ पड़ी। झुंड हँसने लगा।

मौजू भी मुस्कुरा देता है। लाडली बड़ी हो रही है...''ये लड़कियाँ भी कितनी जल्दी। इसकी माँ तीन महीने से गायब है।'' इन सबसे बेपरवाह लाडली अब भी झुंड पर बरस रही है। पर झुंड सरकारी योजनाओं से लगाव कर बैठा था। पत्थर फेंकना जारी रहा। मौजू चला गया।

हेड कांस्टेबल सैनी सस्पेंड हो गया। यह चौथी बात थी। पर मौजू के मतलब की। कुछ लोगों का मानना है कि जीवनलाल का खेल है। वोट जो

लेना है। कुछ मानते थे कि मौजू की ताकत बढ़ी है। सर्दियों में एक-एक झुग्गी में घूम आया था मौजू। जीवनलाल इस बढ़त से दबाव में आ गया था। जो भी हो, मौजू को सुकून हुआ कि न्याय हुआ कुछ। उसे बस्ती को लेकर एक तसल्ली यह भी है कि दवा-दारू की कोई कमी नहीं है अब। 'स्वप्निल' ने पूरा ज़िम्मा उठाया है। हफ़्ते-पन्द्रह दिन पर डॉक्टर आता-जाता रहता है। हाँ एक कसक रह गयी थी। पूरी सर्दियों में भाग-दौड़ के बाद भी बस्ती में ढंग का रोज़गार पैदा नहीं हुआ। पता नहीं क्यों ये साले एन.जी.ओ. हाथ खड़े कर लेते हैं। उसे अग्रवाल पर सन्देह होने लगा था। अग्रवाल मौजू से मिलता ही नहीं। केवल फ़ोन पर बात करता है। कोई काम हो तो मोहन के मार्फ़त बात पहुँचती है। मोहन भी समाज का आदमी बन गया है। कहीं... ?

चिन्ताएँ उसे पार्टी कार्यालय ले जातीं। कुछ महीनों से पार्टी कार्यालय में मौजू का आना-जाना तेज़ हो गया था। वह देर-रात तक प्रधान के साथ योजनाएँ बनाता। प्रधान कहता, "स्ट्रेटेजी।" मौजू कहता, "बलवा।" प्रधान माथा पकड़ लेता। मौजू नरम पड़ जाता। मौजू दांव-पेंच सीखता रहता। ऐसे ही पूरी सर्दियाँ गुज़र गयीं और अब गर्मियाँ चढ़ने लगीं। अब? इधर इसी 'अब' की चर्चाएँ करने लगा है प्रधान।

प्रधान ने आज चमकती आँखों से मौजू को सम्बोधित किया, "प्रदेश अध्यक्ष खुश हैं।" मौजू जानबूझकर अनजान बना, "क्यों?"

"तेरे काम से खुश हैं...और क्या।"

मौजू को गुदगुदी हुई। फिर प्रधान ने उसकी गुदगुदी कम की, "पर पूछ रहे थे कि ये मौजू भी कोई नाम है? मैंने कहा कि असली नाम ज़फ़र है, तो कहने लगे तब मौजू नाम ही रहने दो।"

मौजू ने आँखें चौड़ी कीं। कुछ समझा नहीं वह। प्रधान ने समझाया "वोट का चक्कर है सब! तू इतना समझदार तो हो ही गया है।" मौजू को बात बुरी लगी। पर उसे पक्का खिलाड़ी बनना था। प्रधान भाँप नहीं पाया।

"तेरे लौंडे तो ठीक-ठाक हैं?" प्रधान थोड़ा चिंतित था।

मौजू ने निश्चिन्त किया, "आप बेपरवाह रहो जी! मेरे लिए मरने-मारने को तैयार बैठे हैं।"

"क्या खाक तैयार हैं। कई-कई गुट बनने लगे हैं उनके। पूरी दिल्ली में घूम-घूम कर विदेशियों को नशे का सामान बेच रहे हैं।" प्रधान ने नंगी सच्चाई रखी। मौजू हिला भी नहीं। उसने परदा डाला, "पता है मुझे। मैं भी तो बेचता था। कोई ख़तरा नहीं होता जी...सब मिले होते हैं।"

चौधरी ने पर्दा वापस खींच दिया, "अब वो वाली बात नहीं है मौजू। बड़े गिरोह से मिल रहे हैं तेरे लौंडे। हिमाचल और नेपाल तक जाने लगे हैं। अक्टूबर वाले जलसे की तैयारी में लगे हैं।"

मौजू को इस बात की भनक थी। पर उन्हें रोकने से नये खतरे पैदा हो सकते थे। बचाव में उतर आया मौजू, "जब इतना बड़ा गिरोह है तो ख़तरा और भी कम होगा। मैं उन्हें नहीं रोक सकता।" मौजू की आवाज़ में गर्मी आ गयी।

प्रधान भी नहीं मानने वाला था। गरज पड़ा, "तब अचानक एक दिन तुझे ये बात पता लगेगी कि उस गिरोह का बड़ा हिस्सेदार मुंशी जीवनलाल है...और ऐन मौके पर...ठीक ऐन मौके पर तेरे लौंडे उसके हत्थे चढ़ेंगे। सब चौपट हो जायेगा मौजू! समझा।" अक्सर शान्त रहने वाला प्रधान विचलित हो उठा था। मौजू की कनपटी लाल होती गयी। प्रधान उसे और लाल करता गया धीरे-धीरे, "बहुत सम्भव है कि ये नौबत ना आये...पर तब तक ये लौंडे तेरे नहीं रह पाएँगे।" यह नरम चेतावनी थी। जीवनलाल सेंधमारी शुरू कर चुका था। प्रधान उसे आगाह करता गया, "मैं देख रहा हूँ कि इधर मोहन भी कुछ ज़्यादा ही सामाजिक हो गया है। उस पर नज़र रखनी होगी, उसे साथ रखा करो।" प्रधान नरम होता गया।

मोहन को लेकर मौजू भी इधर सोचने लगा था। प्रधान की चेतावनी ने उसे सजग कर दिया, "अग्रवाल से सीधा कनेक्शन हो गया है उसका।" प्रधान ने कनखियों में बात कह दी। वैसे अग्रवाल प्रधान को भी चुभने लगा था। प्रधान जानता था कि अग्रवाल बड़ी चीज़ है। उसके पैंतरे जल्दी समझ नहीं आते। मौजू ने भी अपनी बात रखी, "अग्रवाल तो मुझसे मिलता भी नहीं...कल मास्टर जी से मैंने शिकायत भी की थी।"

"यही तो कह रहा हूँ मौजू कि बस्ती की ताकत समझ। इसी बस्ती को गोद लेने के नाम पर साले ने करोड़ों के सरकारी विज्ञापन लिये हैं।"

मौजू चौंक गया, "विज्ञापन?"

प्रधान ने समझाया, "अरे...सरकारें देती हैं पैसा। 'एड्स,' 'नशा मुक्ति'... पोस्टर नहीं देखते क्या?"

मौजू अपनी नासमझी पर खीझ कर रह गया। "मोहन के हाथों जो खर्चा-पानी आता रहा...स्साला अग्रवाल माल उड़ा रहा है और यहाँ..." मौजू के दिमाग में हरकत होने लगी।

गला साफ़ करते हुए वह मुद्दे को उठाता गया, "हम जो चाहते थे अग्रवाल वह नहीं कर पाया...बस्ती में रोज़गार पैदा नहीं कर सका। महीनों मुझसे बात नहीं करता। पता नहीं क्यों कटा-कटा रहता है।" प्रधान के माथे पर सन्देह की रेखाएँ बार-बार उभरने लगीं।...गहरी चालें तो प्रधान ही समझ सकता है।

प्रधान आज जल्दी में था। उसे जाना था कहीं। वह खड़ा हुआ तो मौजू भी उसके सम्मान में खड़ा हो गया। ये चोंचले इधर ही सीखे थे मौजू ने।

"मौजू अब बस्ती का सारा भार तेरे कन्धों पर है। हो सकता है कि मुझे पार्टी मुख्यालय का बुलावा आये," मौजू के कन्धे पर हाथ रखते हुए प्रधान ने अपनी बात रख दी।

उत्तर में मौजू ने प्रधान की आँखों में आँखें गड़ाईं, "मैं कुछ समझा नहीं प्रधान जी?"

प्रधान उसकी पीठ ठोकते हुए बाहर तक आया। आज वह सचुमच तेज़ी में था। बाहर खड़े-खड़े प्रधान सारी बात कहने पर उतारू हो गया, "दिल्ली में कई बस्तियाँ हैं और कई मौजू भी। भाग्यविधाता चाहता है कि मैं सारे मौजुओं को इकट्ठा करूँ।" प्रधान की दार्शनिकता गहरी हो गयी। मौजू फँसा सा महसूस कर रहा था। प्रधान उसे उलझाता गया, "बस्ती को एक रखना है। एक झील थी जो सबको जोड़े हुए थी, वो भी अब भर जानी है। भील अपनी रक्षा में 'आदिवासी समाज' का नारा लगा रहे हैं। हरिजन बस्तीवाले अलग अलाप रहे हैं।" प्रधान बहुत गम्भीर हो गया। वह बाहर अपनी गाड़ी का इन्तज़ार करने लगा। मौजू साथ में ही रहा। प्रधान ने ठंडी साँस छोड़ी, "ऊपर से बस्ती पर परिसीमन की छाया मंडरा रही है।" मौजू की समझदारी लगातार घुटने टेकती गयी। प्रधान एक ही साँस में क्या-क्या बोलता गया?

मौजू के शरीर में उमस पैदा हो गयी। उसे भी कुछ कहना है। सवाल दागने की कला भी सीख गया था वह। मौजू ने पूछा, "आप बस्ती छोड़ रहे हो?" यह छोटा वाक्य था। उसका अपना। पर आवाज़ में तनाव है या भय, प्रधान भी भाँप नहीं पाया। गाड़ी आ गयी थी। प्रधान गाड़ी की ओर लपका तो मौजू ने दरवाज़ा खोला। प्रधान मुस्कुराते हुए गाड़ी में बैठ गया। बैठे-बैठे उसने अन्तिम बात कही, "अपने मास्टर के अक्षरज्ञान से भागकर तू यहीं...इसी पार्टी कार्यालय के सामने चाय की दुकान पर काम करने लगा था। याद है कुछ?" कहते-कहते आँखें छोटी हो गयीं प्रधान की।

प्रधान जोड़ता गया, "तेरा बचपन देखा है मैंने...एक पढ़ाई यहाँ की है तूने...कार्यालय में।" पीठ थपथपा दी प्रधान ने। फिर उसकी कार ने रफ़्तार पकड़ ली। मौजू देखता रहा। नयी कार को। इधर ही मिली है उसे। "पार्टी ने दिया?" मौजू की आँखें थोड़ी चमकीं। आज प्रधान का अन्दाज़ उसे पसन्द नहीं आया। मौजू का मन कुछ उदास हो गया। उदासी में अक्सर वह बुदबुदाता है। निराशा से सिर के बाल खुजाते हुए वह बड़बड़ाया, "साली लीडरी...समझ में आते-आते रह जाती है।" कार्यालय से निकलकर वह बस्ती की गलियों में उतर आया। कार्यालय जहाँ खत्म होता है वहाँ से बस्ती शुरू होती है और बस्ती की गलियाँ भी।

फूक्के, ख़बरें और अनन्तकथा का अन्त

गलियों में इधर रोशनी हो आयी है। मौजू उनमें घुसता गया। चुपचाप। गलियों के भी चौराहे होते हैं जी। सो, आ गया चौराहे पर मौजू। भीड़ है। अब? अब घर जायेगा? कुछ सोचने लगा वह। इन पीली रोशनियों में शब्बो की याद आने लगी। ख़ून ने ज़ोर मारा तो क़दम घर की ओर बढ़ चले। वह अनजाने चेहरों से नज़र बचाता गलियाँ लाँघता रहा। यह पुरानी आदत है उसकी। वैसे भी रात में अनजाने से नज़र लड़ाना किसी का गाहक खराब करना है। नज़र छुपाकर चलना यहाँ की पुरानी रीत है। राह चलते जो औरतें बाहर खड़ी रहतीं वे मौजू को निहारने लगतीं। मौजू की चाल अक्सर यहाँ तेज़ हो जाती है। वह चलता रहा।

आ गयी उसकी गली। "ले पकड़ हरामज़ादी...पकड़। नहीं पकड़ेगी तो भूखी मर..." तड़ाक्। अपनी गली में मुड़ते-मुड़ते मौजू के कानों ने ये आवाज़ सुनी। आवाज़ किसी झोपड़ी से निकल रही थी। वह दबी हुई मगर कड़ी थी। कोई दाँत पीसकर बोल रहा था। एवज़ में कोई बिलख रहा था। मौजू ने उधर नज़र दौड़ाई, 'ये झोपड़ी... ? लाडली... ?' मौजू को करंट सा लगा और वह उधर बढ़ गया। दरवाज़े का परदा फाड़ते हुए दाखिल हुआ, "कौन है?"

मौजू की आवाज़ तोप की तरह गूँजी। जो जहाँ था थम गया। केवल लाडली बिलख रही थी। दृश्य में तनाव भरा पड़ा था। हाँफता हुआ मौजू लाल आँखों से घूरने लगा। एक-एक पर नज़र डाली। किसी चीज़ से बुरी तरह पिट कर लाडली कोने में सुबक रही थी। कपड़े कहीं-कहीं से दरक गये थे। उसे मारने वाली औरत लाडली की मुट्ठियों में कुछ कसना चाह रही थी। खुद औरत की भी साँसें फूल गयी थीं। वह डरकर पीछे हो गयी और बिखरे बालों को समेटकर पसीना पोंछने लगी। पास खड़ा आदमी अपनी दायीं कलाई की चोट से ख़ून साफ़ कर रहा था।

लाडली ने चेहरा घुमाकर उस आवाज़ की ओर देखा जिससे सब कुछ अचानक थम गया था। आँखें चमक उठीं बच्ची की। बिलख पड़ी, "मौजू भइया।"

उछलकर वह मौजू के कन्धे से झूल गयी, "भइया...चाची...।" मौजू जकड़ गया।

अब दृश्य तेज़ी से बदला। पास खड़ा आदमी फुर्ती से बाहर खिसका। बदलते दृश्य ने कहानी कह दी। लाडली बाँह पकड़े फफक रही थी। मौजू का कन्धा जमने लगा। साँसें तेज़ हो गयीं।

अचानक मौजू की बाँह में चुभन हुई। लाडली की मुट्ठी में बन्द कोई चीज़ चुभी थी। वह धीरे-धीरे लाडली की मुट्ठी खोलने लगा। लाडली ने शर्म से चेहरा घुमा लिया।

"ये क्या?" मौजू की माथे की नसें फूल गयीं, "फूक्के।" फट पड़ा मौजू। दाँत पर दाँत चढ़ाते हुए उस औरत पर चीखा, "हरामज़ादी..." औरत इस चीख से सहम गयी। मौजू चमकीले गुलाबी फूक्के को अपने हाथ में ले लेता है।

''यही कस रही थी न इसकी मुट्ठी में?'' मौजू ने तनकर सवाल दागा। औरत चुप रही। गुस्से से काँपते हुए मौजू ने फूक्के को बाहर फेंक दिया। ''चल मेरे साथ...वहीं रहना,'' मौजू गुस्से में इससे ज़्यादा कुछ नहीं कह पाया। सुबकती हुई बच्ची मौजू का हाथ थामे बाहर निकल जाती है। कुछ क़दम चलते ही उस औरत ने पीछे से बिजली गिरायी, ''कितने दिन खिलाएगा?...तेरा खुद का ठिकाना है?...आधी बस्ती ऐसे ही जीती है...कितनों को रोकेगा?'' मौजू औरत की बात अनसुनी करते हुए बढ़ता गया। मौजू की चुप्पी ने औरत की आवाज़ और भी कर्कश कर दी, ''नया नहीं कर रही हूँ मैं...समझा कटुए?'' बात तीर की तरह चुभी। मौजू रुक गया। पर कुछ सोचकर वह फिर आगे बढ़ गया। लाडली साथ में थी।

देर तक सुबकती रही बच्ची। शाहिदा और शब्बो उसे चुप कराती रहीं। छोटे मन पर घाव गहरे रहते हैं। आधी रात बीत गयी तब जाकर चुप हुई लाडली। कुछ ठहरकर शाहिदा ने मौजू को आवाज़ लगाई, ''ज़फ़र...कुछ खा ले।'' पर मौजू बाहर आँखें बन्द किये लेटा रहा—चुपचाप। ''अब तुझे क्या हो गया? रोटी से कैसा बैर?'' अबकी शब्बो ने आवाज़ मारी। मौजू मानो मरा पड़ा हो। माँ-बेटी ने समझ लिया कि जब चोट लगती है तब वह रोज़ा रख लेता है।

उसकी आँखें बन्द रहीं। पर बार-बार वही दृश्य। गुलाबी फूक्के उड़ रहे थे आँखों के आगे। उसके मन में उबकाई उठी—ओ-ओ। बेचैन आत्मा बुदाबुदाई, ''साली ज़िन्दगी...दो गज़ ज़मीन भी नहीं कि धँसूँ।'' ज़फ़र फिर सो गया।

रात गुज़र गयी। सुबह हुई और ''जी हाँ...अब तक का सबसे बड़ा खुलासा करने जा रहे हैं हम...एक ऐसी नंगी सच्चाई जो आपके रोंगटे खड़े करेगी''... ''जी हाँ यह वही बस्ती है जो दरिंदे डॉक्टर की प्रयोगशाला थी।''...कैमरा गलियों को नापने लगता है।

सुबह-सुबह बस्ती की जनता ने अभी नल्के से आठ बजे का पानी भी नहीं भरा होगा कि एक टी.वी. चैनल अपनी पूरी टीम के साथ दाख़िल हो चुका था। पत्रकार भटके हुए साँड़ की तरह गलियों के चक्कर लगा रहा था और कैमरा हाँफते हुए लगातार उसके पीछे भाग रहा था। बस्ती में हंगामा हो

गया था। लोगबाग मामले को समझने के लिए इकट्ठा होने लगे। पत्रकार जारी रहा, ''आप देख सकते हैं इन गंदी गलियों को...आप देख सकते हैं इन गंदी गलियों को...आप देखें कि किस तरह नरक में जी रहे हैं लोग...क्या यह एक नरक कम था?...क्या यह ज़िल्लत भरी ज़िन्दगी कम थी कि दूसरे नरक ने यहाँ जड़ें जमा दीं?'' पत्रकार की साँसें फूलती गयीं। कैमरामैन ने कैमरे को पत्रकार के थोबड़े से हटाकर तुलसी की गली की ओर 'ज़ूम' किया। पत्रकार का मुखड़ा फिर उभरा, ''इन्हीं गलियों में फैलता जा रहा है वह ज़हर जिसका हम खुलासा करने जा रहे हैं।'' ''ज़हर? गली में?'' तुलसी ने बस इतना ही सुना और कमान से निकले तीर की तरह मौजू की गली का रास्ता नापने लगी।

इधर रात को मौजू ने धँसने के लिए दो गज़ ज़मीन माँगी थी, वो तो नहीं मिली पर एक रेहड़ी ज़रूर मिल गयी थी। वह उसी पर सो रहा था। रात में मच्छरों से बचने के लिए शब्बो ने सफ़ेद चादर डाल दी थी उस पर। छह फुट की पक्की लाश लग रहा था मौजू। तुलसी ने आते ही चादर खींची, ''उठ ओये...टी.वी. वाले आये हैं बस्ती में।'' लाश हिली भी नहीं। हड़बड़ाई हुई मौसी ने लाश के कन्धे में पंजे गड़ा दिये, ''उठ ओये...बस्ती में ज़हर फैल गया है।''

अब क्या? उछलकर बैठ गया मौजू, ''ज़हर? कहाँ?'' तुलसी ने जो समझा था, हड़बड़ी में वही समझाया, ''पता नहीं...टी.वी. वाले आये हैं बस्ती में। बोलते हैं कि पूरी बस्ती में ज़हर फैल गया है।'' मौजू उल्टे पैर दौड़ गया उस ओर। ''क्या हो गया? रात में तो सब ठीक ही था?''

इधर कैमरामैन ने चौराहे पर जनता को सजाकर खड़ा कर दिया है। फ़ुटेज लेने की तैयारी हो गयी। दाढ़ीवाला रिपोर्टर सवाल दागता है, ''क्या आप बता सकते हैं कि वह डॉक्टर कब-कब आता था?'' कोई जवाब नहीं मिलता। अब कैमरा एक बाल्टी को थामे अधेड़ महिला की ओर मुड़ा, ''आप बतायें...डॉक्टर कब-कब आता था यहाँ...कौन सी सूई देता था?'' महिला सकपकाती हुई पीछे हटी...''हमको नहीं पता।'' पत्रकार ने जवाब की परवाह नहीं की और न्यूज़ रूम की अलका को सम्बोधित करने लगा, ''अलका आप देख सकती हैं कि महिला को कुछ भी नहीं पता...बस्ती को नहीं पता

कि उनके यहाँ मासूम ज़िन्दगियों से किस तरह खिलवाड़ किया जा रहा है... यह अनपढ़ महिला जितनी अनजान है...क्या हम मान लें अलका कि केन्द्र सरकार या राज्य सरकार या स्वास्थ्य मंत्रालय और पुलिस विभाग भी इस बड़ी घटना से अनजान है...एक ही जवाब है अलका कि किसी को कुछ पता नहीं।'' इतना कहते हुए रिपोर्टर अपनी साँसें नियंत्रित करने लगा। उसने एक उँगली बायें कान में लगा दी। न्यूज़ रूम से अलका कुछ निर्देश दे रही होगी शायद। पत्रकार थोड़ा सुस्ताने लगा।

ब्रेक के बाद न्यूज़ रूम से फिर बोलने का निर्देश मिलता है। बेचारा ठीक से सुस्ता भी नहीं पाया और, ''जी हाँ...हम दर्शकों को बता दें कि देश की राष्ट्रीय राजधानी क्षेत्र दिल्ली में...हम अब तक के सबसे बड़े रैकेट का भंडाफोड़ करने जा रहे हैं। 'स्वप्निल' जी हाँ 'स्वप्निल' नाम है उस ग़ैर सरकारी संस्था का जिसके उजले बैनर तले काले कारनामे हो रहे हैं।'' अभी-अभी आकर खड़ा हुआ मौजू संस्था का नाम सुनते ही चौंक पड़ा, ''क्या? क्या हो गया उसे?'' पत्रकार अपनी ड्यूटी बजाता रहा, ''हम बता दें कि इस संस्था के चीफ़ एम.एम. अग्रवाल हैं...उन्होंने फ़ोन पर सूचना जारी की कि संस्था ने सात-आठ महीने पहले इस बस्ती को गोद लिया था और करीब चार महीने पहले इसी बस्ती के मोहन कुमार को यहाँ का क्षेत्रीय निदेशक बनाया गया था। अग्रवाल ने केस से पल्ला झाड़ लिया है।'' पत्रकार ने अपनी एक उँगली फिर कान में डाल ली। न्यूज़ रूम को वह सुनने लगा। थोड़ा रुककर उसने न्यूज़ रूम को सूचित किया, ''ज़ाहिर है अलका कि ऐसा ही हो...क्योंकि इसी संस्था को खुफ़िया विभाग ने जहाँगीरपुरी वाले केस में ब्लैक लिस्टेड करने की अनुशंसा की थी।''

सारी बातचीत मौजू के कान में पिघले हुए काँच की तरह टपक रही थी—बूँद-बूँद। कैमरा भीड़ की ओर घुमाया गया। पत्रकार माइक लेकर उधर लपक गया। अब भीड़ से सवाल, ''उस डॉक्टर को कौन लेकर आता था?'' भीड़ से किसी ने मोहन का नाम उगला। मौजू डर गया। अब उसकी बारी थी। अपनी ही बस्ती में डर गया मौजू। क्या भीड़ उसका भी नाम लेगी? तभी पत्रकार मौजू की ओर बढ़ गया, कैमरा अब मौजू की नाक के सामने था।

हथेलियों से पसीने छूट गये मौजू के।

पत्रकार ने सवाल किया, "क्या नाम है आपका?"

"मौजू।" हकला गया मौजू।

"कब से रहते हैं आप इस बस्ती में?"

"बचपन से।" थोड़ा दुरुस्त होकर।

"क्या आपको पता है कि यहाँ एक डॉक्टर आता था? वह आठ से चौदह साल तक की बच्चियों को सूई लगाता था?" पत्रकार ने उम्र और भी घटा दी।

"हाँ जी...सूई-दवाई बाँटी जाती थी यहाँ...लेकिन सबके लिए थी...केवल लड़कियों के लिए नहीं।" अनजाने में मौजू संस्था का बचाव कर गया।

पत्रकार ने फिर पूछा, "मेरे पूछने का मतलब है कि सबको सूई-दवाई देने के बाद क्या अलग से बच्चियों को सूई दी जाती थी?"

"हाँ जी...हर पन्द्रह दिन पर...वे कहते थे कि रोग फैलने का डर है उनमें।"

"क्या आप उस सूई की शीशी को पहचान सकते हैं?" पत्रकार जेब से एक छोटी शीशी निकालकर कैमरे के सामने लहराता है। मौजू का जवाब लिये बिना वह कैमरे से मुखातिब हो गया, "मैं दर्शकों को बताना चाहूँगा कि यह है वह शीशी जिसका ज़हर फैला है बस्ती में। गौर से देखिये इसे।" पत्रकार की साँसें फूलने लगीं। उसकी आवाज़ और ऊँची हो गयी, "जी हाँ यह वह चीज़ है जो यहाँ कई मासूमों की ज़िन्दगियों से खेल रही है...इसका ज़हर छोटी बच्चियों की देह में घुसते ही असर दिखाना शुरू कर देता है...इस शीशी की अट्ठारह डोज़...जी हाँ अट्ठारह डोज़ और दस, ग्यारह और बारह साल की बच्ची छह से सात महीने में अट्ठारह की हो जाती है...अलका मैं फिर बता दूँ कि यह बस्ती उस दरिंदे डॉक्टर की प्रयोगशाला है जहाँ बच्चियों का शरीर बड़ा किया जाता है।"

मौजू को काटो तो ख़ून नहीं। उसे भरोसा नहीं हुआ। पत्रकार को सुनने लगा वह। "इसी जगह जहाँ मैं खड़ा हूँ...दर्शकों...ठीक इसी जगह वह दरिंदा गर्म गोश्त का नंगा नाच करता रहा और प्रशासन लापरवाह बना रहा।" इस खुलासे से न्यूज़ रूम की अलका का क्या हाल हुआ पता नहीं पर बस्ती में

मौजूद भीड़ में खलबली होने लगी। लाडली की देह मौजू के आगे एक कौंध की तरह नाची। "लाडली ?" मौजू के पैर काँपने लगे। बच्चियाँ ऐसे ही बड़ी नहीं हो जातीं। मौजू सँभल भी नहीं पाया कि पत्रकार ने उसकी ओर माइक घुमा दिया, "क्या आप बता सकते हैं कि उस संस्था से बस्ती के और कौन-कौन लोग जुड़े थे ?" जबड़े जम गये मौजू के। सच्चाई हलक में अटक रही थी। पीछे खड़ी शब्बो उसकी हालत भाँप गयी। हनुमान बनी शब्बो ने अपनी भूमिका निभाई, "भइया इससे क्या पूछते हो...मोहन से पूछो...वही लेकर आता था डॉक्टर।"

भीड़ विस्मय से देखती रही। शब्बो के बचाव ने संदिग्ध कर दिया था मौजू को। ठीक जनता के सामने संदिग्ध हुआ—खुलेआम। पत्रकार के एक-एक शब्द मौजू के जमाए गये विश्वास पर बूँद-बूँद तेजाब डाल रहे थे। भीड़ में उमस बढ़ गयी। पत्रकार कैमरे से फिर मुखातिब हुआ, "अलका, मैं दर्शकों को बता दूँ कि अक्टूबर में खेलों का महा जलसा है। ज़ाहिर है गर्म गोश्त की तलाश में आनेवाले कई विदेशी सैलानी इसी बस्ती में अपनी भूख मिटाएँगे... सरकार और प्रशासन खेलों का इन्तज़ाम भले ही न कर पायें, भले ही इस बस्ती के पास झीलवाला स्टेडियम अभी तैयार न हो...पर देह के सौदागरों ने तैयारी कर ली है।" पत्रकार ने सनसनी फैला दी।

मौजू के दिमाग की नसें फूलती जा रही थीं जैसे अभी फट पड़ेंगी। वह इस पूरे घटनाक्रम के कसूरवार को मन ही मन तलाशने लगा। धूप चढ़ गयी थी और मौजू के चेहरे से मानो भाप निकल रही हो।

कैमरा भीड़ की ओर मुड़ा। पर अबकी नंगी भीड़ की ओर। नंग-धड़ंग बच्चों का झुंड। पत्रकार को फिर मसाला मिल गया। वह चालू हो जाता है, "आप देख सकते हैं इन बच्चों को...ये देखिये एक बच्ची कंडोम का गुब्बारा बनाये खड़ी है...जी हाँ कंडोम...भारत सरकार की वृहद्-योजना...यह बच्ची तो अबोध है पर क्या बस्ती के लोग भी अबोध हैं जिन्हें पता है कि यहाँ क्या होता है।" वाचाल पत्रकार भूलने लगा कि वह कहाँ खड़ा है। भीड़ पर कुछ असर हुआ शायद। दूध का जला मौजू छाछ से भी जला था। बदलते दृश्य ने उसका पारा चढ़ा दिया। लेकिन पत्रकार अपनी रौ में था। "दर्शक देख सकते

हैं इस गुब्बारे को...ध्यान से देखिये इस रक्षा कवच को...भारत में करोड़ों की संख्या में एड्स के मरीज़ हैं...वजह साफ़ है अलका कि वे जो रोगी हैं, उन्होंने कभी न कभी इस कवच को ऐसे ही गुब्बारे में बदलकर उड़ा दिया होगा... यह बस्ती...जी हाँ यह बस्ती जो न केवल एक दरिंदे डॉक्टर की प्रयोगशाला है बल्कि यह वह इलाक़ा है जहाँ सरेआम औरतों की मंडी सजती है, वहाँ... वहाँ यह रक्षा कवच उनके बचने का जो आख़िरी हथियार था...गुब्बारा बनकर बच्चों के हाथ का खिलौना हो गया है।''

भीड़ को एक ही बात समझ आयी, 'औरतों की मंडी।' जो गुस्सा अब तक मौजू के ऊपर चढ़ रहा था, भीड़ पर चढ़ने लगा। 'समझ क्या रखा है!' लेकिन किसी ने भी पहल नहीं की। एक साँस में ही पत्रकार भीड़ की प्रतिक्रिया से अनजान बोले जा रहा था, ''मैं दर्शकों को बताना चाहूँगा कि हमारे चैनल ने इसी राजधानी में सेक्स के एक बड़े रैकेट का पर्दाफाश किया है...और यह रक्षा-कवच इस बात की गवाही देता है कि भारत सरकार की तमाम योजनाएँ, सैकड़ों एन.जी.ओ., करोड़ों रुपया एक गुब्बारे में तब्दील हो गया है...क्या कर रही है सरकार? क्या प्रशासन सो रहा है?...क्या नागरिक समाज का फ़र्ज़ नहीं है कि इस गुब्बारे को उसका वास्तविक आकार और सही दिशा दे?''

भीड़ थोड़ी थम-सी गयी। अबकी पत्रकार की बात उनके ऊपर से गुज़री। कुछ भी पल्ले नहीं पड़ा। बस मौजू खौलता रहा। इधर पत्रकार का मसाला खत्म होने लगा। उसे और सूचना चाहिए थी। वह छटपटाने लगा। उसे और बोलना था। मसाला ढूँढ लिया उसने—बच्ची। वह बच्ची की ओर बढ़ा। ''कहाँ से पाया आपने गुब्बारा...बताओ?...घर से?...गली में?...किसने दिया?'' बच्ची डरकर रोने लगी। कैमरामैन ने कुछ कहा। शायद 'कट'। ''आशुतोष जी...पहले चुप कराओ।...रुक कर शूट कर लेंगे,'' कैमरामैन के भी कंठ फूटे। पत्रकार चुप कराने लगा, ''मत रोओ...'प्लीज़...चॉकलेट लोगी?'' वह जेब टटोलने लगा।

मौजू का गुस्सा सातवें आसमान पर था। उसके लिए अचानक सारी दुनिया कमीनी हो गयी थी। पत्रकार की इस हरकत से सुलगता हुआ पलीता बारूद तक पहुँच गया। एक धमाके के साथ पैर पटकते हुए मौजू पत्रकार पर

लपक गया। उसने पत्रकार की कलाई पकड़कर पीछे घसीट दिया। फूलती हुई साँसों से मौजू उबल पड़ा उस पर, "क्या पूछना है तेरे को...पूछ...तू मुझसे पूछ...मैं बताता हूँ कि कहाँ से आये थे फूक्के।" पत्रकार को साँप सूँघ गया। पर देश का चौथा स्तम्भ ठहरा वह। स्तम्भ ने हेकड़ी झाड़ी, "देखिये...आप इस तरह से पेश न आयें... ।" कैमरामैन भाँप गया सब कुछ। उसने कैमरे का ढक्कन खोल दिया। कैमरे में मौजू के सिर की फूली हुई नसें और जलता हुआ चेहरा दिखता है। तुलसी मामले को सँभालने के लिए मौजू की ओर दौड़ी, "क्या कर रहा है तू?"

"क्या कर रहा हूँ मौसी?...ये साला पढ़ा-लिखा...तू किससे सवाल पूछ रहा है?...बच्ची से?" मौजू ने तुलसी और पत्रकार दोनों को एक साथ साध लिया। मौजू की चीख किसी लहर की तरह उठ-उठ कर पछाड़ खाती गयी, "तू जान ले कि...कि ये फूक्के यहाँ...यहाँ फैक्ट्री नहीं है...पहले ये फूक्के आते हैं यहाँ, फिर फूक्केवाले, फिर और फूक्केवाले फिर कई-कई फूक्केवाले... सालो नरक बाहर से आता है।"

पत्रकार अपनी टीम के साथ स्तब्ध खड़ा रहा। मौजू की चीख छटपटाहट में बदल गयी, "तू बता लोगों को...कि रोग इस बस्ती में नहीं...लड़कियों में नहीं...इस फूक्के में है...इसी फूक्के ने बेड़ा गर्क किया है बस्ती का।" तुलसी चीखते हुए मौजू को गली में धकेलने लगी। शब्बो ने मौसी का साथ दिया। आवाज़ गली में गूँजते हुए दूर होती गयी। भीड़ भुनभुनाने लगी। पत्रकार को कैमरे की याद आयी। कैमरा चालू था। वह मुखातिब हुआ, "आप देख सकते हैं...आपने ज़रूर देखा होगा कि इसी बस्ती का एक नौजवान, कंडोम का नाम लेते ही हाथापाई पर उतर आया...यह है आज की नयी पीढ़ी जो सुरक्षा तकनीक से न केवल अनजान है बल्कि नयी तकनीक की विरोधी है...कारण स्पष्ट है...यौन शिक्षा का अभाव...क्या कर रहे हैं शिक्षा मंत्री?...कब तक स्कूलों में लागू होगी यौन-शिक्षा...ताकि आधुनिकता विरोधी मानसिकता से मुक्ति मिले...यह सीमा नयी पीढ़ी की उतनी नहीं जितनी सरकार की है...हम एक बार फिर बता दें कि दिल्ली के सबसे बड़े सेक्स रैकेट का अभी-अभी भंडाफोड़ हुआ है और यह सूचना हमारे चैनल ने अपने दर्शकों को सबसे

पहले दी...कैमरामैन राघवन के साथ मैं आशुतोष...दिल्ली।'' कहकर पत्रकार विजयी मुद्रा में माइक के तार लपेटने लगा। कैमरा भी खड़खड़ाकर बन्द हो गया। टीम ने नाक पर रूमाल रखकर गली से बाहर निकलने का रास्ता पूछा और सरकने लगी। भीड़ अब भी वहीं खड़ी रही। ठीक उसी जगह।

जेठ-आषाढ़-सावन-भादो

हर चीज़ का अन्त होना है जी, ऐसा लोगबाग कहते हैं। ये तो बस्तियाँ हैं जो अजीब-अजीब कहानियाँ पैदा कर देती हैं। नहीं तो लोगबाग ठीक ही कहते हैं कि कहानी भी खत्म होती है और कहानीकार भी। पर यह बस्ती है। पता नहीं कैसे यहाँ जीवन निर्बाध गति में रहता है। कोई खास फ़र्क नहीं पड़ा लोगों को सिवाय इस डर के कि क्या पता बस्ती कब उड़ जाये? अब यह डर तो हमेशा से रहा है भई। भीलों को देख लो...कहते हैं कि एक बार उनकी भी बस्ती उड़ गयी थी। बहुत पहले।

बस्ती तो नहीं उड़ी पर मौजू उड़ता रहा। बस्ती से तंग आकर झील-चबूतरे पर दिन काटने लगा। अब किस-किस से आँख चुराये?...किस-किस से मुँह लड़ाए? कोतवाल मिर्ज़ा इलाही रोज़ सुबह-शाम ठुल्ले भेजता है उसके घर। ठुल्ले शाहिदा को रोज़ धमका जाते हैं, "जिस दिन वारंट निकल गया उसी दिन लीडरी घुसेड़ देंगे...कह देना।" शाहिदा रोकर रह जाती है। जीवनलाल ने इधर बस्ती में आना-जाना तेज़ कर दिया है। पकड़ बढ़ाना चाहता है। कुछ लोग सचमुच उससे मिल गये हैं।

मौजू और दुनिया के बीच अब दो ही उड़नपुल हैं—तुलसी और शब्बो। मोबाइल है, पर चबूतरे से टॉवर नहीं पकड़ता—कभी-कभी पकड़ भी लेता है। मौजू इस ऊँची जगह से बस्ती पर नज़र रखता है। यहाँ से उसे सब कुछ दिखता है। तुलसी यहाँ से सूचनाएँ अक्सर लाती-ले जाती है।

वह रोज़ एक दफ़ा हाँफते हुए झील चबूतरा आती है। मोटा शरीर पसीने से तरबतर हो जाता है इन गर्मियों में। पर एक बार वह ज़रूर आती है। मौजू खंडहर में बैठा आज उसके इन्तज़ार में था ही कि वह आ धमकी।

"क्या हुआ आज?" मौजू ने उसे देखते ही पूछा।

"साँस तो ले लेने दे...बहुत ऊँची जगह है...आते-आते दम निकल जाता है," तुलसी ने हाँफते हुए जवाब दिया।

"नाचना छोड़ दिया है क्या आजकल?...मोटी होती जा रही है।" मौजू ने पहचाने अन्दाज़ में चुटकी ली। तुलसी चुप रही। कभी-कभी तो चुहल करता है लौंडा। जब साँसें नरम हुईं तो बोलना शुरू किया मौसी ने, "प्रधान ने कहलवा भेजा है कि वारंट नहीं निकलने देगा...डॉक्टर ने तो तेरा नाम ही सुना था।"

मौजू को सुकून होने लगा।

"साथ में यह भी कहा है कि अगले महीने कार्यकर्ता सम्मेलन है... रामलीला मैदान में...बड़ी शक्ति-परीक्षा है...तुझे बस्ती में जमना होगा...फिर से।" सूचना विचलित करने वाली थी। मौजू इस पर बात करने को शायद तैयार न था। पता नहीं क्यों उसे चिढ़ होने लगी थी प्रधान से। मौजू ने बात पलटनी चाही, "और मास्टर जी?" तुलसी को जिस सवाल से बचना था, वही सवाल खड़ा किया मौजू ने। तुलसी गम्भीर हो गयी, "हरिजन बस्ती से निकाल दिया उसे...जग्गी के बाप ने हाथ जोड़ दिये...मास्टर का किराया भी कई महीनों से बाकी था...वहाँ भी कुछ लड़कियों को सूई लगी थी और...।" मौजू ने उकताकर फिर बात काटी, "अभी कहाँ हैं मास्टर जी?" मौजू के स्वर में उत्तेजना पैदा हुई। तुलसी का चेहरा सिकुड़ गया। बात साफ़ हो गयी, "पता नहीं ओये...कहाँ चला गया बीमार।" मौसी ने हौले से जवाब दिया। मौजू का दिल भर आया पर कहा कुछ भी नहीं। चुप रहा। सन्नाटा पसरने लगा। दोनों पसीने से तरबतर देर तक चुप रहे।

"मई का महीना है लाले...अब भी कहती हूँ कुछ दिनों के लिए कहीं और चला जा...क्यों यहाँ जान सुखाता है।" मौसी ने माहौल बदलने की कोशिश की। पर मौजू चुप रहा। कुछ सोचकर गम्भीर हो गया वह। गम्भीरता से मौजू ने बात बढ़ाई, "अभी धूप तेज़ हो जायेगी...तू निकल अभी...कल बात होगी।"

मौसी उसकी आँखें पढ़ने लगी। मौजू समझ गया। "मरूँगा नहीं...इन्हीं गर्मियों में झील में फेंका था किसी ने...तू मेरी छोड़...मैं अपने बूते हूँ..." मौजू एक साँस में कह गया। तुलसी विवश होकर रह गयी। करती क्या? गर्मी

के मारे तुलसी का गला सूख रहा था। वह भारी क़दमों से लौट गयी। मौजू ओझल होने तक उसे निहारता रहा। फिर उसकी नज़र झील पर पड़ी। सूख कर सिकुड़ गयी है आधे से अधिक। पता नहीं कब बनाएँगे स्टेडियम? मई महीना तो चढ़ गया। अक्टूबर से पहले निपटा देंगे? इन्हीं खयालों में गुम वह कुएँ के चबूतरे पर बैठ गया। जब हवा चली तो एक उड़ता हुआ पोस्टर उसके पैरों में लिपट गया। झुँझलाकर वह उसे उठा लेता है। 'पोलियो रविवार—उन्नीस सितम्बर।' बिना पढ़े वह पोस्टर को फाड़कर फेंक देता है। उसे नहीं पता कि उन्नीस तारीख सितम्बर के तीसरे हफ़्ते में आती है। और हफ़्ते बीतते देर नहीं लगती। झील पर नौ दिन तो गुज़र ही गये हैं।

सिर घुमाकर मौजू कुएँ में झाँकता है। कुछ चमक रहा है अन्दर। 'दद्दा का लोटा पड़ा है शायद?' लोटे से याद आया कि उसे बहुत ज़ोरों की प्यास लगी है। शायद भूख भी। ये शब्बो भी जब से चबूतरे पर खाना लेकर आने लगी है तब से मौजू की भूख भी बढ़ गयी है। इन्तज़ार में टहलने लगता है मौजू। शब्बो अब बस आने को है।

क्षेपक:

एक बात रह गयी थी जी, जो कहनी थी। वो...जी कानू भील ने कही थी...कि बलवे वाले साल में बारिश बहुत हुई थी। महीने भी यही कहे थे जी।

चिल्लैक्स! लीलाधारी

वैसे तो दोस्तों ने उनका नाम 'एल.जी.एम. पिंकी' रख रखा था। लड्डू गोपाल मोहनजी पिंकी। पर उन्हें नामकरणों से कोई ख़ास फ़र्क नहीं पड़ता है—और न तो कोई विशेष शिकायत ही रहती है किसी से। उनके हिसाब से यह लोगों के लिए नित्यानन्द का मामला है। फिर भी, ऑफ़िस में उन्हें कोई लड्डू जी कहता, कोई गोपाल जी। बूढ़ी औरतें और जवान लड़कियाँ उन्हें प्यार से 'हाय पिंकी' भी कह देतीं और जवाब में वे अपनी घनी भौंहों से मुस्कुरा देते। इसके अलावा भी उनके कई नाम थे, कृष्ण की तरह। उनका लंगोटिया यार फ़ैड्रिक उन्हें 'रोमियो' कहता था तो उनकी नयी गर्लफ्रेंड कभी-कभी उन्हें 'मिस्टर-कूल' कह दिया करती थी। वे थे मासूम प्रकृति के मगर बहुत पहले उनका क़स्बा उन्हें सरेआम 'मजनुंआ' कहता था पर उनके अपने रिश्तेदार उन्हें पीठ पीछे 'नौटंकी' कहते थे। इसलिए एल.जी.एम. पिंकी को अपने नाम को लेकर कभी कोई खास प्रतिबद्धता नहीं रही। किसी ने उनसे यह बात बचपन में ही कह दी थी और यह बात उन्होंने कहनेवाले के मुँह से—दुनिया के सुनने से पहले—डायरेक्ट सुनी थी कि 'नाम में का रक्खा है रे?' और तब का दिन था और आज का दिन है—वे अपने नाम को लेकर कभी गम्भीर नहीं रहे। अत: कभी भी अपने किसी नाम को लेकर उन्होंने कोई दिलचस्पी नहीं दिखाई। 'चिल्ल' मारते, 'रिलैक्स' रहते शान्तचित्त के एल.जी.एम. अब तक जान चुके थे कि नाम और उसके मायने परिवर्तनशील हैं, इसलिए क्षणिक हैं, नश्वर भी हैं। उन्हें कई बार ऐसा भी लगता था कि नाम 'कर्म' से प्रतिस्थापित होते रहते हैं। संज्ञा और सर्वनाम तो दिखावा है, असली चीज़ है विशेषण। जैसे कि उनके बॉस का नाम है सुदर्शन, पर ऑफ़िस के सारे स्टाफ़ उसे मनहूस

कहते थे, मेवाराम चपरासी तक सुबह–सुबह सुदर्शन के दर्शन से कतराता था। नाम में क्या रखा है!

ख़ैर, इकतीस वर्षीय एल.जी.एम. पिंकी राजपत्रित अधिकारी हैं और भारत सरकार की नज़र में उनका नाम अष्टभुजाधारी सिंह वल्द ईश्वरीलाल सिंह है। जन्म–स्थान, ज़िला और जाति—तीनों को लेकर वे संकोची हैं। संकोच की वजह भी ठोस है। वे जिस दिन, जिस ज़िले में और जिस जाति में पैदा हुए उसके हिसाब से उनकी देह को वज्र की तरह कठोर, आवाज़ और भाषा दोनों को बिजली की तरह प्राणघाती, चाल को सिंह की तरह का आतंककारी और मन को पर्वत की तरह अचल होना चाहिए था। पर उनके सारे गुण कालांतर में न केवल भिन्न साबित हुए बल्कि विपरीत दिशा में विकसित भी हो गये। उनकी देह में परमपिता परमेश्वर ने कोमलता के साथ–साथ कुछ ज़्यादा ही गुलाबीपन भर दिया था—वैसे इसमें कुछ–कुछ उनके अपने पिता ईश्वरीलाल का भी योगदान ज़रूर रहा होगा! जबकि पिता के उलट भाषा की विनम्रता उनकी महीन आवाज़ को स्वरलहरियों में तब्दील कर देती थी—जैसे कि वे गा रहे हों और चाल ऐसी थी कि किशोर होने पर उनके पिता ईश्वरीलाल उन्हें कई बार झपड़िया दिया करते थे—"अरे साला, मरद जईसा काहे नहीं चलता?"

रही बात मन की! तो जिस मन को मन से पर्वत की तरह अचल रहने की उम्मीद की जाती थी उस मन की बात को उनका मन ही जानता था। या फिर उनकी माँ। पर इतना तो पक्का था कि एल.जी.एम. पिंकी का मन इतने सारे 'अवगुणों' की वजह से पहाड़ जैसा अचल कभी हो ही नहीं सका। जब वे पाँच साल के थे तब घर के पिछवाड़े उन्होंने बकरा कटते हुए देख लिया था। उसी बकरे का मांस जब उन्हें खाने में दिया गया तो वे रोने लगे। फिर पता नहीं क्यों तीन दिन तक बुखार में तपते रहे। पूरे बहत्तर घंटे, लगभग बेहोश! और जब वे होश में आये तो अपने मन की गठरी माँ के सामने अपनी तोतली ज़ुबान में रोते हुए खोली, "माँ, माँ, बकलिया माँ–माँ कह कल लो लही थी!" कृष्णोपासिका माँ के कलेजे में बात सन्न करके घुस गयी। अगले ही पहर माँ ने प्रचंड रूप धरा और पति ईश्वरीलाल सिंह के पैरों तले की धरती डगमगाने लगी। प्रचंड भवानी गरजीं—"ख़बरदार! जो बच्चा को कभी

मांस खिलाया तो! राजपूत कहाने के लिए गिद्ध का काम नहीं करेगा उ।''

तो इस तरह एल.जी.एम. पिंकी उर्फ़ अष्टभुजाधारी सिंह का जन्म दुर्गा-अष्टमी को हुआ जब उनके आँगन में बनारस के ब्राह्मण चंडी-चालीसा का पाठ कर रहे थे। उनका क़स्बा उस ज़िले में था जिसे पूरब का चित्तौड़गढ़ कहा जाता है।

उनके पिता ईश्वरीलाल सिंह के हिसाब से उनकी जाति सदैव की तरह अभी भी खतरे में थी और आज हिन्दी सिनेमा ने उस खतरे को और भी बढ़ा दिया है। उनका कहना था, ''हर सिनेमा में साला सब अत्याचारी ठाकुरे को ही दिखाता-बताता है, बाकी का जाति त गाय है, ना?''

ईश्वरीलाल को अमरीश पुरी से विशेष लगाव था। पर उन्हें अमरीश पुरी का बलात्कारी रूप पसन्द नहीं था। पुरी साहब उन्हें केवल तभी सुहाते थे जब वे रौब में चलते-बोलते थे और लोगबाग सिनेमा में डरते दिखते थे। पूरी बस्ती में अमरीश पुरी की मृत्यु पर बस वे ही उदास हुए थे—'ज़मींदार हो तो ऐसा।' वैसे कइयों की तरह अस्मिता-विमर्श को ईश्वरीलाल भी नहीं जानते थे, पर 'ठाकुर का कुआँ' कहानी उन्होंने बचपन में कई दफ़े पढ़ रखी थी और उन्हें बार-बार लगता था कि यह कथा ज़रूर उनके परदादा को देखकर प्रेमचंद ने लिखी होगी। इसे पढ़कर उनकी छाती आज भी चौड़ी हो जाती है—''बाह रे प्रेमचन, एकदम करेक्ट लिख दिया, डिट्टो वही।'' तो प्रेमचंद का पाठ ठाकुर साहब इस तरह करते थे। सामाजिक न्याय शब्द से उन्हें अवधारणागत चिढ़ थी। पूर्व प्रधानमंत्री वी.पी. सिंह से उन्हें नफ़रत थी और उनका मानना था कि पूर्व प्रधानमंत्री श्री 'सिंह' राजपूत नहीं थे या फिर गोत्र 'छोट जतिया' रहा होगा। हालाँकि मंडल आयोग का सामना उनके घर में अब तक कायदे से किसी ने नहीं किया था। तीनों बड़ी बेटियाँ दसवीं कराकर ब्याह दी गयी थीं और चौथी सन्तान जिसे बहुत बाद में राजधानी दिल्ली के वातानुकूलित कार्यालय में 'एल.जी.एम. पिंकी' के नाम से नवाज़ा गया उससे उन्हें उसके बचपन से ही कोई उम्मीद नहीं थी—''माँ, बकलिया माँ-माँ कह कल लो लही थी। स्साला, मौगा!''

क़स्बे के लोग ईश्वरीलाल सिंह को अदब से आई.एल. सिंह कहते थे

और मिस्टर सिंह कहने को पेशे से वकील थे। उनके पिता मुख़्तार थे—और दादा भी—वो भी अंग्रेज़ी राज में। उनका घराना 'मुख़्तार घराना' के नाम से इस क़स्बे में मशहूर था। हालाँकि मशहूर तो आगे चलकर पिंकी भी हो ही गये थे, पर पता नहीं इससे 'ज़मींदार-कम-वकील' ईश्वरीलाल को कोफ़्त क्यों होती थी? नहीं तो जब दुर्गा-अष्टमी को यह रत्न गिरा था, तत्काल आसमान के सीने में इक्कीस गोलियाँ दागी गयी थीं। क़स्बा क्या ज़िला हिल गया था। महीने भर दान-दक्षिणा चलती रही। उसी अनुपात में दारू-मांस भी। छककर पियक्कड़ई हुई, जमकर बन्दूक से गोलियाँ उड़ाई गयीं। आई.एल. सिंह ने पहली और आख़िरी बार इसी महीने में विदेशी पी थी। अपनी आँखों के लाल-लाल डोरों के साथ प्रसूतिगृह में जब वे घुसे तो बच्चे की माँ डर गयी। ईश्वरी सुरूर में थे, बोले, "डर मत शेरनी, डर मत! नहीं तो डर दूध में घुसकर बचवे को धर लेगा। माँ दुर्गा ने शेर भेजा है—शेर।" बस, इतना सुनना था कि इधर गुलाबी रंग के नवजात को रोना आ गया। बच्चे को पिता की बघुआई आवाज़ पसन्द नहीं आयी। माँ ने कहा, "धीरे बोलौ जी, देख ही रहे हैं न बिलाई का बच्चा जैसा मिमिया रहा है।" ईश्वरीलाल कहाँ सुधरने वाले थे? उसी अन्दाज़ में बोले, "बिल्ली और बाघ, दोनों का बच्चा शुरू-शुरू में मिमियाता ही है, पर बड़ा होने पर एक की लोगों से फटी रहती है और दूसरे का नाम सुनकर लोगों की फट जाती है," इतना कहकर वकील साहब ने ज़ोर का ठहाका लगाया और प्रसूतिगृह हिल उठा। बच्चे ने डरकर कमज़ोर देह से यथाशक्ति चीख मार दी, खुशी में फूली माँ ने उसके छोटे गुलाबी होंठों में दूध ठेल दिया।

दुर्गा-अष्टमी को जन्मे इस स-पूत का नामकरण काशी के ब्राह्मणों ने अष्टभुजा सिंह किया; बाद में 'धारी' शब्द पता नहीं किसने जोड़ दिया था? वैसे कृष्णोपासिका माँ उनका नाम लीलाधर या लीलाधारी रखना चाहती थीं; या गोपाल—मधुसूदन—मोहन या ऐसा ही कुछ। पर ब्राह्मणों-ठाकुरों के तेज के आगे ममता बेचारी कहाँ टिक सकती थी? चौंधिया गयीं।

नामकरण की घटना के तीस साल ग्यारह महीने बाद

वैसे दिल्ली के सरकारी ऑफ़िस में काम कम होता है और काम का दिखावा

ज़्यादा। इसलिए बॉस ने इण्टरकॉम से ए.बी. को बुलाया, "ए.बी., प्लीज़ कम फ़ॉर ए मिनट।" ए.बी. मतलब अष्टभुजा। फिर बड़े ही सधे हुए अन्दाज़ में बॉस ने पूछा, "क्या मैं जान सकता हूँ कि आपका वास्तविक नाम क्या है?" ए.बी. बेरुख़ी को ताड़ गये, जवाब की शुरुआत की, "वेल, सर, वन्स शेक्सपियर हैड...।" "शट अप..." शब्द गूँजे। बात अधूरी ही रह गयी ए.बी. की, वह मुँह में ही गलने लगी, बस ब़ॉस की डाँट गूँजती रही। क्षण भर के बाद सन्नाटा पसरा तो फिर ए.बी. ने शुरू किया, "इतना तो जानने का हक़ है मुझे कि हुआ क्या है, सर्र?"

"हेड ऑफ़िस से बत्रा साहब का फ़ोन आया था।" बॉस ने गम्भीरता से जोड़ा, फिर कहा, "नगर-निगम की फ़ाइल पर बात हो रही थी बत्रा साहब से, लम्बी बात हुई, बार-बार बातचीत में वे लीलाधारी-लीलाधर की नोटिंग की चर्चा कर रहे थे और मैं बेवकूफ़ों की तरह माथा लड़ा रहा था कि लीलाधर या लीलाधारी व्हाटएवर...ने हमारा ऑफ़िस कब ज्वाइन कर लिया, ऊपर से उस लीलाधर ने नोटिंग भी कर दी और मुझे पता भी नहीं चला?" तो यह नाम का कन्फ़्यूज़न था। ए.बी. को पता था कि ब्यूरोक्रेसी की अपनी भाषा होती है, खग की तरह। आपने जहाँ अनभिज्ञता दिखाई—पत्ता साफ़। बॉस की हिम्मत नहीं थी कि बत्रा साहब से पूछते कि "सर, मेरे ऑफ़िस में ये लीलाधारी कौन है?"

स्थितियाँ भाँपते हुए ए.बी. ने अपनी जादुई आवाज़ की लहर से मासूमियत पैदा की, "सर, बत्रा साहब आपको सगेवाला समझते हैं, आपके ऑफ़िस से जानेवालों का ख़ास ध्यान रखते हैं, मैं वहाँ गया तब लंच-टाइम था। वे किसी काम से बाहर आये तो उनके पी.ए. ने उन्हें सूचित किया। बताया कि सुदर्शन जी के यहाँ से कोई स्टाफ़ आया है। तभी उन्होंने कमरे में आने का इशारा किया और जब मैं अन्दर गया तो बोले कि यार मैं बहुत थक गया हूँ आज। कोई दिल लगाने वाली बात करो। मैंने अपने क़स्बे के कई रियल क़िस्से सुना दिये। वे हँसते-हँसते निढाल हो गये। फिर घर-परिवार की बातें हुईं और बातों-बातों में मैंने बताया कि मेरी माँ मेरा नाम लीलाधर-लीलाधारी रखना चाहती थीं। बस।" ए.बी. थोड़े ठहरे फिर बोले, "सर! उन्होंने तो मेरा

असली नाम भी नहीं पूछा। ऊपर से बत्रा जी ने भी अपना राज़ खोला कि उनके बचपन का नाम जवाहर लाल बत्रा था जो उनकी माँ को बहुत पसन्द था पर उनके पिता ने स्कूल में नाम बदलकर दाखिला करवा दिया—राज कपूर बत्रा। इस बदलाव पर बत्रा साहब आज भी बड़े दुखी रहते हैं, बेचारे!''

ए.बी. ने मासूमियत के साथ एक ही साँस में सारी कथा सुना डाली। पर बॉस की आँखें मानो किसी हॉरर फ़िल्म को देख रही थीं, बिल्कुल फटी पड़ी थीं। फिर बॉस ने सिर को झटकते हुए गहरी साँस ली और विस्फारित नयनों सहित पूछा, ''मिस्टर ए.बी., आपका कहना है कि आपने डिप्टी-डायरेक्टर को उनके खुद के चाहने पर गँवारू कहानियाँ सुनाईं और वो भी हेड-ऑफ़िस में?'' सवाल दागते वक़्त बॉस एक-एक शब्द चबा रहा था। उसे ऑफ़ द रिकॉर्ड सूचना थी कि ए.बी. झूठ नहीं बोलता। आप किसी ग़लती पर ए.बी. को गाली दे लो, बेइज़्ज़त कर लो फिर भी अपने बचाव के लिए ए.बी. झूठ नहीं बोलता। सवाल हवा में कुछ देर टँगा रहा। फिर बॉस की कुर्सी हल्की-सी चरचराई और वह बोला, ''प्लीज़ सिट डाउन ए.बी.!''

बॉस एकदम नरम पड़ गया। अष्टभुजा भौंहों में मुस्काते हुए बैठ गये। कुछ ख़ामोशी के बाद सुदर्शन ने ए.बी. को प्यार से समझाया, ''यार ए.बी., नाम तो एक ही होता है न, सरकारी! अगर दो-चार नाम एक्स्ट्रा हैं तो मुझे बता दो, मैं कन्फ़्यूज्ड होने से तो बच जाऊँगा, कम से कम मेरी भद्द तो नहीं पिटेगी!'' इस बार ए.बी. गम्भीर हो गये, गला साफ़ करके धीरे-धीरे बोले, ''सर, आई एम सॉरी, बट आई हैव सो मैनी नेम्स,...इट...इट डिपेंड्स ऑन फ़ीलिंग!''

''व्हाट फ़ीलिंग?'' बॉस उत्तेजित होते-होते रह गया। ए.बी. ने त्वरित जवाब दिया, ''इंडिविजुअल्स फ़ीलिंग, सर!''

बॉस का मन पता नहीं कैसा हो रहा था, फ़ाइलों के बाहर की संवेदना को महसूस करना वह नहीं जानता था। उसे बस इतना पता था कि बत्रा इस आदमी से खुश था और इसकी नोटिंग हालाँकि बॉस सुदर्शन के ही आदेश पर हुई थी, पर बत्रा उस नोटिंग को ए.बी. की नोटिंग समझकर बहुत गम्भीरता से ले चुका था।

"ओके ए.बी., यू मे गो नाउ।" कुछ अनसुलझे भाव से इतना कहकर बॉस पानी पीने लगा, अष्टभुजा केबिन से बाहर आ गये, भौंहों में मुस्काते हुए। अब नाम को गले में पट्टे की तरह से नौ से पाँच लटकाने के बाद भी कोई न पढ़े तो कोई क्या करे?

केबिन के बाहर रिटायर्मेंट के बहुत पास आ चुकी मैडम रूपड़ा ने डाँट खाये ए.बी. को वात्सल्य भाव से निहारा। जब नज़रें मिलीं तो मैडम ने एक आँख दबाते हुए अपने झुर्रीदार चेहरे को ख़ास अन्दाज़ में हिलाया, जो वस्तुतः डाँट खाये मुलाज़िम को 'कूल' रहने के सांकेतिक अर्थ को लिये हुए था, पर मुलाज़िम जन्मजात शरारती था, एवज में मुलाज़िम ने मैडम की ओर अपने गुलाबी होंठ का गोला बनाया और आँखें मूँद लीं। मैडम बनावटी गुस्से में झल्लायीं, "चल झल्ले! बड़ा आया!"

वैसे इसी मैडम ने ही इस मुलाज़िम को 'पिंकी' बनाया था। गुलाबी अष्टभुजा का यह नाम उनकी वत्सलता का नतीजा था। वे ए.बी. को लड्डू गोपाल, मोहन या पिंकी कुछ भी कहकर पुकार सकती थीं। उनकी इस पुकार में ममता की ध्वनियों का समुच्चय था।

वैसे पिंकी की माँ छुटपन में जब भी पिंकी को उबटन लगाती थीं तो कई नामों से पुकारती थीं 'मोरे मोहन जी रे, मोरे सोहन जी रे, बस-बस लल्ला, मत रो बाबू! हो गया लीलाधर!...अब मान भी जाओ लीलाधारी!' बचपन में पिंकी नौटंकीबाज़ थे, माँ पूत की यह बात पालने में ही जान गयी थीं—पिंकी को भूख लगती तो रोने लगते, हवाखोरी करनी हो तो मुंडी पटकने लगते, नंगा होना हो तो देह ऐंठने लगते, प्यार पाना हो तो बिना बात के हँसने लगते। साल भर के होते-होते उनकी नौटंकियाँ बढ़ती चली गयीं। वे लीलाएँ करते गये और माँ उन्हें लीलाधर-लीलाधारी कहती गयीं। सचमुच उनकी कोख़ से लीलाधर ने जन्म लिया था। थोड़े और बड़े होने पर एल.जी.एम. पर मुटाई चढ़ गयी तो बड़ी बहनें प्यार से उन्हें 'लड्डू' बुलाने लगीं। माँ को यह नाम ज़रा भी नहीं सुहाता था। पर बहनें कहाँ मानने वाली थीं? थककर माँ ने 'लड्डू-गोपाल' पुकारना शुरू किया—नज़र ना लगे मुटाई को!

पिता तो 'आजा मेरे शेर' कहते, और शेर उन्हें देखते ही बिदक जाता,

होंठ टेढ़े हो जाते और लार से सना मुँह का लड्डू बाहर आ जाता। ईश्वरीलाल खीझते हुए दालान में चले जाते। छोटी बुआ बड़े शहर में रहती थीं, उन्हें एक अच्छा नाम सूझा था—कान्हा। पर यह शब्द 'काना' से मिलता-जुलता था, इसलिए त्याज्य हो गया। 'किशन' भी एक नाम था, पर पिता को पसन्द नहीं आया, इसे पुकारते हुए 'किस्स' पर ज़्यादा ज़ोर पड़ता था और यहाँ के गँवार 'श' को भी 'स' बोलते थे—'किस्स्स्न'। हाँ, शेर-भालू कोई नहीं कहता। थोड़े और बड़े हुए तो पड़ोस के बदमाश छोकरे 'मोटुआ-मोटुआ' कहकर चिढ़ाने लगे और वे रोते हुए घर में छुप जाते। फिर बकरे का काटना देखकर वे ऐसे बीमार पड़े कि सारी मुटाई झड़ गयी—बस गुलाबीपन बचा रहा। इस घटना के कुछ दिन बाद ही बाप ने नया नाम दे दिया 'मौगा'। 'हरि के नाम हज़ार' पर हरि को क्या पता?

इस तरह बड़े होते 'लड्डू गोपाल मोहनजी पिंकी' ने नाम पर कान देना ही छोड़ दिया था, बस वे प्रयुक्त शब्द से भावना का संधान कर लेते। माँ जब 'लीलाधर' कहकर पुकारतीं तो वे जिस हाल में हों, चाहे नंगे ही क्यों न हों, दौड़े चले जाते! बहनें पुकारतीं तो नाराज़गी भरा प्यार उभरता, पड़ोसियों की आवाज़ में उन्हें डाहपन दिखता, दोस्तों की आवाज़ में मस्ती इन्तज़ार करती। एक जवान होती नौकरानी भी थी, रधिया। वह एल.जी.एम. पिंकी को 'गुलाब्बो' पुकारती और पिंकी चिढ़कर पैर पटकने लगते; जबकि वय:संधि पर खड़ी रधिया उन्हें अकेला पाते ही पटककर उनकी चुम्मी ले लेती और पिंकी जी पैर पटकते रह जाते। अब बचे पिता? वे जब पुकारते 'अष्टभुजा...', तो जलजला जैसा महसूस होता था। जंगल में शेर को देखने के बाद जैसे बन्दर बेचैनी के मारे ऊलजुलूल हरकतें करने लगते हैं, ए.बी. की स्थिति पिता के सामने कुछ-कुछ वैसी ही हो जाती। ऊपर से पिता जब भी उन्हें दालान में बड़ी बहनों के साथ कृष्ण-लीला खेलते देखते तो उनकी आँखें जलने लगती थीं। वैसे बकरे के 'झटके' वाली घटना के बाद ईश्वरीलाल के रक्तालोल पुत्र एल.जी.एम. चाहे रामलीला भी खेल रहे हों तो पिता को वह रासलीला ही दिखती थी। पिता उन्हें 'मौगा' कहकर सम्बोधित करते तो घृणा का दरिया उनके चेहरे पर उफनता नज़र आता, बहुत ही साफ़। बहनों को भी बुरा लगता पर वे सब डर से कुछ कहती नहीं। पिता

की नफ़रत जितनी बढ़ती गयी भाई के प्रति बहनों का वात्सल्य उसी अनुपात में उमड़ता गया। 'जाकी रही भावना जैसी', नामकरण होता रहा। पिंकी स्कूल जाने लगे। पर ईश्वरीलाल की भुजाएँ वहाँ तक भी फैली हुई थीं।

बहरहाल, ऑफ़िस से लौटने के बाद अष्टभुजाधारी सिंह थोड़े थके से महसूस करने लगे। दरअसल पहली थकान शरीर में नहीं उनके दिमाग में उतरी थी। वैसे यह थकान थी या उदासी, वे समझ नहीं पा रहे थे। जब से वे क़स्बे से दिल्ली आये हैं तबसे उनका स्वभाव थोड़ा शान्त रहने लगा और उनकी चंचलता को किसी की नज़र लग गयी। उनकी नयी-नवेली गर्लफ्रेंड अगर न होती तो उनके स्वभाव में संक्रमण भर जाता। वे थोड़े परेशान इसलिए भी थे कि आज बॉस की आँखें अजीब ढंग से पिता आई.एल. सिंह जैसी दिखीं, हुबहू। वे आँखें अचानक प्रकट हुईं, क्षण भर के लिए, फिर ओझल हो गयीं। फिर लीलाधर ने माँ से फ़ोन पर बात की, अभी तक सब ठीक है। पिता से बात होती नहीं, काठ का उनका कलेजा, ठीक ही होगा! अगले ही पल उधर से फ़ोन आया, "हाय! रोमियो, व्हाट्स अप बडी ?" यह फ़ैड्रिक था, स्कूल के समय का लँगोटिया यार। जवाब में 'रोमियो' की आवाज़ में अचानक ऊर्जा भर गयी, "अबे मरियम की मरियल औलाद! आज बड़ी जल्दी चढ़ा ली ?" हँसी-ठट्ठा शुरू हो गया। फ़ैड्रिक सुरूर में था और ए.बी. उदासी में—बात एक ही थी। देर रात तक बातें होती रहीं उनकी। हालाँकि ए.बी. यह पता लगाने में अन्त-अन्त तक असफल रहे कि फ़ैड्रिक ने किस और कौन से खास काम से फ़ोन किया है। उसकी बातें छलकते-छलकते रह जाती थीं। फिर फ़ोन बन्द हो गया। ए.बी. ने भी पलटकर फ़ोन नहीं किया—थके हुए थे इसलिए सो गये। लीलाधारी जब सोने गये तब मुस्कुरा रहे थे जबकि वे रात का खाना भी नहीं खा पाये थे।

फ़ैड्रिक वह था जिसने लीलाधारी के जीवन को पहला 'सांस्कृतिक-झटका' दिया था। स्कूल के दिनों की बात थी, शायद छठी या पाँचवीं कक्षा की। दोनों नये-नये दोस्त बने थे, साथ-साथ टिफ़िन खोलते-खाते थे। एक दिन फ़ैड्रिक लंच में ब्रेड-ऑमलेट ले आया और लीलाधर-लीलाधारी सत्तू-परांठा। दोनों ने जब एक साथ टिफ़िन खोला तो लीलाधर को कुछ शक हुआ। शक

की वजह वह गंध थी, वे इस गंध से परिचित थे जो उनके घर के पिछवाड़े मंगल-बृहस्पत छोड़कर अक्सर पिता ईश्वरीलाल के निरीक्षण में उठती थी। लड्डू-गोपाल को पहले लगा कि मांस है फिर ध्यान से देखा, ऑमलेट। फिर वे डर गये, हड़बड़ी में बोले, "अरे साला फैड्रिकवा! किताब का झोला में अंडा लाया है, विद्या माता शराप देगी!" फ़ैड्रिक भौचक! लीलाधर चीखते रहे, "फेंक-फेंक, नहीं तो सातों विद्या नस्ट हो जायेगी, सरस्वतीजी फेल कर देंगी साले।" इधर बेचारा बालक फ़ैड्रिक कसकर लंच बॉक्स दबाये हुए था। लीलाधर लगातार चिल्ला रहे थे। तंग आकर फ़ैड्रिक बोला, "भाग स्साला, हम लोगों में विद्या माता नहीं होतीं!"

लीलाधर ठहर गये, अवाक् से। एकदम चुप्प। फिर फ़ैड्रिक धीरे से बोला, "हम लोग ईसाई हैं, नहीं जानता? चर्च में प्रार्थना करने जाते हैं हम लोग, हमारे में सरस्वतीजी होतीं ही नहीं!"

दरअसल यह स्कूल कैथलिक था, शहर का सबसे बढ़िया स्कूल। जहाँ अक्सर हिन्दू आबादी अपने बच्चों के दाखिले के लिए मरी जाती थी। आई.एल. सिंह के लाख पापड़ बेलने के बाद लीलाधर का दाखिला हुआ था। दाखिले के बाद शिक्षा ने असर दिखाना शुरू किया और तब अबोध लीलाधर-लीलाधारी ने स्कूल में अपने हिसाब से जानकारी इकट्ठी की कि ईसाई एक गुमनाम जाति है जिसका सम्बन्ध उस ईसाजी-मसीहजी से है जिसे बाँधकर कील्ला ठोका गया था। और ठोका कौन था? सूचना मिली 'राक्षस सब!' कितना रोया होगा बेचारा! मरियम उसकी माँ थी जिसकी खूब सुन्दर मूर्ति स्कूल के प्रांगण किनारे बनी हुई थी। ईसाइयों के यहाँ चर्च में दीया नहीं मोमबत्ती जलाकर आरती जैसा कुछ होता है। और मछली-मांस घर के चूल्हे में पकता है, घर के पिछवाड़े नहीं। और ऐसा करने से उनकी सातों विद्या का कुछ नहीं होता, काहे कि उनकी विद्या माता होतीं ही नहीं, बस वही एक मरियम माता होती है जो सब कामनाएँ पूरी करती है और अंडा, मांस-मछली खाने से नाराज़ भी नहीं होती। मंगल-बृहस्पत का कोई टंटा नहीं था और ईसाई लोग माँ संतोषी के दिन को माने कि शुक्रवार को गुड-फ्राइडे कहते हैं—बस! तब वे इतना ही जान पाये।

पूरे क़िस्से में दुखद बात यह है कि यह वही स्कूल था जहाँ से एल.जी.एम. पिंकी को मोक्ष मिलते-मिलते रह गया था—मतलब वे वहाँ से दसवीं नहीं कर पाये थे।

तो, बिना कुछ खाये और मुस्कुराते हुए सोये हुए ए.बी. की नाक से खर्राटे की नहीं सीटी की आवाज़ निकल रही थी। सोते वक़्त वह इतने प्यारे लग रहे थे कि उनकी माँ यहाँ होतीं तो उन्हें चूम लेतीं। गुलाबी ए.बी.। एकदम गुलाबी। ए.बी. को पता नहीं था कि इस समय जब वे इधर बिना खाये पेट के बल सो रहे थे उसी पहर बस्ती में उनकी माँ के पेट में दर्द उठा था।

ख़ैर। भूख के मारे ए.बी. तड़के ही उठ गये। ठंड बहुत थी, परसों-तरसों से लावारिस पड़ा हुआ दूध दही बनने की ज़िद पर था और ब्रेड पापड़ की शक्ल में रोने को था।

ए.बी. अपनी इस हालत पर मन ही मन मुस्कुराए और खुद को सम्बोधित किया, ''कहाँ रह रहे हो तुम आजकल? क्या हाल बना रखा है, कुछ लेते क्यों नहीं?'' खुद से इतना कहते ही उन्हें हँसी आ गयी। ऐसी स्थितियों में अक्सर वे मंद-मंद हँसते थे जबकि उनके पिता को यह सब हमेशा से ही 'एब्नॉर्मल' लगता था। उन्होंने सूखी ब्रेड पर घी और चीनी की पतली परत चढ़ाई और उसे गप्प कर गये। ये गुर उन्हें रधिया ने बचपन में ही सिखा दिया था। ए.बी. की रोज़मर्रा की हर हरकत से किसी न किसी की स्मृति जुड़ी हुई थी। उनकी दिनचर्या में माँ का दुलार, बहनों की हिदायतें, रधिया का प्यार और पिता का आतंक छाया-सा रहता। कोई काम करते वक़्त वे अक्सर सोचते—मेरी इस हरकत पर माँ क्या सोचती, बहनें क्या कहतीं, पिता को क्या लगता और रधिया को? रधिया उनका पहला प्यार थी।

उनके ऐसा सोचने की बड़ी वजह यह थी कि उन्हें अकेले रहने की आदत नहीं थी और वे दो साल से अकेले रह रहे हैं। परिवार उनके स्वभाव में मौजूद था, पर वे अकेले ही थे—बहुत दूर अकेले। उनकी नयी गर्लफ्रेंड यदि उनका कमरा देख ले तो पक्का कहेगी, ''क्या बात है मिस्टर कूल! लगता है हुदहुद आपके कमरे से ही होकर गुज़रा था।'' उस नयी गर्लफ्रेंड का नाम है शर्मिष्ठा। शर्मिष्ठा गांगुली। पर अपने अस्त-व्यस्त कमरे पर ए.बी. उस

'बंगाली बाला' से कोई टिप्पणी नहीं सुनने वाले, बिल्कुल नहीं। आख़िरकार उन्होंने सूखे नाश्ते के बाद झाड़ू को सुदर्शन-चक्र की तरह उठा ही लिया।

सरकारी कागज़ पर दर्ज ए.बी. की पहचान अपने छह फुटिए पिता के विपरीत पाँच फुट पाँच इंच की थी, सरकार ने अपने कागज़ पर उनका गुलाबी गोरा रंग दर्ज किया था और साथ-ही-साथ उन कागज़ों में ललाट पर बायीं ओर लाल रंग के मस्से का भी ज़िक्र था। पर उनकी आँखें बाप जैसी ही बड़ी थीं और भौंहें माँ जैसी एकदम काली और घनी। लोग उन्हें 'लेफ़्टी' भी बोलते थे पर वे हमेशा लिखते सीधे ही थे, बस लिखने में बायें हाथ का इस्तेमाल करते थे—पिता की मार के बावजूद। उन्हें आज तक समझ नहीं आया कि यदि अच्छी बात भी वे बायें हाथ से लिखते तो पिता नाराज़ क्यों हो जाते थे। उन्होंने कभी कुछ ग़लत लिखा ही नहीं। यहाँ तक कि सातवीं कक्षा में जो प्रेम-पत्र उन्होंने लिखा था उसमें भी वर्तनी की कोई अशुद्धि नहीं थी। इस बात की पुष्टि उनके होम-ट्यूटर बुढ़ऊ माट-साहेब ने भी की थी। उस पर भी मार ही पड़ी थी। हद है!

बहरहाल, खूबसूरत शरीर पर नये कोट-कपड़े डाले ए.बी. ऑफ़िस के लिए निकल गये। वे ऐसे ही निकले जैसे बर्फ़ीली वादियों में सुबह का सूरज निकलता है, छोटा-सा लाल-गुलाबी, पर एकदम चमचमाता हुआ। वे सुन्दर थे, स्वथ्य थे, जवान थे और पुरुष भी थे। उन्होंने बप्पलत्ती अर्थात् बाप की लात के बावजूद मूँछें मुंडवा रखी थीं पर बातचीत में वे वयस्क नर की तरह दिखना चाहते थे। बस उनकी चाल स्थिर नहीं थी। उनकी चाल ने—चलन को लेकर—इतनी वर्जनाएँ झेली थीं कि ए.बी. चलते वक़्त हमेशा 'कन्फ़्यूज़्ड' हो जाते। कभी उन्हें लगता कि उनकी चाल में अकड़पन है तो वे थोड़ा सा लहरा कर चल देते, फिर उन्हें लगता कि वे लहरा कर चल रहे हैं तो उन्हें बाप की गाली याद आ जाती, वे ठिठक जाते और फिर चलने लगते। इस बार वे चलते तो उन्हें साफ़-साफ़ महसूस होता कि वे डरे-डरे से चल रहे हैं। चाल में एक दब्बूपन है। 'इसकी माँ की आँख' वे झल्ला जाते। दरअसल उनके नाम की तरह उनकी चाल भी स्थिर नहीं थी, वह कई तरह की थी। मनोविज्ञान कहता है कि जब वे खुश रहते हैं तो हल्के-हल्के लहरा कर चलते हैं, जब दुखी रहते

हैं तो धीरे-धीरे और झुके-झुके चलते हैं और जब वे निश्‍चिंत रहते हैं तब उन्हें याद नहीं रहता कि वे कैसे चल रहे हैं। वैसे उन्हें जेब में हाथ डालकर चलना पसन्द था।

चमचमाता हुआ सूरज गंतव्य तक जा पहुँचा और ऑफ़िस का रंग गुलाबी हो गया। मेवाराम चपरासी ने मज़ाकिया अन्दाज़ में सलामी ठोकी और भीतर मैडम रूपड़ा ने आहें भरीं, ''हाए..., क़त्ल करेगा लौंडा आज!'' ए.बी. खिल उठे, ''गुड मॉर्निंग मादाम!'' वे मैडम रूपड़ा को 'मादाम' बोलते थे। ए.बी. की उम्र इक्तीस की थी।

ऑफ़िस में आज सचमुच काम-ही-काम था, नोटिंग-ड्राफ्टिंग-चेकिंग। इस बीच में वह बिल्कुल नहीं भूले कि वे आज शाम को शर्मिष्ठा से मिलने वाले हैं। उन्हें ऑफ़िस में काम के बीच में अन्य ज़रूरी सूचनाएँ भी मिलती रहीं—वाया मादाम, जैसे 'मेवाराम चपरासी को फिर से बेटी हुई है, लावण्या को नया बॉयफ्रेंड मिल गया, सुदर्शन मनहूस की बीवी मायके से वापस आ गयी, काजल जोशी के पति का कहीं और चक्कर है, बेचारी रोती भी है और किसी से कह भी नहीं सकती, मर्द साले ऐसे ही होते हैं!' फिर मादाम ने धीरे से पूछा, ''ओये पिंकी.., शर्मिष्ठा के क्या हाल हैं?'' पिंकी और गुलाबी हो गये। वे कुछ कहने ही जा रहे थे कि तभी वहाँ काजल आ गयी, बात अधूरी रह गयी। ए.बी. तुरन्त औपचारिक हुए, ''कैसी हो काजल?'' काजल अपनी उदासी छुपाते हुए पहले हँसी फिर कुछ सोचकर बोली, ''मैं? मैं तो सबसे अच्छी हूँ।'' सभी हँस पड़े। वातावरण थोड़ा आत्मीय हो गया। काजल ए.बी. को 'मासूम' कहती थी। काजल से हुई औपचारिक वार्ता के दौरान ए.बी. अपनी चोर आँखों से उसे देखते हुए यह लगातार सोचते रहे कि 'कैसे कोई इतनी प्यारी बीवी को धोखा दे सकता है? किस कलेजे का बना है इसका पति? ए.बी. कभी ऐसा नहीं करेंगे, सच में!'

ए.बी. को शादी करनी थी और इस बार कोई चूक नहीं करनी है उन्हें। पीछे की अनहोनियों, गलतियों और विवशताओं का कोई दोहराव नहीं होगा अब। बहुत हुआ, वे प्रेम करते गये और उनकी प्रेमिकाएँ शादियाँ! पर अब और नहीं। उन्हें शादी करनी है और इसके लिए उन्होंने सारी प्लानिंग कर रखी

है। आज शर्मिष्ठा से फ़ाइनल बात होगी। फिर उखाड़ लें ईश्वरीलाल उन्हें जो भी उखाड़ना है। ए.बी. भीतर ही भीतर तन गये।

ईश्वरीलाल की भुजाएँ

अष्टभुजाधारी सिंह केवल कहने को अष्टभुजाधारी थे जबकि उनके पिता ईश्वरीलाल की भुजाएँ अष्टभुजा की भुजा के अनुपात से कई गुना ज़्यादा थीं, मज़बूत थीं, देवी-देवताओं की तरह थीं। ईश्वरीलाल अपने हाथों को कानून से भी ज़्यादा लम्बा मानते थे और वे हाथ वहाँ-वहाँ तक पहुँच सकते थे जहाँ कानून, रवि और कवि तीनों की पहुँच नहीं थी। बहुत जान थी उन हाथों में। दिल्ली शहर में उनके आदमी दूर-दूर तक फैले थे। भले ही चाहे वे रिश्तेदारों, रिश्तेदारों के रिश्तेदारों, नौकर-चाकर के रिश्तेदारों की शक्ल में हों या फिर गाँव-क़स्बे और ज़िले से दिल्ली गये कमाऊ लौंडों की शक्ल में ही क्यों न हों। उन सबको ईश्वरीलाल अपना आदमी समझते थे और सबसे अच्छी-ख़ासी बना भी रखी थी अपने बेटे को माइनस करते हुए।

पर इससे क्या होता है? घंटा! अष्टभुजा उस वृहद् युवा समुदाय का हिस्सा थे जिसकी संख्या भारत सरकार के आँकड़े में पच्चीस करोड़ अनुमानित की गयी थी। अष्टभुजा के हिसाब से अभी-अभी जिस तरह उनका दिल शर्मिष्ठा गांगुली के लिए ज़ोरों से धड़क रहा है, वह केवल उनका दिल नहीं बल्कि इस देश के कम से कम पच्चीस करोड़ युवाओं का दिल है जो धड़धड़ाकर धड़क रहा है अपने-अपने प्यार के लिए—खापों के बावजूद! देश की 'मूडिया' सरकार देश को युवाओं का देश कहती है, सरकार युवा ही बना-बिगाड़ रहे हैं, बाहरी कम्पनियाँ उन्हीं पर डोरे डाल रही हैं। 'पच्चीस करोड़ युवाओं के दिलों पर किसी फणधारी ईश्वरीलाल का ज़ोर नहीं चलनेवाला। पच्चीस करोड़ युवा एक दिन देश बदलकर रख देंगे और बाप भी!' अष्टभुजा ने यह तर्क देकर अपने मन को एक बार फिर से शान्त करने का प्रयास किया तो उनकी साँसें उखड़ आयीं। जबकि यह सब सुनकर शर्मिष्ठा निश्चिन्त हो गयी; बस उसके मम्मी-पापा सिलीगुड़ी से लौट आयें।

इंडिया-गेट पर विदा होते वक़्त ए.बी. ने शर्मिष्ठा गांगुली के बालों

को आदतन सूँघा फिर दोनों चकवा-चकई की तरह बिछुड़ गये—अगले दिन मिलने के लिए।

ए.बी. शर्मिष्ठा से मिलकर अपने फ़्लैट पर लौटे तो डी.पी. को खड़ा पाया जो ए.बी. का ही बेसब्री से इन्तज़ार कर रहे थे। डी.पी. मतलब दुर्गापाल सिंह। रिश्ता—बुआ जी का बेटा। उम्र—अड़तीस साल। पेशा—एच.सी.एल. मल्टीनेशनल में सीनियर स्टेट एच.आर.। स्वभाव—गम्भीर, अत्यधिक गम्भीर...

ताला खोलकर दोनों भीतर दाखिल हुए। कमरा सजा हुआ था। ए.बी. ने ठीक समय पर सफ़ाई की थी अतः मन ही मन वे अपनी हरकत पर मुदित हुए। ए.बी. कोना पकड़कर खड़े रहे और डी.पी. कमरे में ऐंठते हुए टहलने लगे। कमरा छोटा था, दुर्गापाल टहलते हुए रोहू-मछली की एक पेंटिंग के पास गम्भीरतापूर्वक खड़े हो गये, अड़ियल घोड़े की तरह। पेंटिंग के नीचे अंग्रेज़ी में लिखा था—शर्मिष्ठा गांगुली। बस, गम्भीरता पर चार चाँद उग आये, डी.पी. फूटे, "मामा जी...नहीं मामी जी...बता रही थीं कि शर्मिष्ठा कुछ ज़्यादा साँवली है?"

"तो?" ए.बी. तन गये।

"मुझे लग रहा था कि इतना टंच माल होगी कि पुरखों की इज़्ज़त उसके आँच के आगे गल गयी होगी?"

"भाषा तो ठीक कीजिये पहले?"

"जात-बिरादर ठीक करूँ कि भाषा बे?" दुर्गापाल ने वातावरण विस्फोटक कर दिया।

"आप ठेकेदार हैं?"

"नहीं, रिश्तेदार!"

"तो रिश्तेदारों की तरह बात कीजिये न?"

"सुनो नौटंकी!" इसी उद्घोष के साथ नीम पर करेला चढ़ा और डी.पी. की आँखें पके करेले के बीज की तरह लाल हो गयीं। सन्नाटा छा गया। दुर्गापाल ने एक बार फिर घुड़की देने की कोशिश की, "सुनो नौटंकी! बहुत बदनामी हो रही है क़स्बे में...तुम्हारी वजह से मामा जी को कुछ हो गया न, तो देख लेना।"

फुस्स्स..., ए.बी. ने यही सुना 'फुस्स्स'। जैसे किसी ट्रैक्टर के टायर की हवा निकल रही हो।

बस! यही ताकत है ईश्वरीलाल की? ए.बी. को तो लगा था कि ईश्वरीलाल का भेजा हुआ 'गेस्टापो' दुर्गापाल आज उसका क़त्ल करके ही मानेगा? पर ये क्या? धत्त तेरे की! धत्त!

बन्दर घुड़की की पहचान से ए.बी. के भीतर का साहस हिलोरें मारने लगा, "भइया जी..., बतफ़रोसी हो गयी हो तो घर लौट जाइये, भाभी राह देख रही होंगी।" दुर्गापाल सिंह की आँखें जलने लगीं। ए.बी. करैत साँप की तरह ऐंठ कर बोले, "बगल में ही बीट घर है, दिल्ली पुलिस का, बाकी आप देख लें!" जलती आँखें हैरत में पड़ गयीं अब, साला नौटंकीबाज़? ऐसे बोल रहा है? साले को बचपन में आम की गांछी में मार छड़ी मारे थे, अब इतना साहस कि पुलिस की धमकी दे रहा है? वे गुस्से में ए.बी. पर लपके, ए.बी. झट से दरवाज़े की ओर जाकर मोबाइल का बटन दबाने लगे, "अब मैं बुला ही लेता हूँ, बस एक मिनट!"

डी.पी. दहल गये। अचानक दहले। उन्हें भी यह उम्मीद नहीं थी। प्राइवेट की नौकरी में आदमी डरपोक हो ही जाता है, चाहे पहले वह कितना ही बब्बर शेर क्यों न रहा हो। दुर्गा ने घिघियाने की तरह मना किया पर गले की आवाज़ फँसती गयी, "रुक्को अष्टभुजा, रुको...।" गम्भीरता काफूर हो गयी थी, अपनी साँसें संयत करके डी.पी. फिर फूटे, "अपने लिए नहीं मामा-मामी का मुँह देखकर आये थे। बाकी तुम मुँह काला करते रहो, हमको घंटा नहीं फ़रक पड़ता।"

दृश्य एकदम से बदल गया। ए.बी. कमरे की खिड़की से दुर्गापाल सिंह को जाते हुए देख रहे थे, लाल चमचमाती हुई स्कोडा-गाड़ी से। ड्राइवर भी है। ए.बी. गम्भीर हो गये। फिर मन ही मन सोचा, 'हुँह...गाड़ी होने से क्या हो जाता है...राक्षस है साला! भाभी को रोज़ मारता है' और घृणा से अपनी आँखें बन्द कर लीं। बन्द आँखों में एक सवाल था—ये ज़्यादा साँवली क्या होता है?

शर्मिष्ठा उन्हें पसन्द है, बस बात खतम। ए.बी. को साँवले रंग से बेहद लगाव था। उनकी सारी प्रेमिकाएँ साँवली ही थीं। रधिया साँवली, शाजिया साँवली, अक्षरा, जानकी और...और क्या नाम था उसका, जो बुआ के साथ

आयी थी?.. ख़ैर। कुछ और नाम भूलते-बिसारते ए.बी. ने एक झटके से आँखें खोल दीं।

इस दफ़ा जब ए.बी. ने अपनी आँखें खोलीं, तो मन ही मन मुस्कुराए और कसकर अंगड़ाई ली, ''उँह!'' फिर हाथ फैला कर आतंरिक खुशी में ज़ोर से टिटकारी मार दी, ''बाह रे बजरंगबली! कहाँ छुपे थे अब तक?'' ए.बी. को अपने साहसिक कारनामे पर भरोसा नहीं हो रहा था। दुर्गापाल सिंह को उन्होंने अभी-अभी पलक झपकते ढेर कर दिया था। वे लहराने लगे और ''एक दन्त, बायाहंत, अष्टभुजाधारी...'' गुनगुनाते हुए खाना बनाने में जुट गये, उन्हें ज़ोरों की भूख लगी थी।

उनका प्रेम अब बस सफल होने ही वाला था। जिस चीज़ को पाने के लिए वे पैदा होने के तुरन्त बाद ही बेचैन हो गये थे, वह चीज़ यही थी—प्यार, सोंधा-सा प्यार। असफल प्रेम की न जाने कितनी दास्तानें पढ़कर वे यहाँ तक पहुँचे थे। वह भी केवल पढ़कर नहीं, झेलकर। बाप रे बाप! कितनी ज़ालिम है यह दुनिया! और इस दुनिया में सबसे ज़्यादा अपने ही पराये होते हैं, सच में! ए.बी. की आँखों में कई स्मृतियाँ एक साथ नाच गयीं। वे राज़ी-खुशी खाना खाकर सोने चले गये। थका हुआ आदमी अगर सो जाये तो स्मृतियाँ बेइजाज़त हल्ला बोल देती हैं। और यही हुआ भी। बहुत और बहुत पुराने दृश्य उभरते चले गये।

तब वे स्कूल जाना ही नहीं चाहते थे, पता नहीं रधिया ने क्या जादू कर दिया था? दिन-रात रधिया-रधिया। उठते-जागते रधिया-रधिया। खेलते-खाते रधिया। रधिया में उनकी आत्मा बसती थी। पड़ोस के स्कूल में जब दाखिला हुआ तो लीलाधर लंच-टाइम में घर भाग आते। रोज़। सात साल के हो गये पर 'क' लिखना भी नहीं जानते थे। बस ज्ञान के नाम पर गीत-गाने गवा लो, क़िस्से-कहानियाँ खूब याद थीं। मिथक-पुराण माँ सँभालती थी और गँवई भूत-पिशाच की कथा रधिया। गीत-गानों को बहनों ने सिखाया। सबसे बड़ी बहन का जब ब्याह हुआ तो खूब रोये थे लीलाधारी, गीत गा-गा कर। फिर देखते ही देखते बाकी की दोनों बहनें ब्याह दी गयीं और लीलाधारी अकेले

पड़ते गये। बाप की बेमौसम घुड़कियों के साथ, नितान्त अकेले।

तब माँ और रधिया ने बिखरने से बचा लिया लीलाधर को। पर पढ़ना तो था ही। बुढ़ऊ मास्टर साहब का आगाज़ किया गया और माट साहेब प्रकट हुए। वे पड़ोसवाले गाँव में रहते थे पर सारा क़स्बा उनकी इज़्ज़त करता था। वे ज्ञानी थे, विनम्र थे, मितभाषी थे परन्तु पेटू थे। आचार्य आये और देखा कि बालक में तेज तो है पर..। फिर एक दिन दीक्षा शुरू हुई; तो शिष्य अगले ही दिन दीक्षांत समारोह पर आमादा हो गया, ''पूछिए न माट साहेब, पूछिए न...हम सब जानते हैं, अब का पढ़ें? बाकी लिख नहीं सकते! पूछिए न माट साहेब?''

बालक में आत्मविश्वास था लेकिन हड़बड़ी को लिये हुए। हर हड़बड़ी की वजह रधिया थी, आचार्य शुरू में यह जान नहीं पाये। आचार्य को छड़ी पसन्द न थी, इसलिए जब ईश्वरीलाल ने अपने बगीचे से कच्चे बाँस की छड़ी बनवाकर उन्हें सुपुर्द किया तो आचार्य उखड़ गये, ''हम कसाई नहीं बाबूसाहेब, शिक्षक हैं।'' शिक्षक ने छड़ी तोड़ दी। तमतमाये आई.एल. सिंह ने तंज़ कसा ''तब तो पढ़ा लिये पंडित तुम!'' जवाब में आचार्य ने बस सिर हिला दिया। बालक यह दृश्य देखता रहा और अन्ततः उसे बुढ़ऊ माट साहेब पर प्यार आ गया। आचार्य ने धीरे-धीरे ज्ञान का चाप चढ़ाना शुरू किया और देखते-ही-देखते मनोहरपोथी की धज्जियाँ उड़ गयीं, महीने भर में। सब रट डाला बालक ने। अब अंग्रेज़ी और गणित रह गया था। साथ में लिखने का अभ्यास भी। आचार्य लीलाधर को 'विद्याधर' के नाम से पुकारने लगे। इन तमाम सफलताओं के पीछे भी रधिया ही थी। आचार्य ने तप-साधना से देख लिया था कि उनके इस शिष्य के प्राण वय:संधि पर खड़ी उस बाला में बसते हैं तो एक दिन उस बाला को बुलाकर कहा था, ''देख रधिया, इसे तू पढ़ाएगी, मैं नहीं।'' तब अनपढ़ रधिया अवाक् रह गयी थी। फिर आचार्य ने रधिया के कान में एक गुप्त ज्ञान डाल दिया। अगले दिन ही रधिया ने अपने 'गुलाब्बो' से तीन वर माँगे, दो प्यार से और एक गुस्से से।

लड्डू गोपाल पर जैसे वज्र गिर गया था, अगले ही दिन हाँफते हुए वे माट साहेब की राह जोहने लगे, सांझ से पहले ही। जब आचार्य आये तो लीलाधर दौड़कर उनकी ओर लपके, ''माट साहेब, माट साहेब, हमको लिखना

सीखना है।'' गुरुदेव ने गूढ़ प्रश्न किया, ''क्या लिखना है विद्याधर?'' हाँफते अबोध प्रेम का उत्तर था, ''र...रधिया! रधिया माट साहेब, रधिया।'' आचार्य का तीर सही निशाने पर लगा था।

मास्टर ने धीरे से मर्मांत तक चोट खाये शिष्य की अनुभूति में पड़े 'मार' शब्द का अर्थानांतरण करना शुरू किया। वे जानते थे कि अक्षर भाषा और व्याकरण से नहीं अनुभूति के स्वर-व्यंजन से पैदा होते हैं। आचार्य ने बताया—''देखो विद्याधर, 'म' से माँ, 'म' से माट साहेब और 'र' से रधिया!'' यह चतुर आचार्य की रणनीति थी जिसे बालक ने एक खेल समझा। बाल-जीवन अक्षरों में रमता गया।

कुछ दिन बीते ही थे कि गुरु ने शिष्य को फिर हाँफते-इन्तज़ार करते हुए देखा, ''आज क्या हुआ?'' अबोध शिष्य ने प्रार्थना की मुद्रा धर ली, ''माटसाहेब हमको गिनती लिखना सीखना है और पहाड़ा-गणित भी।'' आचार्य ने वही गूढ़ प्रश्न दोहराया, ''क्यों भला?'' व्यग्र-सा उत्तर आया, ''माट-साहेब, रधिया मुझे बोली है कि गिनकर बताओ कि वह अपने घर से मेरे घर कितने क़दम चलकर आती है, नहीं बताया तो अब वह आयेगी ही नहीं।'' पीड़ा बहुत थी बालक में। आचार्य और भोले बन गये, ''तो इसमें क्या है, उसके साथ-साथ चलकर गिन लो?'' बालक छटपटाया, ''नहीं न माट साहेब, साथ जाने ही नहीं देती। बोलती है कि बैठे-बैठे गिनकर बताओ कि घर से अस्सी क़दम वह चली, फिर भुतहा पीपल से दू सौ क़दम टोला में चली, फिर उनच्चास क़दम में यहाँ आयी, कुल कितना क़दम हुआ?'' शिष्य की ज्ञान-पिपासा बेचैन हिरनी जैसी हो रही थी। आचार्य महसूस कर रहे थे कि श्रद्धा से ज्ञान की प्राप्ति वाली बात बकवास है, ज्ञान वस्तुतः प्यार की तड़प से पैदा होता है और उसी के संरक्षण से फलता-फूलता है। बेचैन हिरन ने आचार्य का ध्यानभंग किया, चीखते हुए, ''बताइए न माट साहेब... कितना चली रधिया...?''

आचार्य गम्भीर होकर मुस्काए, ''रधिया झूठ बोल रही है विद्याधर, झूठ बोली वह तुमसे। वह पहले नब्बे क़दम चली, फिर छत्तीस, फिर एक सौ उनच्चास फिर अड़तालीस...चलो सब बताता हूँ तुम्हें।'' अर्जुन ने खुशी के

मारे द्रोण के चरण छू लिये। तब द्रोण का हृदय सुकून से भर उठा था। उस दिन गणित-विद्या धारण करते वक़्त अर्जुन ने मन ही मन प्रण किया, "रधिया झूट्ठी... झूट्ठी कहीं की! चलती है तीन सौ तेईस क़दम और बताती है तीन सौ उनतीस..हुँह? तू आ कल आ... फिर देख, दाँत काटूँगा तब मज़ा आयेगा तुझे झूट्ठी!" मासूम की भौंहें पसर गयीं।

दो साल बाद ही सारा क़स्बा जान गया था कि कैथलिक स्कूल की लड़ाई में ईश्वरीलाल सिंह की विजय हुई। तमाम मिशनरी नियमों को धता बताते हुए उनके सुपुत्र अष्टभुजाधारी सिंह का दाख़िला वहाँ हो गया था, वो भी पाँचवीं कक्षा में। मिशनरियों ने न उम्र देखी न ज्ञान। वैसे दाख़िले का सच बस चार ही जने जानते थे, कैथलिक स्कूल की हेड मिस्ट्रेस सिस्टर मटिल्डा, ईश्वरीलाल, बुढ़ऊ माट साहेब और स्वयं अष्टभुजा। अष्टभुजा को बस इतना ज्ञान था कि श्वेत केशधारी सिस्टर मटिल्डा अपने ऑफ़िस में बार-बार सिर हिलाकर दाख़िले से मना कर रही थी और आई.एल. सिंह गरजे जा रहे थे। फिर माट साहब खड़े हुए बोलने के लिए, ए.बी.सी.डी. की भाषा में, बोलते-बोलते उनके होंठों के कोर थूक से सन गये। मटिल्डा उनकी धाराप्रवाह अंग्रेज़ी सुनकर हिल गयी। अन्त में बुढ़ऊ माट साहेब ने ऑफ़िस में टँगी एक अजीब मूर्ति की ओर अपनी भुजाएँ बढ़ाकर तर्जनी से कुछ इशारा किया। ऐसा करते वक़्त वे बहुत भावुक हो गये थे। उस समय माट साहेब की आँखों में आँसू जैसा कुछ था—अष्टभुजा ने देख लिया था। उसने यह भी देखा कि उस अजीब मूर्ति के हाथ-पैर में कसकर कील्ला ठोका गया था, उसमें से ख़ून बह रहा था और उसका सिर एक तरफ़ झुका हुआ बहुत उदास था।

फिर सब कुछ शान्त हो गया। कुछ देर बाद उस अजीब मूर्ति पर से ध्यान हटाकर अचानक सिस्टर मटिल्डा अष्टभुजा से मुख़ातिब हुई, "व्हाट इज़ योर नेम, सन?" अष्टभुजा तैयार नहीं थे, फिर भी बोले, तुतलाते हुए "अत्भुजा।" "व्हाट?" सिस्टर ने फिर पूछा? माट साहब ने ताल ठोंक दिया, "बोलो अष्टभुजा, डरो मत, मैं हूँ ही यहाँ!" चेले को साहस मिल गया, उसकी बारीक आवाज़ ने जादू बिखेर दिया, "मैम्म, आई एम अष्टभुजा सिंघ एंड आई विल ट्राई माय बेस्ट।" माट साहेब ने बस उन्हें इतना ही रटवाया

था। मटिल्डा अगर उसी क्षण लिखने को कहती तो अष्टभुजा को वहीं ढेर हो जाना था, पर उस बस्ती में इतनी अंग्रेज़ी भी 'एक्स्ट्रा-ऑर्डिनरी' की श्रेणी में मानी जाती थी। मलयालम मटिल्डा बालक की अंग्रेज़ी सुनकर मुलायम हो गयी और मुस्कुराकर कहा, "उई बाबा! अइसा बड़ा नाम मैं नहीं पुकारेंगा, नाम शॉर्टकट करो।" और अष्टभुजा का 'ए.बी.' नामकरण के साथ यह यज्ञ सम्पन्न हुआ।

तब स्कूल से बाहर निकलते वक़्त ईश्वरीलाल ने आचार्य से पूछा, "का बोले थे पंडित तुम अंग्रेज़ी में, हम तो कुछ पकड़ नहीं पाये?" आचार्य ने विजयी भाव से कहा, "कुछ खास नहीं, बस इतना ही बोला कि ईसा मसीह की करुणा इस स्कूल से गायब हो रही है, यदि करुणा न हो तो मिशनरी मिशनरी नहीं एक दूकान है, ईसा मसीह कभी माफ़ नहीं करेंगे।" जवाब सुनकर ईश्वरीलाल ऐंठे, "अरे हैं तो इ सब ईसाईए न जी? एडिमसनवा नहीं करता तब तो हम डंडा नहीं कर देते!"

ईश्वरीलाल वैसे भी भन्नाए हुए थे, अच्छा-खासा हिन्दू नाम ईसाईकरण का शिकार हो गया—"ए.बी., हुँह?" इधर साथ चल रहे ए.बी. अपने शॉर्टकट नाम के साथ हुए दाखिले से खुश थे, नाम से उन्हें कुछ फ़र्क ही नहीं पड़ता था!

इसे विधि का विधान ही समझें कि स्कूल जाते ही फ़ैड्रिक ए.बी. का पहला मित्र बना। फ़ैड्रिक अपने बुनियादी शैक्षणिक ढाँचे को मज़बूत करते हुए पिछले दो साल से अनवरत पाँचवीं कक्षा में ही पढ़ रहा था। दोनों की उम्र में भी उन्नीस-बीस का अन्तर रहा होगा। छठी कक्षा तक पहुँचते-पहुँचते 'सातों विद्या नस्ट' वाली घटना घटी और ए.बी. के सामने एक नयी सांस्कृतिक दुनिया प्रकट हो गयी। धार्मिक प्रवृत्ति के ए.बी. के पास अब अपनी माँ के अलावा तीन माँएँ और आ गयी थीं, धार्मिक संस्कार के तहत दुर्गा माता, हिन्दी कविताओं के 'टेक्स्ट' से निकलीं भारत माता और स्कूल-परिसर में खड़ीं मरियम माता। ए.बी. चारों के अखंड भक्त हो गये। स्कूल के जलसों में उनके गुलाबीपन की वजह से अक्सर उन्हें भारत माता या मरियम माता बनाया जाता और ए.बी. खुशी-खुशी 'माँ' बनने के लिए तैयार हो जाते। एक बार तो वे स्कूल में राधा भी बने थे—लाली-टिकुली लगाकर। बाप ईश्वरीलाल

माथा पीट कर रह गये, बाकी कुछ कर नहीं पाये। किसी ने सच ही कहा था कि जिसकी चार-चार माताएँ हों उसका काल भी कुछ उखाड़ नहीं सकता।

एक बार फिर इसे विधि का विधान ही समझें कि छठी कक्षा तक पहुँचते-पहुँचते फ़ैड्रिक और ए.बी. दोनों को प्यार हो गया—वह भी एक ही लड़की से। लड़की का नाम था शाजिया मंसूर। यह प्यार अभी पनपा ही था कि इसी बीच एक रात स्कूल के परिसर में खड़ी मरियम की सुन्दर मूर्ति को कुछ अज्ञात तत्वों ने तोड़ डाली। बात जंगल की आग की तरह तो नहीं फैली, बस फ़ैड्रिक ए.बी. से कुछ कटा-कटा सा रहने लगा। ए.बी. अकेले पढ़ने लगे। ए.बी. ने एक दिन जानबूझकर फ़ैड्रिक के कन्धे पर झूलने की कोशिश की तो फ़ैड्रिक फट पड़ा। ''हट्ट! सब हिन्दू लोग बदमाश होते हैं,'' कहकर फैड्रिक ने ए.बी. को झटक दिया, ए.बी. के दिल पर चोट लग गयी। चोट तो दोनों को लगी थी पर रोया कोई नहीं। ए.बी. हिन्दू शब्द से पहले-पहल यहीं परिचित हुए थे।

घर आकर लड्डू-गोपाल ने माँ के सामने मन की गठरी खोली, ''माँ, हिन्दू कौन होता है?'' यह ऐसा सवाल था जिसका जवाब सभ्यता के दावेदारों, इतिहासकारों, समाजशास्त्रियों और भाषा-विज्ञानियों में से किसी को अब तक ठीक से नहीं पता था। पर सवाल सबसे सही जगह पर पूछा गया था। धर्म का असली अर्थ माँएँ ही जानती हैं। माँ ने बच्चे की उत्सुकता को और जगाने की मुद्रा में पूछा, ''क्का हुआ रे लल्ला! आज स्कूल में हिन्दू कहाँ से आ गया?''

''फ़ैड्रिक हमसे बात नहीं कर रहा है माँ, बोलता है कि हिन्दू लोग बदमाश होते हैं।'' मासूम ने जवाब दिया।

''तुम्हारे स्कूल में कुछ हुआ है का?'' माँ ने ज्ञान और संवेदना की सारी शक्ति झोंककर पूछा।

''नहीं! हम तो कुछ किये ही नहीं!'' जवाब सुनकर माँ थोड़ी गम्भीर हुई, फिर प्यार से ए.बी. को गोदी में बैठाकर पूछा, ''अरे मेरे लीलाधारी, खाली ई तो बता देव कि स्कूल में कोई बहुत बड़ी बात तो ना भई है लल्ला? कोई बहुत बड़ी बात?''

ए.बी. ने ज़ोर दिया तो याद आया, ''हाँ माँ, मरियम-माई की मूर्ति तोड़

दिया है कोई।'' ममता को समझने में देर नहीं हुई। उसके लिए दो सही शब्द काफ़ी होते हैं। माँ ने हौले से अपने लड्डू-गोपाल के कान में कुछ कहा और लीलाधर खुशी से उछल पड़े। जिस सवाल के जवाब को सभ्यताएँ अब तक ढूँढ रही थीं, माँ ने चुटकी में जवाब दे डाला।

अगले दिन ए.बी. उछलते हुए स्कूल पहुँचे। ''ए फ़ैड्रिक, सुन...'' फ़ैड्रिक थोड़ा दूर खिसक गया। लीलाधारी उसके और पास चले गये। फ़ैड्रिक थोड़ा और पीछे हटा। बाल-लीला कुछ देर ऐसे ही चलती रही—खिस्कम-खिसकी। अन्त में ए.बी. को रोना आ गया, ''हम किये का हैं फ़ैड्रिक? मेरी माँ बोली है कि फ़ैड्रिक से बोल देना कि सब माँ एके होती है—भारत माता, दुर्गा माता और मरियम माता। जो मूर्ति तोड़ा है उ हिन्दू नहीं कोई औरे था, उसको दुर्गा जी का शराप लगेगा।''

यह सुनकर फ़ैड्रिक के भीतर की बर्फ़ गलने लगी। उसकी भी उम्र क्या थी? धर्म बाहर से आया था भीतर से नहीं। वह ए.बी. को गौर से देखने लगा। ए.बी. आँसू पोंछकर चालू हुए, ''और क्या... मेरी माँ तो ये भी बोली है कि जो मूर्ति तोड़ा है उसको दुर्गा जी का बाघ खा जायेगा। और देखो न, मेरी माँ तुम्हारे लिए लड्डू भेजी है, बेसन वाला!''

बर्फ़ गलकर धारा में बदल गयी। बचपन तर्क का नहीं तबियत का भूखा होता है। फ़ैड्रिक के घर बढ़िया केक बनता था पर बेसन का ऐसा लड्डू नहीं। माँ, आँसू और लड्डू ने भीतर की कट्टरता का विरेचन कर दिया। बाकी लीलाधर यह बताने में कामयाब रहे कि वह हिन्दू हैं और मरियम माता को दुर्गा माता जैसा मानते हैं, माँ क़सम!

दोनों बजरंग बली के प्रसादस्वरूप लड्डू खाकर चर्च वाली टंकी से पानी पीने चले गये। ए.बी. के हिसाब से वहाँ का पानी बहुत मीठा था।

किसी ने कहा है कि और ठीक ही कहा है कि ऐसे ही हालातों में प्यार हो जाता है। वे दोनों बड़े होने लगे, तो इन दोनों को साथ-साथ बड़ी हो रही शाजिया मंसूर से इकट्ठे प्यार हो गया। प्यार भी एक ही दिन हुआ जब दोनों ने पहली बार खुलकर लड़कियों के बारे में चर्चा की कि सबसे सुन्दर कौन लड़की है?

अब बस्तीवालों को शायद यह बात याद न हो पर यह प्यार विवादित ढाँचा गिराने के बहुत बाद हुआ था। तब 'मुसलमान' क्या होता है किसी को ठीक से पता नहीं था, इसकी खोज समाज में अभी हाल-फ़िलहाल ही शुरू हुई थी। इन खोजों से अनजान लीलाधर को भरोसा था कि एक दिन वे शाजिया से शादी करेंगे और रधिया शाजिया की सेवा करेगी, जैसे माँ की करती है। उधर फ़ैड्रिक चर्च में शाजिया का प्यार पाने के लिए दिन-रात प्रार्थना करने लगा। मरियम भी आ गयी थीं अब, बिल्कुल नयी, सफ़ेद-सुन्दर, पहले से और भी ऊँची। पर मरियम से हाथ जोड़कर वरदान माँगनेवालों में केवल फ़ैड्रिक ही अकेला नहीं था, लीलाधारी मरियम को मन से माँ मान चुके थे—अपनी माता, दुर्गा माता और भारत माता की तरह। उनकी मरियम-साधना फ़ैड्रिक से किसी भी हाल में कमतर न थी। शाजिया जात से मुसलमान थी, लीलाधारी को हाल-फ़िलहाल पता चला। माँ से पूछ लिया, "माँ, ये मुसल्लमान कौन होता है?" इस बार माँ बिफर पड़ीं, "झाड़ू से मारूँगी अब, रोज़-रोज़ का ई सब पढ़कर आ रहा है, आने दे बाप को!" बाप के नाम पर ए.बी. की भीतर से सटक जाती है, सो सटक गयी। तब रधिया ने भी माँ का साथ दिया, "का जाने कईसा पढ़ाई हो रहा है, रोज्जे फ़ालतू सवाल—रोज्जे फ़ालतू सवाल?" जब बुढ़ऊ माट साहेब स्वस्थ होकर पुनः ज्ञान वाणी देने लौटे तब शिष्य ने वही सवाल दागा। आचार्य ने शिष्य की जिज्ञासाओं का शमन किया।

तब ए.बी. ने अपने हिसाब से आचार्य के दिये हुए ज्ञान का सरलीकरण करते हुए जाना कि मुसल्लमान नहीं मुसलमान होता है पर वह जाति नहीं एक धर्म है। और वह हिन्दू नहीं होता। वह अपने मन्दिर को मस्जिद कहता है, बाकी मस्जिद से उनके देवता जिन्हें वह अल्लाह कहता है गायब रहते हैं, काहे कि उ चारों ओर हैं। उ लोग पूजा घुटना पर बैठकर करता है, रोज़ा-व्रत रखता है और ईद में सेवइयाँ बाँटता है। हिन्दू का मुसलमान से शादी नहीं हो सकता अगर हुआ तो लड़ाई हो जायेगा, उस लड़ाई को हम लोग दंगा कहते हैं। बस, माट साहेब ने इतना ही बताया।

पर इस बार माट साहेब की बातों में विद्याधर को दम नहीं दिख रहा था। शिष्य की भी स्मृति बहुत तेज़ थी, जिसने उसे बता दिया कि माट साहेब यह

बहुत पहले ही पढ़ा चुके हैं कि सब धर्म एके होता है और दुनिया में बस दो ही जाति है, एक औरत—दूसरा मर्द। आचार्य की वैचारिक उदारता की एक सीमा थी पर शिष्य के भीतर पलते प्रेम की कोई सीमा नहीं थी।

प्रेम के पतंगे ने बिना गुरु के सहयोग के कुछ निजी किस्म के निष्कर्ष निकाल लिये जैसे, 'हिन्दू मुसलमान बन जायेगा तो दंगा हो नहीं सकता'; जैसे 'सब धर्म एके है, जैसे सब माता एके है, तो सब बाप भी एके होगा, बाप माने मर्द देवता'; 'देवता और माता सबकी सुनते हैं, इसलिए रोज़ उनसे बोलना होगा'। अगले दिन तड़के ही लीलाधारी तड़पकर उठे और घर के पुश्तैनी महावीरी झंडे के पास चले गये जहाँ बजरंगबली बस उन्हीं की राह देख रहे थे। गदाधारी के आगे हाथ जोड़कर आख़िरकार लीलाधर ने 'मन की बात' मन ही मन कह डालीं, फिर कुछ सोचकर अन्त में वे थोड़ा ज़ोर से बोले—"लेकिन हे बजरंग बल्ली, हमको मुसलमान बना दो!"

इस घटना के बहुत आगे और बहुत आगे से थोड़ा पीछे

ए.बी. जब सुबह उठे तो उनका मन ऑफ़िस जाने का नहीं हो रहा था। रात भर ऊलजुलूल सपने आते रहे, शायद एक ही करवट लगातार सोये रहने से उनका बायाँ हाथ सुन्न पड़ गया था। उनके मोबाइल पर सात 'मिस्ड कॉल' पायी गयी थीं; तीन बाप श्री की, तीन तीनों बड़ी बहनों की और एक शर्मिष्ठा की। उन्हें सब से अलग-अलग निपटना था। शुरुआत शर्मिष्ठा से हुई। सब ठीक था। फिर बड़ी वाली से छोटी दोनों बहनों से वे निपटे, एक-एक करके। बहनें शर्मिष्ठा के संदर्भ में बागी हो गयी थीं उनसे। एक ने माँ-बाप की क़सम दिलाई तो दूसरी ने आत्महत्या करने या मुँह न दिखाने जैसा कुछ कहा। सबसे बड़ी बहन ने केवल हालचाल लिया, संयत ढंग से। उसने स्वस्थ और बेफ़िक्र रहने का आशीर्वाद भी दिया जिसके कई मायने निकल रहे थे। अब, माँ। माँ रो रही थी, सिसक-सिसक कर। ए.बी. का कलेजा बाहर आ रहा था। पिता फ़ोन पर पीछे से माँ को कुछ निर्देश दे रहे थे जिससे बेपरवाह माँ केवल रो रही थी। ए.बी. को उसके रोने की ज़मीन कुछ अपरिभाषित सी लगी, शायद इसलिए इस सदमे को वे झेल गये। फ़ोन कट गया और ए.बी. भी भीतर से। अब?

ऑफ़िस ऐसे में 'भागने' का सुरक्षित इलाक़ा होता है। सो वे भाग लिये। कौन दिनभर कमरे में खाली बैठ माथा खपाता रहे? पर रातवाले दृश्य किसी प्रेत की तरह काँधे पर झूल रहे थे। उन दृश्यों में ए.बी. के आज का कल था। वे समझ नहीं पा रहे थे कि वे रातवाले दृश्य में जी रहे हैं जो पता नहीं आज है या कल या आज के फ़ोन पर जो हुआ वह कल्पना है या हकीकत? इसलिए वह दिन फैंटेसी में गुज़रा कि सपने में या कि स्मृति में या कि कल्पना में! कोई नहीं जानता! पर स्मृतियों का ज़रूर दबाव था उन पर; जो शेष बचे हुए—बीते हुए कल का पुनः स्मरण कराना चाहती थीं।

हुआ यूँ कि ए.बी. फ़ैड्रिक के साथ सातवीं जमात में आ गये थे। शाजिया भी। शाजिया स्कूल की 'ड्रामेटिक सोसाइटी' में भाग लेने लगी। देखा-देखी दोनों बावलों ने भी वहाँ अपना नाम दर्ज़ करवा दिया। ये मौसम शरीर में कुछ बदलाव वाले रहे। दोनों दोस्तों को लग गया कि उनकी मसें भीगने ही वाली हैं—अगर कोई ध्यान से देखे तो? शाजिया मंसूर में भी कुछ बदलाव आ गया था पर उस पर बात करने से दोनों डरते थे। दोनों को पता था कि गन्दी बातों से पाप लगता है। अगर एक बार भी मरियम माता यह गन्दी बात जान गयीं तो दोनों में से किसी की शादी शाजिया से नहीं होने देंगी। लीलाधारी लिखना जान गये थे अब और ठीक-ठाक लिखने भी लगे थे। वे फ़िल्मी गीतों को भी लिख-लिख कर याद करने लगे थे या फिर याद कर-कर के लिखने लगे थे। तब अमिताभ बच्चन की फ़िल्म 'गंगा जमुना सरस्वती' रिलीज़ हुई थी और वी.सी.आर. पर फ़ैड्रिक के घर उसे चोरी से देख भी लिया गया था। हैरानी इस बात की थी कि फ़िल्म में अमिताभ बच्चन के मामा बने अमरीश पुरी में ए.बी. ने अपने पिता ईश्वरीलाल की पहचान कर ली थी। लीलाधारी को याद आया कि बालक बच्चन के दूध के दाँत जिन परिस्थितियों में मामा 'पुरी' ने तोड़े थे लगभग उन्हीं मिलती-जुलती परिस्थितियों में बालक अष्टभुजा के दाँत एक बार ईश्वरीलाल ने भी तोड़ दिये थे। बस अन्तर यह था कि अमिताभ बच्चन को पता था और अष्टभुजा को पता नहीं था कि मार क्यों पड़ी, दाँत तोड़ने की हद तक? यह घटना तब घटी थी जब वे रधिया की पीठ पर बस झूल रहे थे और रधिया फ़र्श बुहार रही थी, उस समय वे ज़िद कर रहे थे कि

रधिया उन्हें रेलगाड़ी पर बैठाये। तब रेलगाड़ी रधिया की पीठ हुआ करती थी।

जो भी हो, भाषा, विचार और देह में बदलाव के वर्ष थे वे। लीलाधर को घर में रधिया से और स्कूल में शाजिया से बेहद प्यार था। रधिया की देह शाजिया के मुकाबले ज़्यादा बड़ी लगती थी लीलाधारी को। इसलिए रधिया को देखने में वह मासूमियत नहीं रही अब उनमें। रधिया भी ताड़ गयी थी। सो थोड़ी दूर-दूर रहने लगी। उसने उन्हें 'गुलाब्बो' कहना कब का छोड़ भी दिया था। घर में वह जितना दूर-दूर रहती लीलाधारी का मन उसके लिए उतना ही मचलता रहता। इधर 'ड्रामेटिक सोसाइटी' में शाजिया से भी लीलाधारी की अटक-अटक कर बात होने लगी। इतना सारा 'प्यार' बचपन सँभाल नहीं पाया और आख़िरकार एक दिन वह 'प्यार' प्रेम-पत्र में बदल गया।

ए.बी. ने प्रेमपत्र लिखा, दोनों को। शाजिया को लिखा गया प्रेमपत्र शाजिया की माँ ने उसके बस्ते में लंच-बॉक्स ठूँसते हुए पकड़ा जिसकी जानकारी शाजिया को भी नहीं थी। उस पत्र में इस्लाम कबूलने की बात ज़ोर देकर कही गयी थी। उस पत्र में न तो भाव ही अशुद्ध थे और न ही वर्तनी में किसी प्रकार की कोई अशुद्धि पायी गयी। बस हड़बड़ी में ए.बी. कोई इस्लामिक नाम नहीं सोच पाये थे और धर्म के चपेटे में आ गये। स्कूल द्वारा बाप जी को अगले ही दिन और वह भी गुप्त रूप से बुलाया गया एवं सिस्टर मटिल्डा के सख़्त निर्देशों के साथ विदा भी कर दिया गया कि—बच्चे को मारने या डाँटने की कोई ज़रूरत नहीं है, कि यह इस स्कूल में लिखा गया कोई पहला प्रेमपत्र नहीं है, कि ऐसे प्रेमपत्र आज़ादी के पहले से यानी 1925 में जब यह स्कूल खुला था तब से लेकर आज तक हर पीढ़ी ने लिखा था और आज तक ऐसा कोई दिन नहीं बीता जिसमें इस तरह के प्रेमपत्र सम्बन्धी वारदातें न हुई हों। यह प्रेमपत्र उसी शृंखला का एक हिस्सा भर है; बस ज़रूरत है कि बच्चे का ध्यान 'प्रेम' पर से हटाकर 'विद्या-प्रेम' में लगाने में ईश्वरीलाल मदद करें, यही समय की सच्ची माँग है। ईश्वरीलाल हैरत में थे। बेचैनी में बड़बड़ाते हुए वे कैथलिक स्कूल से बाहर निकले। बेटे की करनी पर उल्टे बाप को दिये गये इन सख़्त निर्देशों में बाप को ईसाइयों की कोई चाल नज़र आ रही थी, "ईसाई और मुसलमान साले मिल गये हैं!"

इस घटना के बाद शाजिया कटी-कटी सी रहने लगी। एक-दो बार आशिक़ ने मिलने का साहस भी किया पर जवाब में उसने गुस्से से अपनी आँखें फैला लीं और ए.बी. डर गये। कजरारी आँखों का अजनबीपन ए.बी. को बिल्कुल पसन्द नहीं आया। इशारा साफ़ था—रिजेक्टेड।

वे थोड़े दुखी हुए। फिर भी वह प्रेम इतना बचा था कि अभी भी वह सैलाब की तरह ए.बी. के भीतर लहरा रहा था, उसे एक रास्ता चाहिए था। फिर वह एक दिन विस्फोट के साथ प्रकट हुआ—दूसरे प्रेमपत्र के रूप में। पर इस बार निशाने पर शाजिया नहीं थी।

शाजिया को लिखे पत्र को अभी महीना भी नहीं बीता था कि रधिया को झाड़ू लगाते वक़्त उसी के 'गुलाब्बो' ने उसकी ओर कुछ फेंका। अनपढ़ रधिया को उसमें कुछ लिखा हुआ दिखा जिसके अन्त में एक पान के पत्ते का नक्शा था जिसके बीच में एक तीर धँसा हुआ था। पान के पत्ते से ख़ून जैसा लाल रंग निकल रहा था। मगर ध्यान देने पर वह सच्ची का ख़ून ही निकला।

उस समय ए.बी. ने रूमाल से जिस उँगली को ढका था उससे सचमुच का ख़ून टपक रहा था। आँखें चौड़ी करके रधिया चीखी और इधर राहु-कालम् का पदार्पण हुआ। बाप जी गरजे, "का हुआ रे! डाइन जैसा काहे चीखती है?" रधिया अनपढ़ तो थी ही गरीबी ने उसे मूढ़ भी बना दिया था। मासूम लड़की अबोध लड़के के दिल में फँसे प्यार के तीर की पहचान न कर पायी और क़त्ल हो गया। नौकरानी ने शिकायत भरे लहज़े में कहा, "अंगुरी काट के ई साहेब डीज्जैन बानाए हौंवे। देखिन न मालिक।"

मालिक ने नौकरानी के हाथ से कागज़ लिया और सेकेण्ड के सौवें हिस्से में उस 'डिज़ाइन' को डिकोड कर दिया। फिर अगले ही पल मालिक की एक लात उस नौकर की कोख़ की ओर उछल गयी। भोली रधिया इससे पहले कुछ समझ पाती लात के असर से यकायक चीख पड़ी। उसकी चीख से ए.बी. दहल गये। रधिया कोख़ पकड़े घायल साँप की तरह उलटने-पलटने लगी। उसने बिलखना चाहा पर आवाज़ भीतर ही थम गयी थी। नौकर वैसे भी कभी बेकुसूर नहीं होते।

फिर ज़्यादा कुसूरवार आशिक़ का जनाज़ा निकला, बेदर्दी की हद से।

माँ पूजा छोड़-छाड़ कर जितना हो सका उतनी तेज़ी से आ पहुँची, पर देर हो चुकी थी। रधिया आँगन में तड़प रही थी और उसके लीलाधर दालान में मुँह से लार गिराते हुए हिचकियाँ ले रहे थे। लीलाधर की साँसें थमने जैसी हो रही थीं, वह शरीर में कहीं अटक गयी थी जिसे वापस पाने के लिए उनका शरीर बैठे-बैठे उछाल ले रहा था। आँखों की पुतलियाँ पूरी तरह सफ़ेद होकर पलट चुकी थीं। राहु-कालम् बहुत दिनों से अपनी जगह पाने के लिए बेचैन था, पर मास्टर-बृहस्पति ने बचा रखा था। आज लीलाधर की चारों माँएँ भी रक्षा नहीं कर पायीं। तब तक पूरा का पूरा ग्रहण लग गया था। जैसा कि होता है शुभ नक्षत्रों की अनुपस्थिति का लाभ उठाते हुए राहु घर कर गया था। महादशा में दसों दिशाएँ जकड़ गयीं। साढ़ेसाती आ बसा।

नाम में क्या रखा है?

ए.बी. ऑफ़िस पहुँचे तो शनि की सवारी नीचे की सीढ़ियों पर बैठी थी। वह भी झुण्ड में। वैसे तो ए.बी. को कुत्ते पसन्द न थे पर जब भी वे उनकी पूँछ देखते तो बचपन की एक याद ज़ोर मारने लगती। उन्हें याद आया कि माट साहेब ने एक बार अंग्रेज़ी-दीक्षा के दौरान पूछा था, " 'लाइफ़ इज़ ए टेल' का क्या अर्थ होता है विद्याधर, सोचकर बताओ?" ए.बी. देर तक सोचते रहे, यह बात शायद नौवीं कक्षा की होगी। हालाँकि सातवीं में ही कैथलिक स्कूल का साथ छूट चुका था और अब ए.बी. माध्यमिका से पढ़ाई कर रहे थे। फिर भी, पिता की अनवरत पड़नेवाली दुलत्ती और मार ने कई अर्थों में उन्हें विचारवान बना दिया था, अतः 'ज़िन्दगी एक कथा है' का अर्थ उन्होंने माट साहेब को बताया और गम्भीरता से बताया कि "माट साहेब! जिस तरह कुत्ते की पूँछ कुत्ते के पीछे लगी रहती है, वैसे ही ज़िन्दगी एक पूँछ है जो आदमी के पीछे-पीछे लटकी रहती है, जहाँ जाओ साली शनि की तरह डाह किये रहती है, ज़िन्दगी टेढ़ी होती है माट साहेब, बिल्कुल कुत्ते की पूँछ की तरह, चाहे बारह साल ही क्यों न उसे सीधी नली में डालकर रखा जाये?" तब आचार्य इस नयी व्याख्या से चौंक गये थे और बिना कुछ कहे शिष्य को वहीं छोड़कर दालान में चले गये। उन्हें यह चोट खाये आशिक़ का बयान

लगा था। पर शिष्य आचार्य के इस आचरण से हैरान ही हुआ था! ऐसे चले जाने की क्या ज़रूरत थी?

ऑफ़िस की सीढ़ियाँ और शनि की सवारियों को लाँघते ए.बी. को बचपन की मूर्खताओं पर हँसी आ रही थी।

ऑफ़िस में उन्होंने पाया कि काजल की आँखें आज लाल हैं, शायद रात भर रोई हो वह? इकतीस वर्षीय लड्डू गोपाल मोहन जी पिंकी थोड़े नर्वस-से हो गये। उनसे औरतों का दुःख देखा नहीं जाता! ''साला...पति!'' कहकर उन्होंने मन को शान्त किया और 'ड्राफ़्टिंग' करने में जुट गये। पर 'व्हाट्स-अप' का चमचमाता हुआ युग आ चुका था। शर्मिष्ठा ने मैसेज किया 'आज सी.पी. में डिनर करना है, सात बजे तक आ जाना। हर हाल में!' साथ में सूखे हुए होंठ और लाल गुलाब के गुच्छे की एक मारक फ़ोटो भी उसने भेज दी थी—'व्हाट्स-अप' पर।

लड्डू गोपाल के भीतर लड्डू जैसा कुछ फूट पड़ा और वे कुर्सी पर बैठे-बैठे खुशी के मारे बिखरने लगे। ज़िन्दगी में विद्रोह ही एक ऐसी पटरी है जो दुनिया की नज़र में चाहे जितनी ही टेढ़ी क्यों न हो पर विद्रोही को हमेशा ही सीधी दिखती है। ज़िन्दगी, उसका गुलाबी रस, कोमलता, अनुभूति, अनुभूति के बल खाये हुए फ़ैसले, सब के सब उनके अपने हैं। कहीं कोई नहीं है अब इस दुनिया में दखल देने वाला! देगा तो देख लेंगे! एक बार फिर उन्हें ईश्वरीलाल याद आ गये, पर ए.बी. ने माथा झटककर उन्हें झटके से निकाल दिया।

ठंड के मौसम में दिल्ली कुछ ज़्यादा ही सजी-सँवरी लगने लगती है।

शाम को रोशनी में नहाई दिल्ली, दमकती दिल्ली। रंगबिरंगे जोड़ों वाली दिल्ली। ऊँचे बूटों में खिलखिलाती लड़कियों वाली दिल्ली। उसी दिल्ली के जिस रेस्तराँ में शर्मिष्ठा गांगुली मोमबत्ती जलाये जिस शख़्स की राह देख रही थी वहाँ तक पहुँचते-पहुँचते उसे आधे घंटे की देरी हो गयी। प्रेमिकाओं की नाराज़गी का इतिहास उतना ही पुराना है जितना कि वेदों के बारे में दावा किया जाता है। पर मान-मनौवल में ज़्यादा देर नहीं लगी क्योंकि ए.बी. फूलों का गुलदस्ता अपने साथ लाये थे। ग़लती गुलदस्ता बनानेवाले की थी उसे

लानेवाले की नहीं। गुलदस्ते के भीतर की गुलाब-पंखुड़ियों ने उस जोड़े को झाँक-झाँककर देखा तो उस जोड़े के बीच में एक खुशबू बिखर सी गयी। छोटी-सी शर्मिष्ठा ने झाँकते हुए फूल को बाँहों में भर लिया तो पंखुड़ियों ने साँवली-सुन्दर शर्मिष्ठा को चूम लिया। अपने गद्देदार होंठों से मुस्कुराते हुए शर्मिष्ठा ने ए.बी. का हाथ पकड़ा और सामने वाली कुर्सी पर प्यार से पटक दिया।

तीस की उम्र के थोड़े पास पहुँच चुकी प्रेमिका की काजल भरी आँखों में प्रेमी देर तक खोया रहा। प्रेमिका बिना कुछ बोले प्रेमी को यह देखते हुए देखती रही कि प्रेमी उसे बहुत प्यार से देख रहा है। फिर अचानक प्रेमी की आँखें भर आयीं। शर्मिष्ठा गांगुली ने टोका नहीं, उसे पता था कि हर मुलाकात में प्रेमी को एक बार ज़रूर रोना होता है—रस्मी तौर पर। प्रेमी अपने दाहिने हाथ की उँगलियों से प्रेमिका के बायें हाथ के अँगूठे को हल्के-हल्के खुरचने लगा। प्रेमिका यथावत बनी रही। यह क्रम कुछ देर चलता रहा। फिर प्रेमिका ने जमती हुई जड़ता को तोड़ा, ''तुम्हारे घर से फिर कोई फ़ोन आया था क्या?''

जवाब में ए.बी. वैसे ही अँगूठा खुरचते रहे। बंगाली बाला ने वातावरण हल्का करते हुए ए.बी. के गुलाबी गालों को अचानक ज़ोर से खींच दिया तो ए.बी. चौंक गये; और अगल-बगल देखने लगे कि इस हरकत को किसी ने देखा तो नहीं! शर्मिष्ठा को उनके भोलेपन पर हँसी आ रही थी। लजाये हुए गुलाबी ए.बी. और भी गुलाबी हो गये।

''तुम फ़ोन पर तो ढेरों बातें करते हो और सामने आने पर इतने चुप से क्यों रहते हो?'' सामान्य हो रहे वातावरण में प्रेमिका ने प्रेमी से पूछा।

''पता नहीं, मेरे मन की कई बातें एक-दूसरे में घुस जाती हैं, कुछ समझ ही नहीं आता कि तुमसे कैसे शुरुआत करूँ?'' ए.बी. अभी भी ट्रैक पर नहीं आये थे, उदासी फिर बढ़ती कि बंगाली बाला ने उनका पेट छुआ, ''अच्छा छोड़ो ये सब बातें, पहले बताओ क्या खाओगे आज?'' ए.बी. को अब याद आया कि डिनर में खाना खाया जाता है। वे शुद्ध शाकाहारी थे। ट्रैक पर आते हुए ए.बी. ने लरजते हुए कहा, ''पालक-पनीर और नान!'' उन्हें दिल्ली में यही चीज़ बेहद पसन्द थी। शर्मिष्ठा ने मुँह चढ़ाया, ''उँह! ये भी कोई खाना

है, घास-फूस?'' फिर वेटर को बुलाकर बंगालन ने एक फ़िश-करी और एक पालक-पनीर के साथ दो रोटी और फुल प्लेट चावल का ऑर्डर दिया। बंगालन 'माछेर-भात' के लिए जान भी दे सकती थी, यह चीज़ उसे हद के पार तक पसन्द थी।

दोनों खूब भूखे थे।

डिनर के बाद सेंट्रल पार्क में टहलते हुए अष्टभुजा सिंह ने ज़ोरों की डकार ली तो प्रेमिका ने टोका, ''हद है? इतनी ज़ोर से?''

ए.बी. जवाब देते हुए मुस्कुराये, ''खानदानी आदत है! और ये तो कुछ नहीं, मेरा बाप रात में जब डकार लगाता था तो मैं बचपन में डरकर उठ बैठता था।'' बंगाली बाला उनके डकारू बाप के बारे में बस कल्पना ही कर सकती थी। ए.बी. ने कभी भी सम्बोधन में ईश्वरीलाल को पिता नहीं कहा, जब याद किया तो 'बाप' नाम से ही याद किया। ऐसा कहने में उन्हें एक सुकून मिलता था।

वे जहाँ टहल रहे थे उसके आस-पास सन्नाटा और एकान्त आ पहुँचा। ए.बी. इधर कई दिनों से एकान्त की तलाश में थे। उन्होंने शर्मिष्ठा गांगुली से पार्क के एक झाड़ीदार पेड़ की छाँह में चलने का इशारा किया तो लड़की ने प्रतिवाद किया, ''नहीं! पहले आइसक्रीम!''

पर आइसक्रीम खाने के चक्कर में कहीं सेंट्रल पार्क बन्द न हो जाये। बेचैन आत्मा आइसक्रीम ढूँढने लगी। कैसे भी करके आत्मा गेट के बाहर से आइसक्रीम ले आयी तो लड़की ने पूछा, ''एक ही क्यों?'' आत्मा ने हताश मन से कहा, ''अरे, उसके पास एक ही बची थी!'' दोनों अभी भी भूखे थे पर पेट से नहीं। एक साथ एक ही आइसक्रीम पर दोनों के दाँत गड़े।

पर अगले ही क्षण झगड़ा शुरू हो गया। ए.बी. ने बंगाली बाला पर आरोप लगाया कि वह जल्दी-जल्दी और ज़्यादा-से-ज़्यादा आइसक्रीम चट कर रही है जबकि लड़की का जवाब था कि चूँकि ए.बी. लड़की के ही हिस्से का खा रहे हैं, इसलिए उन्हें कम खाने का रिवाज़ निभाना चाहिए। अब आइसक्रीम खाने का झगड़ा दैहिक-संघर्ष में तब्दील हो गया। दोनों के हाथ और चेहरे हिस्सेदारी की माँग में आपस में ऐसे उलझ गये जैसे कबूतर के जोड़े फड़फड़ा

कर जूझ रहे हों। आइसक्रीम उनके होंठों के बाहर पिघलती रही। ठंड के मौसम में बर्फ़ सने चोंच किसी अदृश्य आँच से गर्म होते गये। कबूतर नहीं जानते दुनिया के रस्मो-रिवाज़। वे खड़े-खड़े देर तक फड़फड़ाते रहे। तब तक, जब तक चौकसी में टहलते दिल्ली पुलिस के अधेड़ जवान ने नहीं टोका, "रे भाई! बाकी की कुश्ती घर जाके कर लिये!" जवान मुस्कुरा रहा था।

कबूतर शरमाते-सकुचाते, सिर को झुकाते पार्क से बाहर आ गये। दोनों के चेहरे मिठास में डूबे हुए थे।

विदा वेला में प्रेमिका के लिए ऑटो बुलाने से पहले प्रेमी एक बार फिर रस्मी तौर पर भावुक हुआ। लड़के ने लड़की का हाथ अपनी छाती पर रखा और धीरे से कहा, "महसूस करो इसे! ये तब तक धड़कता रहेगा जब तक तुम हो, मिष्ठी!" ए.बी. शर्मिष्ठा को मिष्ठी नाम से पुकारते थे। लड़की धड़कन महसूस करने लगी। भावना की एक लहर फिर उठी, "मुझे छोड़ना मत, अब मैं कुछ भी सहने लायक नहीं मिष्ठी!" बात पूरी होते-होते कुछ बूँदें लड़के के चेहरे पर उछलीं। लड़की, "तुम भी क्या-क्या सोचते रहते हो..." कहते हुए आत्मविश्वास के साथ लड़के से लिपट गयी। एक गद्देदार स्पर्श ने लड़के के चेहरे पर उछल पड़ीं बूँदों को स्पंज की तरह सोख लिया।

ए.बी. कमरे पर लौटे और वह रात ख्वाबों-खयालों में अच्छी गुज़री तो दिन की शुरुआत भी हिरण की छलांग जैसी हुई। बैचलर कमरे में सफ़ाई-पोंछा, पुष्ट खाना-पीना और ऑफ़िस में समय रहते प्रवेश, सब कुछ अच्छा-अच्छा रहा। मैडम रूपड़ा अपनी दिव्य-दृष्टि से जान गयीं कि कल शाम क्या-क्या हुआ होगा ए.बी. के साथ। बोलीं, "लौंडा तो आज रेस हो रहा है!" लौंडे ने आँख मटका दी। पर उस ऑफ़िस में सुदर्शन नामक प्राणी भी रहता था। लंच के बाद उसने ए.बी. को बुलाया, "भइया, किस दुनिया में रहते हो तुम?"

'अब क्या हुआ इसे?' ए.बी. ने मन ही मन सोचा।

"क्या हो गया सर जी?"

"यार तुम बाद में कहोगे कि पहले बताया नहीं, वैसे दो बार पहले भी बता चुका हूँ," सुदर्शन थोड़ा चिढ़ा हुआ था।

ए.बी. भोले बने रहे, "हुआ क्या सर?"

"तुम ऑफ़िस आते-जाते कार्ड पंच क्यों नहीं करते यार? तुम्हारी सैलरी कट जानी है एक दिन?" बॉस ने लपेटा। ऑफ़िस में बायोमीट्रिक सिस्टम लागू हुआ था। ए.बी. कभी आते हुए कार्ड पंच करना भूल जाते तो कभी जाते हुए। बॉस बहुत कन्फ़्यूज़्ड था। लेकिन ए.बी. आज मूड में थे!

"सर जी एक बात बताओ," ए.बी. ने उल्टे बॉस को ही सवाल दागा, पर मुस्कुराहट के साथ, "क्या इन्सान केवल एक कार्ड है, एक नम्बर या एक अँगूठा?" व्यस्त बॉस ने जैसे अपना पिंड छुड़ाना चाहा, "देखो, फ़ालतू की बात मत करो, सरकार की नज़र में हम एक कार्ड ही हैं, एक नम्बर और एक अँगूठा, अगर इससे अलग सोचते हो तो सैलरी गँवाओ अपनी, समझे! चलो जाओ अब, बहुत हुआ, आगे कोई चेतावनी नहीं, सिर्फ़ कार्रवाई।" सुदर्शन ने जाने का इशारा किया।

मूड में डूबे ए.बी. उसके चैंबर से बाहर आ गये, पर इतना तो सुना ही आये कि उनके बुढ़उ माट साहेब अक्सर कहा करते थे कि नाम में क्या रखा है, असली चीज़ है विशेषण। हालाँकि तब भी बॉस 'कन्विंस्ड' नहीं हुआ होगा। ए.बी. को इस बात पर बेहद अफ़सोस था कि शहर अपनी वाजिब पहचान को लेकर बहुत निरपेक्ष रहता है। वैसे भी ए.बी. खानदान, उसके नाम-उपनाम के फ़रमानों से तपाया हुआ था। तपाया हुआ क्या जलाया हुआ था! माट साहेब न होते तो उनको इस बात का आभास ही नहीं होता।

पर सैलरी इस देश के करोड़ों मध्यवर्ग का सच थी जिससे खेलना उस वर्ग के लिए पाप था। ए.बी. ने याद से शाम को कार्ड पंच किया और ऑफ़िस से बाहर निकल गये। बाहर का मौसम खुशगवार था। पर शर्मिष्ठा से मुलाकात नहीं हो पायेगी, उसके मम्मी-पापा सिलीगुड़ी से आनेवाले हैं आज। ए.बी. को थोड़ा डर लगने लगा था।

दुनिया को यह भ्रम है कि खुशगवार होते मौसम की पहली पहचान सबसे पहले केवल आतुर प्रेमी जोड़े करते हैं। जबकि सच्चाई है कि इसकी पहचान उनसे भी पहले शराबी कर लेते हैं। वे कहीं भी किसी हाल में हों बदलते मौसम को आत्मा के स्तर पर सूँघ लेते हैं। इधर आसमान को काली घटाओं ने घेरा और उधर ए.बी. का फ़ोन बजा।

"हाँ फ़ैड्रिक बोल!"

"बेटा मौसम देख रहा है तुम?"

"क्या हुआ मौसम को?"

"बारिश होने वाली है!" फ़ैड्रिक ने बच्चे जैसी किलकारी मारी।

कुछ सोचते हुए ए.बी. ने कहा, "अच्छा! तो ये मामला है?"

फ़ैड्रिक भीतर की खुशी छुपाते हुए गम्भीरता से बोला, "हूँ।"

"तो आजा फिर!" कहकर ए.बी. ने फ़ैड्रिक को अपने कमरे पर बुला लिया। ए.बी. खुद भी एक गुदगुदी के शिकार हो गये।

खुशगवार मौसमवाले एक शहर के एक कमरे में रम की बोतल को फ़ैड्रिक ने अति-उत्साह में खोल दिया। वह बोतल खोलते हुए ऐसे मुस्कुराया था जैसे सुहागरात में दुल्हन का घूँघट उठा रहा हो। ए.बी. उसकी मुस्कुराहट पर दंग थे। दोस्तों ने रमवाले काँच के गिलास टकरा दिये हैं और एक साँस—और एक सुर में 'जै बजरंग बली' के जयघोष के साथ रम को डकार गये। बजरंग बली साहस के देवता थे इसलिए दोनों ही उनके भक्त थे। स्कूल में फ़ैड्रिक मार खाने से बचने के लिए माता मरियम को नहीं बजरंगबली को याद करता था। तब ए.बी. ने फ़ैड्रिक को हनुमान चालीसा भी रटवाने की कोशिश की थी पर अपनी जी-तोड़ कोशिश के बावजूद फ़ैड्रिक उसे पूरा याद नहीं कर पाया।

गिलास पटक कर दोनों ने अपने-अपने शरीर में उठती झुरझुरी को सिर हिला कर शान्त किया, एक साथ। फिर फ़ैड्रिक अगला पैग बनाने में जुट गया। लगे हाथों फ़ैड्रिक ने ए.बी. को एक ज़रूरी सूचना भी दी, "पता है तुझे, शाजिया को फिर बेटी हुई है?"

"अच्छा?"

"अच्छा क्या, घंटा।"

"अबे ठीक से बोल!"

फ़ैड्रिक को हैरानी हुई, "अबे साले! तू अब भी उससे प्यार करता है?"

ए.बी. चुप ही रहे। फ़ैड्रिक ने दूसरा पैग चढ़ाया, "मुझे तो साले ये समझ में नहीं आता कि तुझे एक साथ कितनों से प्यार है?"

"वो बात नहीं है यार!"

''तो ?'' फ़ैड्रिक आज उगलवा कर रहेगा।

''देख यार, मैं ऐसा लड़का नहीं हूँ कि जिस लड़की से नहीं बनी उसे गलियाता फिरूँ!''

ए.बी के भीतर एहसास शाश्वत ढंग से ज़िन्दा रहते थे। वे उन्हीं एहसासों को भीतर समेटे फिरते हैं। बदलती दुनिया ने जिस चीज़ को लोगों से छीना है, वह यही तो है। बस ए.बी उस बदलाव के असर से अछूते हैं। उनके भीतरी कवच में वे न केवल महफूज रहते हैं बल्कि समय समय पर वह रिसकर बाहर आ जाते हैं और ए.बी जल जाते हैं। हालाँकि वे नहीं जानते कि ये एहसास उनकी पुरानी प्रेमिकाओं में अब भी उनके लिए बचा रहा होगा कि नहीं।

''तो मैं कौन सा गलिया रहा हूँ भाई ?'' इधर फ़ैड्रिक ने बचाव करते हुए अपनी चारित्रिक सफ़ाई में आँखें चौड़ी कर लीं, ''मैं तो बस इतना कह रहा हूँ कि शाजिया हम दोनों में से किसी से भी शादी कर लेती न भाई, तो बहुत खुश रहती।''

ए.बी. ने बड़ी गम्भीरता से ''हूँ'' कह दिया। फ़ैड्रिक ने जोड़ा, ''पता है तुझे, शाजिया गाँव में सड़ रही है ?'' आशिक़ अन्दर से छिला हुआ था।

नशे ने दोनों को गिरफ़्त में ले लिया। फ़ैड्रिक को जब सुरूर चढ़ता है तो उसके आत्मविस्तार की कोई सीमा नहीं रहती। सो उसका आत्मविस्तार हुआ, ''साला हम दोनों दिल्ली में आराम से कमा-खा रहे हैं, किसी के बाप की नहीं सहते, आज शाजिया होती तो जन्नत लूटती भाई, नहीं ?''

''अब छोड़ भी,'' ए.बी. विषयांतर चाहते थे। फ़ैड्रिक किसी दार्शनिक की तरह धरती देखने लगा। नशे की हालत में ए.बी. को अपनी दूसरी प्रेमिका की याद आ गयी। घनघोर प्रेमी ने फ़ैड्रिक से पूछा, ''अक्षरा का कुछ पता चला ?''

''साले रोमियो !'' फ़ैड्रिक ने ठहाका लगाया।

''बता न बे ?''

''परसों सुबोध से बात हुई थी, उसी ने बताया कि अक्षरा श्रीवास्तव ने भाग कर शादी कर ली थी, इसीलिए सालों तक गायब रही।'' ए.बी. के भीतर टीस उभर गयी, चेहरा तानकर पूछा, ''किससे ?'' वे जानना चाहते थे कि उनके अलावा आख़िर कौन माई का लाल पैदा हुआ था जिसने अक्षरा

का हाथ थाम लिया। फ़ैड्रिक झटपट बोला, "ब्लैकिया से और किससे।"

"हैं?" ए.बी. अवाक् थे। ब्लैकिया मतलब शिवशंकर चौबे। वह ए.बी. के ड्रामा गुरु रहे भानुशंकर चौबे का बेटा था। उसके पक्के रंग की वजह से उसका नाम ब्लैकिया पड़ गया था। पर अक्षरा तो साले को घास भी नहीं डालती थी।

"क्या सोच रहा है तू?" फ़ैड्रिक ने ए.बी. की तन्द्रा तोड़ी।

"अबे साला! उससे।" ए.बी. भौचक थे, अभी भी।

"और नहीं तो क्या।" कहते हुए फ़ैड्रिक ने आग में घी डाल दिया। आत्मविस्तार में बोला, "अब तक केवल सुनता आया था कि प्यार अंधा होता है भाई, लेकिन भाई, अक्षरा ने जो किया न भाई, उसके बाद मुझे सचमुच में लगने लगा कि प्यार साला अंधा ही होता है।" ए.बी. का चेहरा मार खाये बच्चे की तरह हो गया था, जो कभी भी रो सकता था, किसी भी बहाने से। क़स्बे में हो क्या रहा है आजकल?

ए.बी. मन ही मन कहीं गुम हो रहे थे। उन्हें अक्षरा की खिलखिलाती हुई हँसी याद आ रही थो। धूप जैसे चेहरे की हँसी। स्याह-सफ़ेद कोमल अक्षरा। रम की तरंगें उन्हें बहुत दूर लेकर चली गयीं जहाँ कुँवारी अक्षरा ए.बी. की राह देख रही थी। वहाँ पहुँचते ही अक्षरा ने नौटंकी की रटी हुई लाइनों से स्वागत किया, "तेरे आने की खुशी में आज दिल उदास है।" दोनों हँस पड़े।

अक्षरा श्रीवास्तव और अष्टभुजा सिंह शहर के चमकते प्रेमी जोड़े थे। सारा क़स्बा जानता था। दोनों भानु चौबे की नाटक मंडली 'परिवर्तन' के होनहार कलाकार थे। सामाजिक मुद्दों पर इस नाटक मंडली ने कई नाटक खेले थे और क़स्बे की वाहवाही लूटी थी। एक बार तो उन लोगों ने 'लैला मजनूं' भी खेला था। बहुत हिट हुआ था। तभी से क़स्बा ए.बी. को 'मजनुंआ' पुकारने लगा। ए.बी. तब ग्रेजुएशन कर रहे थे और सेकेंड ईयर में फेल हो गये थे। अक्षरा यह बात जानते हुए भी उनसे प्यार करती थी।

नशे में डूबे ए.बी. ने मन ही मन कोफ़्त की, "जा रे, ईश्वरीलाल जा! सब नष्ट कर दिया तुमने!" ए.बी. के भीतर एक हूक-सी उठी और कमरा गमगीन हो गया।

फ़ैड्रिक उनका गम ताड़ गया, मरहम लगाते हुए बोला, "अबे सोच क्या रहा है भाई? अभी शर्मिष्ठा है न?"

कुछ चौंकते हुए ए.बी. इस सवाल की वजह से वर्तमान में लौट आये। यह सवाल ही ऐसा था! एक हड़बड़ी के साथ जवाब दिया, "हाँ भाई, इसमें कहाँ शक है! उसके मम्मी-पापा आज आ गये होंगे, हफ़्ते-दस दिन में सब फ़ाइनल हो जायेगा।" फ़ैड्रिक ने राहत की साँस ली। उसे डर था कि पहले की तरह ए.बी. का प्यार कहीं अधूरा ही न रह जाये। कैसे भी करके शादी हो जाये दोस्त की। फ़ैड्रिक ने मन ही मन माता मरियम को याद किया।

नशे का अगला दौर चलने लगा। फ़ैड्रिक हल्का-हल्का गुनगुनाने लगा। दोनों की आत्मा अगले पैग के बाद एकदम रूहानी हो गयीं। चीज़ें साफ़-साफ़ और लय में दिखने लगीं। फ़ैड्रिक ने रौ में पूछा कि "आजकल वो कहाँ है बे? तेरी बचपन वाली? नाम क्या था उसका, राधा? रधिया?"

अष्टभुजा का नशा बिल्कुल फट गया।

वे चुपचाप उस मारक नज़ारे में खो गये जो उनके सामने इस सवाल के बाद नाचने लगा था। मार खाकर बीमार पड़ी रधिया महीनों बाद आयी है, बालक ए.बी. भी स्वस्थ हो गये हैं। पर मन उचाट हो गया है इस दुनिया से। बीमार-सी दुबली काया लेकर जब रधिया उनके घर आयी तो ए.बी. पहली नज़र में उसे पहचान नहीं पाये। कोई नहीं था वहाँ, बस रधिया और बालक ए.बी.। मरणासन्न रधिया ने हाथ बढ़ाकर अपने 'गुलाब्बो' के गाल छू दिये, फिर काँपती हुई आवाज़ में बोली, "हम जा रहे गुलाब्बो, रेल का टिकट कट गया।" उसकी आँखों से गुलाबी पानी निकला और वह लौट गयी।

ए.बी. अपने आँसू पोंछने लगे। रधिया से हुई उस आख़िरी भेंट को युग बीत गये थे पर ए.बी. अब जा कर रोये। फूट-फूट कर। वे इस वक़्त इतना रोये कि फ़ैड्रिक मुँह बाये उन्हें देर तक देखता रहा।

फ़ैड्रिक की भी कुछ भूतपूर्व प्रेमिकाएँ थीं, वह भी उनको याद करके दुखी होना चाहता था पर वह आँसू कहाँ से लाए? इधर ए.बी. ने अपनी टी-शर्ट से नाक साफ़ की और गिलास में बची पड़ी रम को एक साँस में पी गये। शरीर वज़नी हो गया। हथेलियों में एक भारीपन भर आया। दोनों

की हालत एक जैसी थी, फिर भी प्रेमिकाओं के क़िस्से खत्म नहीं हो रहे थे। रातभर दर्जनों प्रेमिकाओं की कुण्डलियाँ खुलती-बन्द होती रहीं। लीलाधर ने अतीत में अपनी की हुई सारी लीलाएँ फ़ैड्रिक से पुनः साझा कीं तो बराबरी दिखाते हुए फ़ैड्रिक ने भी अपनी प्रेमिकाओं के शरीर विज्ञान पर प्रामाणिक व्याख्यान दिया। वे कई बार रोमांचित हुए, कई बार हँसे और कई बार रोते रहे। रातभर! इकट्ठे!

पर उस गहरे नशे की हालत में भी ए.बी. ने अपनी एक गुप्त प्रेमिका के बारे में मुँह नहीं खोला, उस गहरे राज़ को वे पचा गये। वह प्रेमिका उनकी मनोरम मित्र थी, उनकी भाभी थीं। यह तब की बात है जब अक्षरा श्रीवास्तव के साथ हुए इश्क पर राहु-कालम् चढ़ चुका था, लीलाधर एक बार फिर तगड़ी मार खाकर घर बैठ चुके थे और उधर अक्षरा की तमाम सार्वजनिक गतिविधियाँ उसके बाप ने बन्द कर दी थीं। वह ताले में कैद थी। मामला क़स्बे से होते हुए शहर तक और फिर पता नहीं कैसे रिश्तेदारों तक की जानकारी में आ गया था। इधर शहर में 'मजनुंआ' के चर्चे हो रहे थे और उधर 'मजनुंआ' के रिश्तेदार लीलाधर 'नौटंकी' पर दंग हो रहे थे। उस समय मामा-भक्त दुर्गापाल सिंह दिल्ली में मन लगाकर पढ़ाई कर रहे थे जिन्हें 'नौटंकी' शब्द खासा पसन्द आया था।

लीलाधर को घर से बाहर निकलने में तगड़ी चौकसी का सामना करना पड़ रहा था। हाँ, उन्हें अड़ोस-पड़ोस के सगोत्रीय घरों में जाने की हल्की-फुल्की छूट थी। उन्हीं घरों में एक घर जानकी भाभी का था। लीलाधर का बचपन से ही वहाँ आना-जाना था। सात साल पहले जब भाभी ब्याह कर आयी थी तो लीलाधर ने अपने जीवन में पहली बार दुल्हन-दर्शन किया था। एकदम नयी दुल्हन। लाल-लाल साड़ी में। दुल्हन ने अपने रूप से लीलाधर को मोहित कर लिया था। पर लीलाधर उस समय एकाग्रचित नहीं हो पाये।

तब शाजिया और रधिया दोनों उनके जीवन से बाहर जा चुकी थीं और लीलाधर की शहरवाली जो बुआ थीं उनके साथ आयी उनकी जेठानी की बेटी पर लीलाधर कुछ ज़्यादा ही मोहित हो चुके थे। अक्सर उसका नाम भूल जाते हैं लीलाधर! पता नहीं उस लड़की का क्या नाम था? पर बुआ ने उस लड़की

को समझाया था कि अष्टभुजा को भइया बोला कर! यह सुनकर अष्टभुजा की देह में आग लग जाती थी। वह लड़की साल भर रही थी उनके घर, पर बुआ की छील देनेवाली निगाह ने प्रेम को कभी पनपने ही नहीं दिया। ''जैसा भाई ईश्वरीलाल वैसी उसकी बहन। हुँह!''

नशे में दाग़ जलते हैं

उज्ज्वल भइया जानकी भाभी को बहुत मानते थे। इतना कि उन्होंने घर से बाहर निकलना भी कम कर दिया। हाँ, वे कभी-कभी रात में चोरी-छिपे दोस्तों के घर दारू चखने चले जाते थे। शादी के साल भर बाद एक रात अचानक दूसरे पहर को पड़ोस में शोर उठा। उज्ज्वल सिंह का एक्सिडेंट हो गया, ट्रक से चांपा पड़ गया।

मातम में डूबे पूरे घराने में एक चीख सबसे तेज़ उठी, भाभी की। लाल साड़ी वाली भाभी सफ़ेद बुत में बदल गयी। महीनों बाद जब दु:ख का सैलाब उतरा तो भाभी की देह का पानी भी सोखकर ले गया। वह गीली मिट्टी की तरह सूख कर टूटने लगी। लीलाधर कभी-कभी वहाँ चले जाते थे। कुछ क़िस्से, कुछ कहानियाँ सुनते-सुनाते भाभी का मन लगाते थे। समय बीतता गया।

जब से अक्षरा का साथ छूटा था तब से ए.बी. ढेरों तन्हाइयों के शिकार हो गये थे। तन्हाई ने तन्हाई का साथ पकड़ा। वैसे उन्होंने मन बना रखा था कि एक दिन वे अपने बाप के चंगुल से खुद को और अक्षरा के बाप के चंगुल से अक्षरा को फ़रार कराते हुए ब्याह करेंगे। पर तत्काल उनका मन नहीं लग रहा था। भाभी के यहाँ आना-जाना बढ़ गया। माँ के दिल की धड़कनें तेज़ होने लगीं। एक-दो बार टोका भी, ''का वहाँ रोज़-रोज़ जात हौ?'' लेकिन भाभी की बढ़ती आत्मिक ऊष्मा ठिठुरे हुए ए.बी. को रोज़ बुला लेती थी। उस आँच में वात्सल्य भी था और प्रेम भी। वह एक अपरिभाषित आँच थी। वह आँच फैलती गयी, ए.बी. उसे तापते गये। घरों में कानाफूसी होने लगी। माँ भी अब चौकसी बरतने लगी।

ऐसे में एक दिन जेठ की दुपहरी आयी तो ए.बी. भाभी के घर पहुँचे। चाची अक्सर पड़ोस में भागी रहती थी। ऐसे में अकेली जानकी सात सालों

से कैद सैकड़ों दर्द भरी दास्तानें बटोर कर सुनाया करती थी। ए.बी. आये तो उनकी उदासी कुछ छँट गयी। ए.बी. ने उसे अपनी सारी प्रेम कहानियाँ बता रखी थीं। उनकी आपसी बातचीत की शुरुआत अक्सर किसी न किसी प्रेमिका के बहाने होती थी। उदासी में डूबी रहने वाली भाभी अपनी उदासी छुपाने के ज़ोर में बनावटी ढंग से खिलखिलाई और पूछा, "अक्षरा का कुछ पता चला लल्ला?"

ए.बी. ने भारी मन से जवाब दिया, "कहाँ से भाभी?" और फिर गहरी साँस छोड़ी। भाभी ने उनके सिर पर प्यार से हाथ फेर दिया। सुकून उतर आया। यह वही सुकून था जिसकी तलाश में ए.बी. दर-दर भटकते फिर रहे थे। भावना का ज्वार एक बार फिर फूटा और वे भाभी के कन्धों पर झूल गये। यह सब अचानक हुआ और उसी दिन हुआ। भाभी की देह ने कोई प्रतिवाद नहीं किया। देर तक चुप्पी फैली रही।

ए.बी. टटोलने लगे कि यह प्यार है? वात्सल्य और श्रृंगार में ए.बी. का मन श्रृंगार की ओर भागा। गर्म ख़ून ने उबाल मारकर कहा, "भाभी!" पर जानकी की आँखें बन्द थीं, ए.बी. तय नहीं कर पा रहे थे कुछ। उन्होंने भाभी की देह को फूल की डाली की तरह हिलाया और रघुकुलीय अन्दाज़ में मन की बात कही, "भाभी! मैं क्या सोच रहा था कि अक्षरा से तो कोई भी ब्याह कर लेगा भाभी! पर तुम कैसे जियोगी?"

साँस रुक गयी जानकी की। उसे कुछ-कुछ अन्दाज़ा तो था पर वह भी अपने अकेलेपन से उतना ही डरती थी। लीलाधर और पास आ गये।

जानकी की साँसें उखड़ गयीं, उसने अपनी आँखें खोल दीं। आँखों के डोरे लाल हो गये थे और गुलाबी होंठों का फड़कना जारी हुआ। पर देह प्रतिवादविहीन वैसे ही लीलाधर से सटी रही। रघु ने अक्षरा श्रीवास्तव से मुँह फेरते हुए अपना प्रण दोहराया, "हम तुम्हें घुटता हुआ नहीं देख सकते अब, बस बहुत हुआ।" वचनबद्धता में दृढ़ता समाई हुई थी। इशारा साफ़ था। प्रत्युत्तर में जानकी के फड़कते होंठों के भीतर से एक काँपती हुई सिसकी उठी, "विधवा पर रहम करो लल्ला, हम पर पाप मत चढ़ाओ तुम!"

"हम पाप नहीं शादी की बात कर रहे हैं," ए.बी. चीख पड़े।

"नहीं लल्ला नहीं!"

"क्यों नहीं?" चीख और तेज़ हुई।

"तुम हमें बदनाम करके ही मानोगे लल्ला!" जनकसुता की आँखें भर आयीं। लल्ला को अब कुछ भी नहीं सूझ रहा था। वे केवल फड़कते हुए लाल होंठ देख रहे थे और काँपती हुई कोमल देह महसूस कर रहे थे। देह की आँच ने ज़ोर मारा तो लल्ला ने जानकी के लाल होंठ पर अपने गुलाबी होंठ धर दिये। जानकी कसमसाते हुए लल्ला में विलीन हो गयी।

पीछे से किवाड़ के चरमराने की आवाज़ आयी तो दोनों झटके से अलग हुए। किसी के क़दमों की आहट दूर होती चली गयी। लीलाधर ने आहट पहचान ली, ये माँ थी। उसने सब देख लिया है।

अगले दस दिनों तक माँ अपने लीलाधर से बोली नहीं। गुमसुम रहने लगी। लीलाधर ने मौका देखकर मन की गठरी माँ के सामने फिर खोली, "नाराज़ मत हो माँ, मैंने ऐसा कुछ भी नहीं किया कि तू गम खायं। बात तुमसे कभी घुमा-फिरा कर नहीं की।"

माँ अपने लीलाधर के फ़ैसले का ही मानो इन्तज़ार कर रही थी। माँ ने भौंहें चढ़ा दीं तो लीलाधर माँ की गोद में बछड़े की तरह घुस गये, बोले, "रे माँ! जानकी भाभी से मेरी शादी करा दे माँ, तेरे हाथ जोड़ता हूँ!"

पतिव्रता माँ ने तत्काल अपना धर्म निभाया और पति ईश्वरीलाल जैसे ही रिश्तेदारी घूमकर वापस आये, सारी सूचना दे डाली। घर एक और कोहराम के इन्तज़ार में कई दिनों से सूना पड़ा था।

तब उस दिन बुढ़उ माट साहेब आये थे। ढलती उम्र और शारीरिक कष्ट की वजह से ए.बी. को पढ़ाना उन्होंने कब का छोड़ दिया था। पर शिष्य गाहे-बगाहे अपनी तकलीफ़ों और सवालों के साथ मिलता रहता था। बड़ी मिन्नत के बाद आचार्य पधारे थे। बहुत बूढ़े, बहुत थके, बहुत बीमार से।

शिष्य ने आचार्य के पास पहले अपनी शिकायत रखी, "माट साहेब! माट साहेब आप हमको भूल गये हैं!" शिकायत रखते वक़्त शिष्य भावुक हो गया। भावप्रवण आचार्य ने उनके कंधे पर हाथ रखा और कमज़ोर आवाज़ में बोले, "नहीं विद्याधर, भला गुरु शिष्य को कभी भूलता है!" शिष्य ने अपनी

सजल आँखें गुरु की ओर उठा दीं तो गुरु ने अपनी तकलीफ़ बताई, "बहुत बीमार रहने लगा हूँ विद्याधर, अब साँसों का कोई ठिकाना नहीं। थोड़ी दूर चलने से भी तकलीफ़ होने लगती है।" विद्याधर उनके चौड़े ललाट पर मृत्यु की छाया तौलने लगे। शिष्य गुरु के ललाट पर छाये मृत्युबोध को बर्दाश्त नहीं कर पा रहा था, "ऐसे मत बोलिए माट साहेब, आपके बिना मैं खत्म हो जाऊँगा।" विद्याधर को रोना आ रहा था, बड़े जतन से आँसू रोकने की कोशिश की। आचार्य समझ गये, अबकी चेले के माथे पर हाथ फेरा, "अरे पागल, सबको मरना है एक दिन और मैं आज ही नहीं मरनेवाला।" विद्याधर को कुछ राहत मिली, माथे पर गुरु के हाथ फेरे जाने के बाद वे एकदम हल्के हो गये थे। थोड़ी चुप्पी के बाद माट साहेब कुछ भाँपते हुए बोले, "क्या बात है विद्याधर? आजकल बहुत परेशान से रह रहे हो?" गुरु ने मन की बात धर ली। चेले का मन फूटा, "हाँ, माट साहेब!"

"क्या परेशानी है भाई?"

"माट साहेब! बड़ा ही बदनाम कर रखा है दुनिया ने मुझे।"

" ?"

"हाँ माट साहेब, आपकी क़सम।"

आचार्य को सूखी खाँसी ने कुछ देर के लिए घेर लिया, खाँसने के बाद उन्होंने पानी पिया और अपनी आँखें बन्द कीं। फिर संयत होकर आचार्य ने पूछा, "क्या तुम्हें अपने किये हुए कामों का पछतावा रहता है विद्याधर?"

"नहीं माट साहेब, बिल्कुल नहीं," बहुत विनम्र जवाब मिला आचार्य को।

"तो फिर नाम बदनाम के फेर में काहे फँसते हो भाई? नाम बदनाम में क्या रक्खा है रे? संज्ञा-सर्वनाम के चक्कर छोड़ विद्याधर, असली चीज़ है विशेषण, समझे?"

"जी माट साहेब!"

"क्या समझे?"

"यही कि माट साहेब, जिस काम को करने में कोई आत्मग्लानि न हो वह काम कर 'ही' देना चाहिए, आदमी के गुण महत्त्व के होते हैं बाकी नाम में क्या रखा है!" विद्याधर ने अपनी तरफ़ से 'ही' पर ज़ोर दिया।

"शाबाश विद्याधर..." आचार्य ने शिष्य की पीठ थपथपाई।

पर वहाँ कोई और भी था जो विद्याधर को थपथपाने और ठोकने के लिए सुबह से 'ही' मचल रहा था। आचार्य द्वारा पीठ ठोकने के दसवें सेकेण्ड में ही राहु-कालम् उस कमरे में घर कर गया। मास्टर के सामने ही एक ज़ोरदार तमाचा विद्याधर के मुँह पर पड़ा और वे कुर्सी सहित पलट गये। माट साहेब इससे पहले कुछ समझ पाते ईश्वरीलाल 'गिरे' हुए विद्याधर पर भूखे शेर की तरह झपटे और निशाना साधकर एक लात जमा दी, "साला मौगा!"

आचार्य के सामने उनका शिष्य बिलख पड़ा। बूढ़े मास्टर को ताव आ गया, जर्जर देह की पूरी शक्ति लगाकर वे उठे और ईश्वरीलाल को रोकना चाहा, "ख़बरदार बाबू साहेब, बहुत हो गया, मेरे सामने ये सब नहीं चलेगा।" पर आई.एल. सिंह के सिर पर भूत नहीं प्रतिष्ठा सवार थी, भूत से भी बड़ी सवार! वे गरजे, "नाम में क्या रक्खा है साले ये हमसे पूछ? पुरखों की इज़्ज़त क्या होती है ये हमसे पूछ मौगे?" लीलाधर मामला समझ गये। वे लड़खड़ाते हुए खड़े हो गये और तन भी गये। बाप से लीलाधर का अपने पैरों पर खड़ा होना देखा नहीं गया, वे एक बार फिर लपके पर आचार्य ने पूरी शक्ति से उनका हाथ थामा, "बस! अब और नहीं।"

आचार्य शिष्य के ताज़े जानकी-तप से अनभिज्ञ थे। लेकिन लड़के के बाप ने भी लिहाज़ छोड़छाड़ कर अबोध गुरु का हाथ झटक दिया। गुरु लड़खड़ा गये। उससे ज़्यादा वे अपनी बेइज़्ज़ती पर लड़खड़ाये। लड़के के बाप ने उल्टे गुरु से ही कहा, "तुम बीच में न पड़ो पंडित! ये तुम्हारा ही तैयार किया हुआ कलंकी है।"

यह दूसरी बेइज़्ज़ती थी। जर्जर आचार्य के भीतर अभी भी ख़ून बचा था, वह उबल गया। पर साँसें फूलने लगीं। एक बार फिर उन्हें खाँसी का दौरा पड़ा। खाँसते-खाँसते उनका चेहरा लाल हो गया। खाँसी इतनी बढ़ी कि पिता और पुत्र दोनों डर गये। वातावरण देखते ही देखते बदल गया। पिता ने अपनी शर्मिंदगी छुपाते हुए आचार्य की ओर पानी का गिलास बढ़ाया तो आचार्य ने इस बार उनका हाथ झटक दिया। पानी का गिलास फ़र्श पर गिरकर नाचने लगा। तब शिष्य ने फुर्ती दिखाई, गुरु की ओर बढ़ा, "बैठ जाइए माट

साहेब, पहले बैठ जाइए। हम आपके पैर पड़ते हैं।'' वह रोने लगा। उसकी कातरता देख आचार्य शान्त होने लगे। वातावरण में मातम छाया हुआ था। वहाँ उपस्थित तीनों की देह में साँसें तेज़ी से आ-जा रही थीं। त्रिमूर्ति की उखड़ी हुई साँसों की आवाज़ दालान तक जा रही थी। माँ भी आ धमकी, उसे पहले से ही अन्दाज़ा था, पर माट साहेब के सामने... ?

फिर बूढ़े ब्राह्मण ने अपने जर्जर शरीर को काँपते हुए खड़ा किया। उसके ऊँचे विस्तृत मस्तक से स्वेद-कण की धारा फूट रही थी। उसके सफ़ेद चेहरे पर अपमानित रक्त की धमक थी। आँखों में आग उतार कर क्षुब्ध ब्राह्मण ने ईश्वरीलाल को आत्मा की गहराई से शाप दे डाला, ''अ...अगर यही हाल रहा न बाबू आई.एल. सिंह साहेब, तो-तो, एक दिन, आप मुखाग्नि के लिए तड़प जायेंगे।''

किवाड़ पकड़कर खड़ी माँ सदमे में बैठ गयीं, ''ई का कह दिये देवता ?''

देवता ने हाँफते हुए जवाब दिया, ''वही जो देख रहा हूँ, बहुरिया!''

शिष्य ने महसूस किया कि यह माट साहेब की आवाज़ नहीं हो सकती। इतनी कड़क, इतनी भर्राई, डरावनी और काँपती हुई। विदा होते आचार्य ने माँ के सिर पर आशीर्वाद की मुद्रा में हाथ रखा और हमेशा के लिए चले गये। विद्याधर फटी आँखों से चुपचाप देखते रहे। शिष्य के भीतर गहरा शोक उतर आया था। वह गुरुदक्षिणा में कुछ भी नहीं दे पाया, सिवाय अपमान के। गुरु और शिष्य दोनों ने एक साथ अपमान झेला था। शिष्य में बदले की आग धधक उठी। उसने मन ही मन गुरु के चरणों की 'कुछ' सौगंध खाई।

थोड़े ही दिनों में आचार्य के शाप ने असर दिखाना शुरू किया। बाबू आई.एल. सिंह जितने क्रूर होते गये बागी विद्याधर को उतना ही प्रेम होता गया। प्रेम पर प्रेम। रात-दिन प्रेम। क्षण-क्षण प्रेम। प्रेमिकाओं की फेहरिस्त लम्बी होती गयी। देखते-देखते यह बागी एक मिथक में तब्दील हो गया जिसके अधूरे प्रेम की दास्तानें जल्दी ही शहर कहने-सुनने लगा। शहर धीरे-धीरे भूलने लगा कि उनके पिता का नाम क्या है! लोग अब उन्हें आई.एल. सिंह के बेटे के रूप में नहीं, 'आदि-विद्रोही' के नाम से जानते थे। उसी दौरान लीलाधर के कई नाम रख दिये ज़ालिम शहर ने। पर बागी की प्रतिबद्धता उन नामकरणों

में नहीं, कहीं और थी। बाप और समय की मार ने उसे वज्र बना दिया। एक दिन तो लगा कि ईश्वरीलाल ही पिट जायेंगे। आशिक़ के भीतर चरम प्रेम और चरम घृणा सानुपातिक ढंग से पलता रहा।

आशिक़ अपनी माशूका और मेरिट की प्रतीक्षा में दिन काट रहा था। मेरिट मतलब बी.ए. की डिग्री। और एक दिन वह भी आया जब बाप के आतंक से सारी प्रेमिकाएँ एक-एक करके हाथ से निकल गयीं, पर डिग्री हाथ लग गयी। विद्याधर पाँच साल में ग्रेजुएट हुए थे। अगली सुबह उन्होंने माँ की भावी और इकलौती बहू के गहने उठाये और दिल्ली की उड़ान भर ली। आठ महीने लगातार एक जुनूनी शिष्य दिल्ली में तप करता रहा और अन्ततः उसने दिल्ली सरकार की 'सब-ऑरडीनेट' परीक्षा पर झपट्टा मारा और पलक झपकते जूनियर क्लर्क की नौकरी हथिया ली। आज नौकरी करते हुए ए.बी. को पूरे पन्द्रह महीने हो गये हैं।

'गोदो' तेरे प्यार में

कुल बत्तीस हज़ार आठ सौ। यही तनख्वाह थी ए.बी. की। पर कम न थी। छह हज़ार रुपया रूम-रेंट, चार-पाँच हज़ार खाना-पीना। दो हज़ार मोबाइल का बिल, दो से तीन हज़ार मेट्रो-ऑटो का किराया और दो हज़ार फ़िज़ूलखर्च। कुल पन्द्रह-सोलह हज़ार का खर्चा। बाकी को बचना ही था। ऊपर से ए.बी. ने साल भर में डेढ़ लाख से अधिक की बचत की थी। है कोई माई का लाल जो ए.बी. को किसी तरह के फ़ैसले से रोक पाये?

दिल्ली में नौकरी हो और वह भी अच्छी हो तो आदमी आदमी नहीं बाघ हो जाता है। इस बात को ए.बी. समझ रहे थे, उसके घरवाले नहीं। बस ए.बी. का फ़्लैट ही कुछ छोटा था। शादी के बाद वे इस फ़्लैट में तो क्या इस मोहल्ले में भी नहीं रहने वाले। ये भी कोई जगह है रहने की? वे मन ही मन ऐसी जगह तलाश कर रहे थे जहाँ वे अपनी आमदनी से थोड़ी ऊँची आमदनी के बाशिंदों के साथ गुज़र-बसर कर सकें। बस उधर के फ़्लैट थोड़े महँगे थे। कोई-कोई तो किराए में फ़्लैट के लिए पच्चीस हज़ार तक माँगता था, हद है भाई? इतना भी महँगा नहीं!

उन्हें इस बात की खुशी थी कि वे चाहें तो उन्हें दस-पन्द्रह लाख का 'होम-लोन' भी मिल सकता है, ऊपर से शर्मिष्ठा भी तो कमाती है। बेचारी की तनख्वाह उतनी अच्छी नहीं पर गृहस्थी चलाने में मदद तो करेगी ही न? ए.बी. शर्मिष्ठा गांगुली के माता-पिता से दो बार मिल चुके थे, भद्र लगे वे लोग। बातों-बातों में ए.बी. ये भी जान चुके थे कि शादी के बाद ये भी उनके साथ ही रहनेवाले हैं। कोई और संतान तो है नहीं, ये भी कहाँ जायें बेचारे? ए.बी. को कोई दिक्कत नहीं!

अब महीनाभर रह गया है शादी में। तीस दिन। बाप रे! ए.बी. का तो माथा भन्ना जाता है कभी-कभी, कैसे सब होगा, अकेले? सबसे पहले फ़्लैट ज़रूरी है, शादी से भी ज़्यादा। ऑफ़िस से ए.बी. अब सीधे घर नहीं आते बल्कि नये मकान के लिए दिल्ली दर्शन को निकल जाते हैं। शर्मिष्ठा से यह सब होगा नहीं। वह एक-दो बार साथ आयी भी तो बहुत मायूस हुई। जो घर पसन्द थे वे महँगे थे और जो सस्ते थे वे बहुत दूर थे या वाहियात जगहों पर थे। थककर उसने इतना कहा कि "कोई भी बालकनी वाला घर चलेगा, बस आने-जाने में 'कन्वीनियंट' हो।" उसकी प्राइवेट जॉब थी, दिनभर इतना काम होता है कि शाम तक वह किसी लायक नहीं बचती बेचारी! ए.बी. ने फ़ैसला किया कि वे अकेले नया घर तलाश लेंगे और शर्मिष्ठा को 'सरप्राइज़्ड' कर देंगे। उन्होंने घर के मामले में उसे अलग रखा। दिन बीतने लगे। तेज़ी से।

इधर बाप जी ने माँ से दो दफ़े फ़ोन करवाया। माँ की आवाज़ में बाप जी का निर्देश लहरा रहा था, "जवानी के जोश में कोई ऐसी हरकत मत कर देना कि खानदान को कलंक लगे।" वैसे उन लोगों को शादी की तारीख़ का भी पता नहीं था। वे बस अनुमान पर फ़ोन खड़खड़ाते रहते थे। ए.बी. को अब उस घर में लौटना भी नहीं है! अब दिल्ली ही घर है। पर तीसरी दफ़ा बाप जी ने खुद ए.बी. को फ़ोन किया, "सुनो लाट साहेब! हमको ज़्यादा लल्लो-चप्पो करना नहीं है, बस इतना बताने के लिए फ़ोन किये हैं कि तुमारा रिश्ता लखीमपुर खीरी में तय हो चुका है, जल्दी से छुट्टी ल्यो और घर आ जाओ। फिर ब्याह के बाद कहीं मुँह काला करना!" ए.बी. बिफर उठे, "आपको अभी भी कुछ समझ नहीं आया?"

बाप जी, "क्या?"

बेटा जी, "एकदम नहीं?"

बाप जी, "क्या बे, क्या नहीं समझा मैं?"

बेटा जी, "यही कि हम आपके कंट्रोल से बाहर आ चुके हैं, बिल्कुल बाहर!"

फ़ोन कट गया। शायद बाप जी ने उसे ज़ोर से पटक दिया होगा! ए.बी. ने एक बार फिर घरेलू मोर्चे की लड़ाई जीत ली। निर्भीकता से। इस बार तो ए.बी. हाँफे भी नहीं, न घबराए।

बस इधर एक गड़बड़ी यह हुई कि शर्मिष्ठा को अपने माता-पिता के साथ हफ़्ते भर के लिए कोलकाता जाना है। उसकी मौसी के बेटे की अचानक से शादी तय हो गयी है। सुदीप्तो शर्मिष्ठा का अकेला मौसेरा भाई है, उसको वह सालों से राखी बाँधती आयी है। सुदीप्तो ए.बी. और शर्मिष्ठा के रिश्ते के बारे में भी जानता है। साला 'साले' को भी अभी ही शादी करनी थी? वैसे शर्मिष्ठा का वहाँ जाने का कोई ख़ास मन नहीं था शायद। पर उसके मम्मी-पापा ने ज़ोर दिया तो वह तैयार हो गयी। इधर ए.बी. की शादी में माँ की भूमिका निभा रही मैडम रूपड़ा ने सन्देह के बीज बो दिये, "पुत्तर जी! जिह्दे कार (घर) विच ब्याह होवे वो किसी होर दे ब्याह विच किद्दां जा सकता है? कित्ते कोई होर गल ता नई है?"

"भक! ऐसा भी भला हो सकता है?" ए.बी. को अपने प्यार पर पूरा भरोसा है। 'दूरंतो एक्सप्रेस' में ए.बी. ने उन तीनों का रिजर्वेशन करवाया। वैसे ए.बी. का भी वहाँ जाने का मन था, पर मन की बात ए.बी. ने मन में ही रखी। फ़ैड्रिक तो बार-बार बोलता रहा, "अबे चला क्यों नहीं जाता साथ में? शादी से पहले एक बार ससुराल तो देख ही ले!" पर नहीं। ए.बी. ने अपने मन की भनक भी नहीं लगने दी उन तीनों को। वे लोग जब वापस दिल्ली लौटेंगे, तो भी शादी की तैयारी के लिए पाँच या सात दिन बचे रहेंगे। ऐसी भी क्या जल्दी है!

फिर भी, महीने में से पन्द्रह दिन देखते-देखते निकल गये। अगले दिन उन तीनों को कोलकाता जाना है। अब थोड़ी हड़बड़ी सी हो रही थी ए.बी. के मन में। शर्मिष्ठा से दिन में दस बार बात होने लगी, पर न फ़्लैट का मामला

निपटा न शादी की कोई जगह फ़िक्स हो पायी। तय हुआ कि चितरंजन पार्क की काली-बाड़ी में ही शादी होगी। गाजे-बाजे के साथ। फ़्लैट इसी बीच हर हाल में खोज लिया जायेगा। "तो कल मैं सीधे ही स्टेशन आ जाऊँगा, ठीक है?" ए.बी. ने शर्मिष्ठा से कहा। उधर से जवाब आया, "थोड़ा पहले आना, मुझे अब डर लगता है।"

"डर? किस बात का डर? किससे डर?" दूल्हा एकदम से तन गया।

दुल्हन, "किसी से नहीं बाबा, बस यूँ ही।"

"हुँह! पागल। चलो रखता हूँ," कहकर दूल्हे ने फ़ोन काट दिया। दूल्हे को आज दो-चार और घर तलाशने हैं, जो सबसे ठीक होगा, उसमें शिफ़्ट हो जाना है। बस बहुत हुआ।

उस रात थककर सोये हुए ए.बी. को, सन्नाटे में शादी के गीतों की आवाज़ सुनाई दे रही थी। वे सोये-सोये मुस्कुरा उठे। उन्हें शायद थोड़ी गुदगुदी भी होने लगी, तो उन्होंने करवट बदल ली।

फिर अचानक सपने में माँ आयी, "का लल्ला! ब्याह कर रहे हो?" उसने मुस्कुराते हुए पूछा। सबसे बड़ी बहन भी साथ में थी, उसने कुछ नहीं पूछा, बस उसकी आँखें चमक रही थीं। माँ और बहन को देखते ही ए.बी. भीतर से खिल गये। उन्होंने दौड़कर माँ को गले लगाया और रोने लगे, "माँ रे माँ...हो रे माँ...!"

ए.बी. के सीने में कुछ पिघलने लगा, वे लिपटकर रोते जा रहे हैं। तेईस महीने की बिछुड़न के बाद बछड़े को उसकी माँ मिली है। बछड़े की रुलाई हिचकियों में तब्दील हो गयी। माँ बार-बार बस यही पूछती, "ब्याह कर रहे हो लल्ला? हमें बुलाओगे नहीं लल्ला?" सोये हुए ए.बी. के शरीर ने हरकत शुरू कर दी थी। तकिया आँसुओं से भीगने लगा। वे बस "माँ-माँ" की रट लगाये तकिये से लिपटे रो रहे थे। फिर अचानक अर्ध-चेतना की स्थिति में वह रोता हुआ शरीर बिस्तर से उठा, पानी से भरा हुआ गिलास खाली करके फिर बिस्तर पर जा पड़ा।

जो बागी होते हैं उनके सपने अजीब होते हैं!

□□□

राजपाल एण्ड सन्ज़ की स्थापना एक शताब्दी पूर्व 1912 में लाहौर में हुई थी। आरम्भिक दिनों में अधिकतर धार्मिक, सामाजिक और देश-प्रेम की पुस्तकें प्रकाशित होती थीं और हिन्दी के अतिरिक्त अंग्रेज़ी, उर्दू व पंजाबी भाषा में भी पुस्तकें प्रकाशित की जाती थीं।

1947 में भारत-विभाजन के बाद राजपाल एण्ड सन्ज़ को नए सिरे से दिल्ली में स्थापित किया गया और साहित्यिक पुस्तकों के प्रकाशन का आरम्भ हुआ। रामधारी सिंह दिनकर, महादेवी वर्मा, बच्चन, अज्ञेय, शिवानी, आचार्य चतुरसेन, विष्णु प्रभाकर, राजेन्द्र यादव, मोहन राकेश, रांगेय राघव, कमलेश्वर और अन्य साहित्यिक लेखकों की कृतियाँ यहाँ से प्रकाशित होने लगीं। राजपाल एण्ड सन्ज़ से प्रकाशित *मधुशाला, कुरुक्षेत्र, मानस का हंस, आवारा मसीहा, कितने पाकिस्तान, आषाढ़ का एक दिन* जैसी पुस्तकें हिन्दी साहित्य की 'क्लासिक पुस्तकें' मानी जाती हैं और आज भी लोकप्रियता के शिखर पर हैं। भारत के राष्ट्रपतियों और प्रधानमंत्रियों की पुस्तकें प्रकाशित करने का गौरव भी राजपाल एण्ड सन्ज़ को प्राप्त है। नोबेल पुरस्कार से सम्मानित अर्थशास्त्री डॉ. अमर्त्य सेन की सभी पुस्तकों के हिन्दी अनुवाद यहाँ से प्रकाशित हैं। अन्तरराष्ट्रीय चर्चित पुस्तकों के अनुवाद, विश्वविख्यात कोशकार डॉ. हरदेव बाहरी द्वारा सम्पादित 'राजपाल' शब्दकोशों की शृंखला और किशोरों के लिए सैकड़ों पुस्तकें राजपाल एण्ड सन्ज़ से प्रकाशित हुई हैं।

पाठकों के स्वस्थ और सुरुचिपूर्ण मनोरंजन और ज्ञानवर्धन के लिए समर्पित राजपाल एण्ड सन्ज़ से हिन्दी और अंग्रेज़ी में पुस्तकें प्रकाशित होती हैं जो देश के सभी बड़े पुस्तक-विक्रेताओं और विश्व भर के ऑनलाइन विक्रेताओं के यहाँ उपलब्ध हैं।

राजपाल एण्ड सन्ज़

1590 मदरसा रोड, कश्मीरी गेट, दिल्ली-6, फोन: 011-23869812, 23865483
email: sales@rajpalpublishing.com, facebook: facebook.com/rajpalandsons
website: www.rajpalpublishing.com

अन्य कहानी संकलन

टोबा टेक सिंह
और अन्य कहानियाँ

काली सलवार
और अन्य कहानियाँ

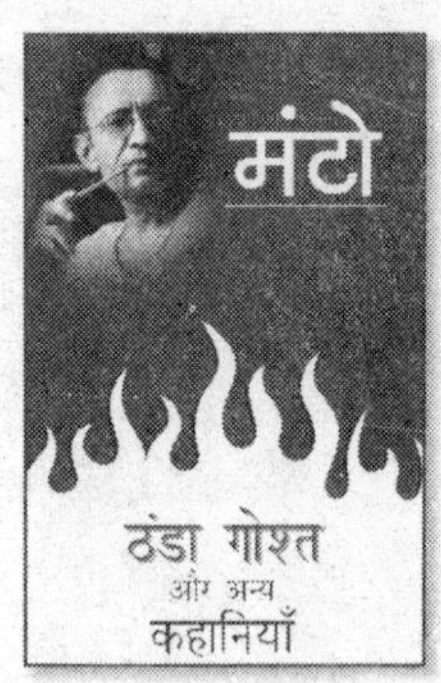

ठंडा गोश्त
और अन्य कहानियाँ

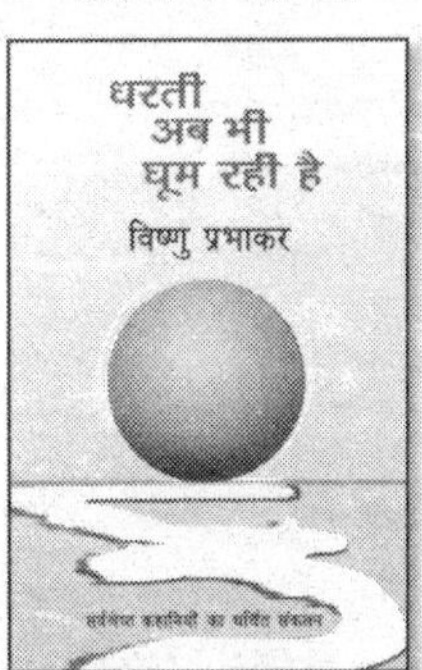

धरती अब भी घूम
रही है

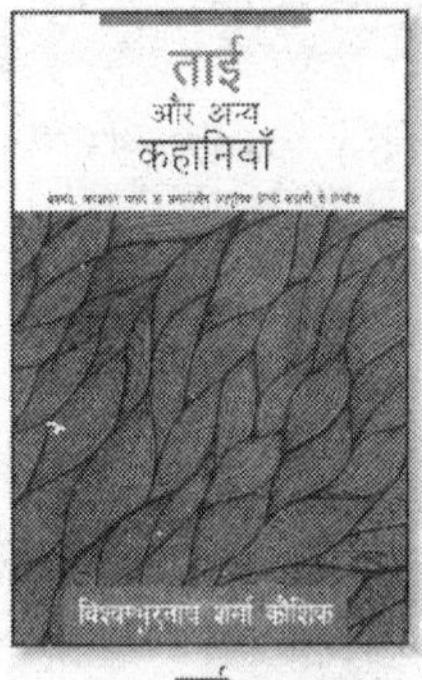

ताई
और अन्य कहानियाँ

उसने कहा था
और अन्य कहानियाँ

बड़े घर की बेटी
और अन्य कहानियाँ

उग्र की
श्रेष्ठ कहानियाँ

जयशंकर प्रसाद की
श्रेष्ठ कहानियाँ